新 潮 文 庫

峠

中　巻

司馬遼太郎著

JN266150

目次

峠

中巻

ともあれ、この慶応元年七月、継之助は外様吟味《とざまぎんみ》になった。地方官である。地方といっても代々の藩領ではなく、あらたに藩領になった土地の裁判役というところであろう。

継之助を抜擢《ばってき》したのは、ちかごろお国帰りしている藩主牧野忠恭《ただゆき》であった。

家老たちが、

「さて、かの者はどうも過激で」

といって賛成しかねていたが、忠恭は、

「人間は温和だけが美徳というわけではあるまい」

といって押しきった。藩の人事を殿様みずからの声がかりでやるというのはまずめずらしい。

「あの男が、必要なのだ」

と、殿様はいった。

じつはこの長岡藩がいまあたまをかかえこんでいる問題がある。新領地の百姓が、藩になつかず、つねにごたごたをおこしている、という問題であった。

越後《えちご》刈羽《かりわ》郡山中村のことであった。もともとは幕府の直轄《ちょっかつ》領であったが、二年前に幕府がそれをのぞんで、長岡藩は他の村と交換した。山中村の百姓は、

「いままで天領（幕府領）百姓であったのに小大名のご政道など、おかしくて従えるか」

と高言し、ことごとに不平をとなえているばかりでなく、地主、庄屋《しょうや》などをめぐって村内の紛争が絶えない。

「継之助に外様吟味をやらせよ」

と藩主がいったのは、この山中村問題があったからであった。

ところが継之助は短時日でこれをかたづけてしまった。

藩主忠恭はおどろいた。

「一度、継之助をゆるりと引見したい」

といった。江戸のころは御用人だったからしばしばあの鳶色《とびいろ》の目の男と会ってきたが、国もとに帰ってから単独で彼を引見したことがない。

「さて、それは」

側《そば》の者が、くびをひねった。江戸藩邸とはちがい国もとは諸事めんどうで、外様吟味程度の役人が藩主に単独の拝謁《はいえつ》をするというようなことはないというのである。

「学問の講釈という名目ならいいだろう」

「先例がございませぬ」

「先例より、藩の政治のほうが大事ではないか」

と、忠恭はこの点も押しきった。この三河からきた養子の殿様は、七年前に家督をついだころはなにごとも藩の先例についてひかえめであったが、ちかごろは自説を押しとおすことが多くなっている。

(小役人に藩主が単独謁見を許すと、佞臣《ねいしん》をつくる)

というのが、この先例の智恵《ちえ》であることは忠恭も知っている。しかしあの継之助ならばいかに親しんでも狎《な》れなれしくはなるまいというのが、忠恭の見方であった。

なるほど、そうであった。継之助は藩主の前にすすみ出ると、

「在来、殿様というのはいかにお生れつきがお利口でもお馬鹿《ばか》なものでございまする」

と、とほうもないことをいった。殿様という暮しのなかからは英明練達の政治家は

うまれない、というのである。

「されば、賢臣を登用し、登用した以上はいかなることがあってもその者を御信用しきるというのが明君の道でございます」

いわば自分をそうせよ、といわぬばかりではないか。

江戸には、継之助の師の山田方谷《ほうこく》が備中《びっちゅう》の山から出てきている。このことはすでに述べた。

理由は、簡単である。

かれの藩主板倉勝静《かつきよ》が老中になり、国政全般を担当するようになっていた。その謀臣の役をつとめるためであった。

ちなみに板倉勝静はこののち老中筆頭（首相）になり、幕府の終焉《しゅうえん》までのあいだ、国政の先頭に立たされた。

「首相の板倉は善良な紳士であるが、決して腰の弱い人物ではない。年は四十代だが、みたところ老人のようだ」

と、英国公使館のアーネスト・サトウがその風貌《ふうぼう》の印象を、そう表現している。

山田方谷は、その勝静を輔佐《ほさ》したが、しかし時勢があまりにも複雑で変転がはげしく、このため方谷の能力を越える事態がおこってきた。元来、山田方谷は内政家であり、領内の行政をさせれば日本一の名人であったかもしれないが、日本政府の首相をたすけてゆけるような外政家ではない。方谷はこの仕事が自分の能力外であることをいちはやくさとり、しきりと辞職を乞《こ》うた。

「こまる、こまる」

と、勝静は、何度も言い、思いとどまらせようとしたが、ついにゆるした。そのかわり、勝静は自分の留守中の備中松山藩の内政をいっさい方谷にまかせることにした。

方谷が江戸を離れようとする時期、長岡藩の者から、

「継之助が郡奉行《こおりぶぎょう》に栄進した」

という旨《むね》のはなしをきいた。

「ほう、郡奉行の重職に。なるほど、それは非常なことですな」

方谷は何度もつぶやき、しきりと首をひねった。

栄進が早すぎる。

七月に外様吟味に就任してわずか三カ月目のことではないか。他人の方谷さえ理解にくるしむような異数の出世ぶりである。

「なぜ、そのように」

「藩公が、大変な継之助信者で」

と、その長岡藩の者は、この継之助の異数の躍進をあまりこころよくおもっていないふうの口ぶりであった。大方の藩士はおなじおもいであろう。

(異数ということは、いかん)

と、方谷はかねがねおもっている。方谷自身、「百姓安五郎」の境涯《きょうがい》から家老に準ずる身分にまでなったというのはなるほど大いに異数だが、そのために方谷は家中の思惑をつねに配慮し、その配慮だけでどれほどの心労をしているかわからない。方谷によれば異数の立身をとげる者は異数の運命におちいりがちだということであった。

(継之助は将来どうなるか)

方谷は不安になった。

「藩公は、継之助をどのようにご理解なされています」

と、方谷はきいた。継之助の将来にとってそれが問題であろう。

「さあ、上辺《じょうへん》のことはよくわかりませぬが」

長岡藩の者はいった。しかし継之助が藩公に単独拝謁したとき、「殿様とはお利口でもじつはお馬鹿なものでございます。明君たる道は賢臣を信じぬくこと以外にございませぬ」といったという話を、方谷に伝えた。

方谷は、眉《まゆ》をよせて笑った。

（継之助らしい）

保身の工夫などしていないようである。

郡奉行というのは、城下町以外の民政を総轄《そうかつ》する役目である。

「これは大変なことになる」

というのが、家中と領民をとわず、たれしもが持った感想だった。この時期にはもはや河井継之助といえば城下・城外のたれもが知っている一種の名士になっていた。

「青二才になにができるか」

と、古い藩官僚はおもったし、継之助に好意をもっている連中でさえ、

「あのように大胆な男だ。たかが七万四千石でしかないこの小藩でとほうもないことを仕出かしてしまうのではあるまいか」

と、危険視した。領民なども、

「さて、このさき世の中がどうなるか」

と心配した。この時代、ひとびとの心は保守的であり、変化を好まず、波風の立たぬことのみを望み、それが日本人の基本思想になっていた。そういう心からみれば、郡奉行河井継之助の出現は、嵐《あらし》の到来を予感させるなにかがあった。

郡奉行は、重職である。数多くの代官、割元《わりもと》（藩によっては大庄屋ともいう）、庄屋を指揮し監督し、領内政治の実際上の担当官である。

「兄が郡奉行になりましたとき」

と、妹のお八寸が後年、その当時のことを語っている。お八寸はこの日、用があって実家の河井家にゆき、おすがと一緒に一室で物の整理をしていた。

「お嫂《ねえ》さま、お客さま？」

と声をひそめておすがにきいた。おすがは無言でうなずき、唇に指を立て、

――だまって。

という表現をした。

唐紙《からかみ》ひとえをへだてたむこうに、十畳の間がある。それへ八畳の間がつづいている。そのふたつの部屋をぶちぬき、藩内の代官、割元、庄屋をあつめ、なにやら継之助が演説をしていた。

（ああ、怖いこと）

お八寸は筒抜けにもれてくる継之助の朗々とした声をきいて、なにやら戦慄《せんりつ》をおぼえる思いがした。このときのふしぎな怖さは、昭和初年まで長命したお八寸が、晩年になってもわすれられなかった。

集まっている割元、庄屋はともかく、代官といえば地方《じかた》では非常な権勢があり、入ってくる賄賂《わいろ》も大きく、

――お代官さま。

といえば文字どおり泣く子もだまる。藩士でこの役につくとたちまち家産ができるところから、村々では、

お代官には及びもないが

せめてなりたや殿様に

という歌さえうたわれていた。そのお代官さまたちを継之助はあつめ、

「おれは天地のなかで賄賂《まいない》ほどきらいなものはない。おれももらわぬ。そのほうども貰《もら》うな」

と、すご味のある声でおどしているのである。

「もし貰った事実がおれに知れてみろ。城下でうわさをしているとおり、この継之助はなにを仕出かすかわからぬぞ。しかもそれを秘めても無駄《むだ》だ。おれの目はおみしゃ

んらとちがい、骨の髄まで見通すことができる」

という。

満堂息をつめ、咳《しわぶき》もなく、ひたすらにうなだれている気配が、ふすま越しのお八寸らにもわかった。

「賄賂だけでない。在来美風とされた贈答も禁止だ。おれは藩の金蔵に金を貯《た》めようとしている。このおれの企てを邪魔だてする者があるとすれば、それは逆賊である。討つ」

とまで継之助はいった。

「賄賂をやめろ」

と、継之助がいうのは、おもてむきは道徳論としていっているが、かれ自身の肚《はら》の底は金がほしい。藩庫に金銀を満ちさせなければなにもできない。

その金でなにをやるか。

継之助の肚の底をもし他人《ひと》が知るとすれば長岡藩はひっくりかえるほどのさわぎになるであろう。

ただ一人にだけ、打ちあけている。

「良運さん」

という人物であった。

「良運さんほど頭の冴《さ》えた人物はまれだ」

と継之助は平素いっていた。

さんづけでよんでいるが、じつは継之助と同年齢の幼なじみで、しかも家格もかわらない。であるのに継之助は「さん」をもってこの友人を尊んでいた。良運さんのほうは、

「継《つぎ》サ」

というだけである。継サ、というのは同格者にいうぞんざいな敬称である。

良運さんは、小山《こやま》良運という。

藩の御典医小山家の惣領息子《そうりようむすこ》（といってももう立派な年配だが、体が弱いためにいまだに家督をついでいない）である。

おさないころから非常な秀才で、家学である医をまなぶためにまず江戸へ留学し、ついで蘭方医《らんぽうい》になるために当時蘭学の総本山とされた大坂の緒方洪庵塾《おがたこうあんじゆく》（適塾《てきじゆく》）にまなび、数年して長崎に遊学した。単に医学だけではなく、蘭書を通じてヨーロッパ情勢や兵学、物理学、法律、経済に通じている。

さらに良運さんの特性は、危機意識がつよいことであろう。志士的気分をもち、このため中国、九州筋の人物を多く歴訪し、日本がいかにあるべきかという思想も、十分に鍛錬された。

大坂の緒方洪庵塾の同窓のなかでも、いい友人を多くもっている。長州の村田蔵六(明治陸軍の創設者である大村益次郎《ますじろう》の最初の名)や薩摩《さつま》藩の松木弘庵《こうあん》(明治政府の外務卿《がいむきょう》寺島宗則《むねのり》)ともっとも親しく、

「このふたりはただの医者にはなるまい」

と、最初からその人物を見ぬいていた。

が、良運さんは多病であった。ひどく虚弱ですぐ風邪をひいた。このため藩へ帰り、これほどの学才をもちながら、毎日家にひきこもり、生涯埋《うも》れ木《ぎ》でおくることを覚悟している。

この良運さんの屋敷に、継之助はむかしから毎日ゆく。郡奉行になってからも毎日ゆく。たまに来ぬ日があると、

「継サは、どうしてお出《い》でがないやら」

と、良運はつぶやいた。なにしろ、刀剣から詩文、絵画にいたるまで両人は趣味が似ており、藩政改革についても気分が一致していた。「この地上で、良運さんのよう

なよき友にいま一人とめぐりあえまい」と継サはつねにいっていた。

この良運に、

「改革というが、じつは最終の目的は長岡藩を独立王国にすることだ」

と、継之助はいっていた。小なりといえどもヨーロッパの一国のごとくにすることであり、それには軍事力と独自の体制をもたなければならない。

この点、偶然ながら長州藩における高杉晋作《しんさく》と同意見であった。高杉もまた「幕府を倒し京都を帝都にして日本統一をするという時代までとうてい待てない。日本を救う道は雄藩の独立割拠である」という考え方である。

継之助の秘謀は、それであった。


「改革はせっかちにやるな」

というのが、師の山田方谷の体験から割りだした智恵であった。せっかちにやると旧勢力の抵抗が大きくなり、改革どころかおもわぬ騒動になり、藩に大きな傷を負わせることになる、というのである。

「人間は本来が保守的なものだ。たれもが改革をきらう」

と、方谷はいった。

が、継之助は、

（おれはちがうさ）

とおもっていた。手術はあっという間にやってのけるほうがいい。それに方谷が備中松山藩の改革に着手したのはずいぶん昔のことだったが、こんにちの継之助のばあいはちがう。急を要する。いまや日本の運命そのものがどうなるかわからないという差しせまった時代ではないか。

就任早々、私曲のうわさの高い代官と代官所元締《もとじめ》数人の首を切った。

村々も、歩いた。

租税について不満のある村にはみずからが出むき、みずから調査し、相手の不満を解消させた。

「河井様にはかなわない」

という声が出はじめた。存外、好意から出ていた。

「あの男にかなわないはずだ」

と、例の良運さんはそのうわさをきいて家人に笑った。

「あいつは私情も私心も捨てているだけでなく、命もすててかかっている。そういう男に、文句のつけようがない」

例の刈羽郡山中村――継之助が外様吟味《とざまぎんみ》のころにいったん裁いて鎮《しず》まったはずのこの札つきの村の情勢がまた悪化した。

――百姓一揆《いっき》をおこすかもしれない。

と、藩庁にきこえた。この山中村の不穏は租税問題ではなく、庄屋《しょうや》と村民との対立なのである。村民は庄屋の徳兵衛を追いだそうとし、徳兵衛は代官にすがりついてその地位を守ろうとする。

「お城方は、どうせ庄屋のお味方だろう」

として、村民は藩にも悪意をもつようになっていた。なにしろつい先年まで天領（幕府領）であっただけに、藩を軽侮している。

藩庁ではおどろき、すぐ数人の盗賊方（警吏）を派遣した。盗賊方は村に入り、主謀者四人をひっくくって城下へ連れ去ろうとした。

が、村民は竹槍《たけやり》をもちだして、

「その四人のお縄《なわ》を解かねえなら、当方にも考えがございます」

と、実力をもって盗賊方をおどした。その急報に藩庁はいよいよおどろき、足軽小《こ》頭《がしら》田部《たべ》武八に足軽二十数人をひきいさせて急行させた。いわば軍隊出動であろう。

が、小頭の田部は現地につくと、事態はもはや一揆そのものの様相を帯びはじめて

いることを知り、切腹を覚悟のうえ独断をもって主謀者四人の縄を解き、

「解いたゆえ、とりあえず解散しろ」

と村民へ叫んだ。村民も田部の決死のいきおいに感じ入り、この夜はひとまず解散した。

田部は城へ帰り、

「独断の罪、いかようにも御処分くだされますように」

と上申して罪を待ったが、継之助は他の上役をおさえて田部の処置を大いにほめ、ゆるし、

「あとでおれがゆく。その旨、山中村に報《しら》せよ」

と命じた。単身で乗りこむつもりであった。

この男が、百姓一揆寸前のふだつきの村に乗りこむべく城下を出発したのはその翌日である。

「郡奉行《こおりぶぎょう》たる者が」

と、身分がら、そのかるがるしさを非難する者もあり、継之助の身辺の者ですら、

「継サ、あぶない」

と、とめた。

が、継之助はきかず、この事件の解決法は地方行政の最高官である自分自身がゆくほかないときめていた。

学僕の彦助ひとりを若党がわりにつれ、城下を夕刻に出た。

夜道をゆきつつ、

「彦助、むこうへつけば、終始石のようにだまっていろ」

と、ひとこと注意した、こういう場合、供はひたすらに無言なほうが迫力がある、とも継之助はいった。

「はい」

彦助はうなずいた。

もともとこの彦助は越後古志《こし》郡来伝《らいでん》村の庄屋の子で、はやくから学問に志し、十一歳のとき城下の佐野家に寄寓《きぐう》した。たまたまここが河井家の親戚《しんせき》で、それが縁で継之助を知り、以来十数年、継之助が長岡に帰るたびにその身辺から離れない。

「彦助、犬死ができるか」

途中、継之助がいった。

「おれの日々の目的は、日々いつでも犬死ができる人間たろうとしている。死を飾り、死を意義あらしめようとする人間は単に虚栄の徒であり、いざとなれば死ねぬ。人間は朝に夕に犬死の覚悟をあらたにしつつ、生きる意義のみを考える者がえらい」

「はい」

彦助は提灯《ちょうちん》の灯《ひ》を袖《そで》でかばいつつうなずく。

「いま夜道をゆく」

継之助はいう。風がつよい。

「この風が、体を吹きぬけているようでなければ大事はできぬ」

「と申されまするのは?」

「気が歩いているだけだ」

「ははあ」

「肉体《からだ》は、どこにもない、からだには風が吹きとおっている。一個の気だけが歩いている。おれはそれさ」

村に入った。

継之助はあらかじめ、その宿所についての連絡を受けている。

村民は、「寺にお泊りねがいたい」といってきていた。普通ならば城下から役人がきたとき庄屋屋敷が宿所になるのだが、こんどの紛争の場合、その庄屋が村民一同の

敵になっているため、村民どもは、

「庄屋徳兵衛方にお泊りねがうようなことに相成りますれば徳兵衛とお肚をあわせ御結託あそばすようなことにもなりかねませぬ。されば寺にお泊りねがいます」

という理由をかかげていた。

が、継之助は寺に入らず、そのまま庄屋徳兵衛方に入り、そこを宿所とした。

村じゅうがさわいだ。

この庄屋屋敷を包囲し、その代表団が継之助に面会し、転宿をせまった。

「おみしゃんたちは、慮外千万なことを言いやる。慮外千万だでや」

継之助は無腰で、かまちに突っ立ったまま土間の代表たちを一喝《いっかつ》した。

「物の道理をどう心得ているか」

という、宿舎についての道理を一時間にわたって説き、ついに説得し、

「あすになれば呼びだす。早く帰りやい」

と追いかえした。

――どうせ、うそに違いあンめえ。

と、村民は、それでも継之助のことばを信用しきれないらしく、庄屋屋敷の庭の繁《しげ》

みや生垣《いけがき》のあいだなどに身をひそめ、息を殺し、目ばかり光らせて邸内をうかがっていた。

（いやなやつらだ）

と、若い彦助は腹が立ち、斬《き》っ払ってやろうかとさえおもった。これも世相のひとつである。ここ数年来、各地で百姓がめだって暴慢になりはじめていた。

ペリー来航から国内に尊王攘夷論《そんのうじょうい》が沸騰《ふっとう》し、幕権のたがゆるみ、志士が横行し、一方、京大坂では「攘夷御用盗」と称する自称勤王志士（じつは武士でなく農村出身のあぶれ者が多い）が富商の屋敷に押しこんで強盗をはたらく。

そういう時代の沸騰が、三百年いためつけられてきた百姓たちに、「上《かみ》を怖《おそ》れぬ」という暴慢の気を吹きこんだらしい。明治の自由民権運動の下地は、すでに幕末に胎動があったというべきであろう。

「十年前までは、かようなことはなかったことでございますな」

と、彦助はいった。徳川時代を通じて百姓一揆は各地にあったが、それもよほどの悪政か重税が原因で、この山中村騒動のように、単に村内の不和が昂《こう》じて百姓たちが藩をゆすぶるというような種類の騒ぎはなかった。

「これからは、こうだ」

継之助はいった。これからは百姓や町人がどんどんあたまをもたげてくる、という
のである。

「さしあたって、あの庭の繁みにいる連中をどうします」

「捨てておけ」

と継之助は言い、すぐ当家の主人である庄屋徳兵衛をよび、

「当屋敷を、あすまで上《かみ》が公用につかう」

と、あたりに鳴りひびくような大声で申しわたした。庄屋屋敷は、いわば半官半私の建物であるため、継之助の処置は法にかなっている。

「家族は、土蔵ででも寝ろ」

そう命じ、命じおわると屋敷うちの戸、紙障子、ふすまをぜんぶ開けはなたせ、あちこちの灯《あか》りをつけさせ、すべて外から見とおしがきくようにさせた。

「こうすれば百姓どもも納得するだろう」

「しかし、寒うございますな」

すでに十一月の半ばで、今年は雪こそ遅いが、寒気はようしゃなく吹きこんでくる。

「そとで寝るよりましだろう」

と、継之助は彦助とふとんをならべて横になった。

「寒くはございませぬか」

「政治とは、本来寒いものだぜ」

と継之助はいったが、彦助はこのことばの意味がわからず、明治になってからも考えつづけた。やっと思い至ったのは「政治をするものは身が寒い」ということに相違ない。わが身をそういう場所に置いておかねば、領民はとてもついて来ないということらしい。

ともあれ、村民もこれにはおどろき、

「あれじゃ、郡奉行が凍えちまうぜ」

と、ひそかに繋みのなかで言いかわし、このあたらしい郡奉行を信じるようになった。

翌朝、継之助は裃《かみしも》をつけ、関係者一同を庄屋屋敷の白洲《しらす》によびだした。

裁判である。

藩にとって、百姓一揆ほどこわいものはない。ひとたび城下に一揆の蓆旗《むしろばた》があがったばあい、幕府は藩に対してその責任を問い、ばあいによっては藩地を召しあげ、大名の家をとりつぶしてしまう。

「ひょっとすると、これは一揆だ」

と、長岡の藩庁では息を詰めて事態を見まもっており、藩主の牧野忠恭も、継之助が出発した夜はねむれなかった。

さて、定刻である。

事件の主謀者四人が白洲にならび、継之助の臨場を待った。みな、

「出様によっては、七万四千石と抱き合い心中してやる」

という覚悟をかためている。つまり喧嘩《けんか》相手の庄屋徳兵衛を藩が擁護すればそれこそ蓆旗をあげてやろうとおもっていた。

継之助は、控えの間で茶をのんだ。継之助はあくまでも村民をおさえ、庄屋徳兵衛を立ててゆくという方針でいる。暴民をもちあげるわけにはいかぬ。

(でなければ藩の秩序はこの山中村から崩れ去ってしまう)

しかしながら、下手《へた》に判決すればかれらはこの判決を不満として暴動をおこすだろう。

継之助は出廷した。

「やあ、集まったか」

色白の顔に鳶色《とびいろ》の目をひからせ、白洲を見渡した。かれら主謀者を見るのは、外様

吟味のころから二度目である。藤八、仁七、九兵衛、常右衛門であり、どの男も一癖もふた癖もあるつら付をしていた。

「藤八、そのほうは不届者《ふとどきもの》なり」

と、継之助の面《つら》が割れていきなりそのことばが飛びだした。このやみくもの言葉に藤八は怖れ、腰がくだけるようなかっこうで平伏してしまった。

くすっ、と継之助は笑った。その藤八のあわてぶりがおかしかったにちがいない。

「仁七、九兵衛っ」

笑いを収めて叫んだ。仁七と九兵衛はあっと頭をさげたが、継之助は、

「すこし前へ進め」

といっただけであった。さらに継之助は残るひとりの男に視線をそそぎ、

「常右衛門、そのほうの顔つきは、はなはだ残忍にみゆるぞ」

と睨《にら》みすえ、やがてにやっと笑った。一同とまどった。これが判決であろうか。このうち九兵衛は継之助の一瞬一瞬にうかぶ笑顔に気をゆるし、膝《ひざ》をすすめてなにか訴えようとすると、継之助はぴしゃりと扇子で床をたたき、

「九兵衛」

と、機先を制した。

「そのほうは表は利口者のように見ゆれども内実は大馬鹿者《おおばかもの》なり」

これには九兵衛もひっこまざるをえない。ことごとくが最初に胆《きも》をひしがれた。

そのあと継之助はゆるゆると説諭しはじめた。四人はなかば放心し、人変りしたようにおとなしくそれを聴いた。

要するに、騒ぐな、ということである。

みな、うそのように恐れ入ってしまい、今後とも庄屋徳兵衛を立ててゆくことを誓文《せいもん》をもって誓い、印をおした。

継之助はその申し渡しがおわると、すぐさまかれらを座敷にあげ、自費をもって酒肴《しゅこう》を買わせ、四人と酒宴をひらき、例の唄《うた》をうたっている。「四海波《しかいなみ》でも切れるときゃ切れる三味線枕《まくら》でチョイト　コリャコリャ　二世三世《にせさんぜ》」という得意の唄であった。

この間、余談がある。

判決がおわったとき、継之助は彦助をよび、大きなざるを持たせてよこした。

「それを見な」

と、継之助は一同にいった。

包み紙につつんだものが、ざる半分ほどのかさで盛られている。賄賂《わいろ》である。継之助が外様吟味から郡奉行になるまでのこの期間中、いま白洲にいる山中村の主謀者たちが騒動をわが方に有利にするため届けてきた金包みである。

郡奉行というのは、それほど金が入る。越後長岡の土地のことばに、

「三年がほども郡奉行を勤むれば植木に小判の花が咲く」

といわれているほどである。

「おみしゃんら、それにおぼえがあろう」

継之助が一喝すると、一同平つくばってしまった。こういう秘密めいた金をこうもざるに盛りあげられてしまうと、変に醜怪で、恐れ入らざるをえない。

「わるいと思うか」

「しかしながら」

と、九兵衛が、これはいままでの習慣でござりまする、と弁解したが、継之助はかぶりをふり、

「悪事は悪事だ。もとのふところにしまえ」

と、命じた。

とにかく、判決がおわり、継之助の勘定による酒宴がはじまったころには、かれら

主謀者たちはすっかり心服してしまった。

(寛猛自在だな)

と、これらの経過を見ていた継之助の従者彦助は舌をまいた。まず胆をうばってから道理を説き、ふたたび相手が首をもたげると別の手でいま一度胆をうばい、最後に酒宴でうちとけさせてしまうというのが、継之助の手であるらしい。

この判決後、このふだつきの村はうそのように静まり、その後村民の継之助への傾倒が他村よりも強くなり、その後一世紀を経たこんにちでも、この刈羽郡山中村での継之助崇敬はあとを絶たない。

一方、継之助によって救われた庄屋《しょうや》徳兵衛は、当然ながら継之助を恩人とし、継之助がこの屋敷に出張吟味にやってきた十一月十五日には毎年かれの肖像を床ノ間にかかげ、味噌漬飯《みそづけめし》をそなえたという。

「味噌漬飯ほどうまいものはない」

と継之助がこの屋敷でいったからだというのである。このめしは焚《た》きこみ飯の一種で、大根のみそづけをこまかくきざんで飯にたきこんだものである。長岡藩の家中では一般に「桜飯」といった。

このほか、継之助の行政改革は逐次進んだが、家中や領民の抵抗は大きく、

「人間は習慣で生きているのだ。あの男は旧習がいかに大切であるかを知らぬ」と、公然非難する者も多い。ことに、在来賄賂で生活してきた代官以下の地方《じかた》役人たちの不満は大きく「河井のために干し殺される」と蔭《かげ》でいったりした。

「古来、改革者が、終りを全うした例はすくない。いずれ思わぬ事故をおこし、罷《や》めさせられるだろう」

という者もあった。

ところが郡奉行就任後一年たち、意外なことがおこった。

慶応二年十一月、継之助は郡奉行のほか町奉行をも兼務することになったのである。藩行政の実際面を、両手ににぎったといっていい。

「継サが、町奉行に」

と、その確報をきいたとき、小山の良運さんはよほど昂奮《こうふん》したらしく、病身ながら自分で井戸水を汲《く》み、手桶《ておけ》に移し、それで門から玄関までのあいだを打ち水してまわった。

「なぜ、今日にかぎって左様なことをされます」

と、良運さんの末の妹おのぶがきくと、「継サがやってくるからだ」という。客を迎える打ち水らしい。

「毎日のように河井様がいらっしゃいますのに」

というと、「いやさ」と答えた。

「今日の日から御家も長岡もよくなる」

案の定、継之助がやってきた。門ぎわの櫨《はぜ》が真っ黄に色づいていて、目が痛くなるほどに美しい。

「良運さん、この櫨はいつから黄になった」

「昨夜の霜さ」

良運は、縁のそばからいった。

上へあがっていつものように良運の書斎で話した。

「城下《まち》ではうわさで大変だそうだ」

と、良運さんがいった。継之助が町奉行を兼務するといううわさはもう町じゅうを駈《か》けめぐっており、良運さんの家の中間《ちゅうげん》がきいてきたところでは、どうやら人気はよくない。みな警戒しているという。

「なにをされるかわからぬ、という恐怖があるらしい」

良運さんは笑った。とくに旅館、料亭といった風俗稼業《かぎょう》の家々は従来町奉行所役人と蔭でむすびついており、たいていのことは平素昵懇《じっこん》の役人が大目にみてくれるし、上からのお達示《たっし》などはさきに教えにきてくれる。

ばくち渡世の親分衆などもおなじである。ばくちは禁制だが、いまは法なきにひとしく、城下の寺あたりで盛行をきわめていた。その連中もみな奉行所役人と結びついており、役人もそれらのあがりで豊かにくらしている。

「その役人連中が、悪評を撒《ま》きまわっているらしい。河井とは狂人《きちがい》だとよ」

「一種のきちがいさ」

と、継サは、大笑いをした。

就任三日目に継之助はそれら役人のうち札つきの者三人を役宅によびだした。

長岡藩では、町奉行所の上級役人のことを検断という。江戸町奉行所における与力に相当するであろう。よびだされた検断は、草間、宮内、太刀川《たちかわ》という。名はわからない。

「今日かぎり、御役をお召しあげに相成る」

と、ひとことで首を切った。

それが、最初のしごとである。ついでばくち禁制についての警告を高札で出した。

同時に、これと並行して、

「寄せ場」
というものをつくった。城下呉服町裏に御蠟座《おろうざ》という建物がある。これを三日で補修し、ここを「寄せ場」にした。

牢屋《ろうや》に似ているが、牢屋ではない。牢屋は別に荒屋敷というところにある。この呉服町裏の寄せ場は、博徒《ばくと》、無頼漢の収容所で、これを懲罰するためでなく、隔離して教育するためであった。その場長には継之助の友で外山《とやま》修造という学者を置き、これに直接教育させることにした。監獄が懲罰刑主義であった江戸時代としては異例のことで、おそらく近代の教育刑主義の最初の例をひらいたものといえるであろう。

以下、これに触れてみたい。

この城下は、無頼漢が多い。土地のことばで、これらやくざ者のことを、
「へんなし」
という。語源は、人べんがない、人ではないということだそうだが、どうであろう。

もともとやくざ者のあつまるのは、統治の手きびしい大名領より、役人の数のすくない天領に多い。越後でいえば、新潟や小千谷《おぢや》などがそうだが、しかしそれは比較の問題で、長岡城下にもずいぶんといる。それらが町を横行し、良民の暮しをおびやか

している。継之助という人物は気質的には武将肌《はだ》の男であり、能力としては経済行政に長じているが、しかしこの風俗現象についても許せぬ怒りをもっているらしい。町奉行就任早々、町じゅうに捕吏を走らせ、それらを一網打尽にし、前記呉服町裏の「寄せ場」にほうりこんでしまった。仕事はさせる。仕立て物のすきな者にはそれを教え、大工、左官くずれの者にはそのまま仕事をさせる。百姓もさせる。昼間は町へ仕事に出したりした。逃げぬように、五人一組にして責任者をつくり、町へは組単位にして出す。さらに逃げぬように頭を三分の坊主《ぼうず》刈《が》りにし、着物は紅殻《べにがら》染《ぞ》めのものをあたえた。町でこの連中がくると、子供たちが、

親を殴ったり
喧嘩をしたり
柿《かき》の看板
赤ずきん

という唄をうたって囃《はや》したてた。

寄せ場の食事は毎日半搗米《はんつきまい》三合ときまっている。月のうち六のつく日には鰊《にしん》などの馳走《ちそう》があって、牢屋よりも待遇はいい。

刑期はきまっていない。手に職もつき、改悛《かいしゅん》の実績がみとめられれば出してくれる。さらに牢屋とちがっているのは、毎日外泊をゆるされることであった。

「外泊をゆるしておかねば、逆効果になる」

というのが、継之助の考えである。人間を完全に隔離し閉鎖してしまえば感情が鬱《うつ》積《せき》し、なにをしでかすかわからない。夜は親や女房のもとにでも、情婦の家にでも帰っていい。ただし時間は、夜十時から朝の四時までである。朝の四時に帰って来なければ、

「斬首《ざんしゅ》である」

と申し渡してある。このあたりが、江戸期の武断政治の妙味であろう。

ある日、そうした者のうち、越後古志郡山道村八ツ手ノ甚助という札つきのやくざ者が、他の二人とともに帰らなかった。しめしあわせたものにちがいない。

「捕えろ」

継之助は、命じた。町奉行所が総動員で捜索し、その翌日までに三人をとらえた。八ツ手ノ甚助は農家の肥え溜《こだ》めの底にかくれ、火吹き竹一つをそとに出して呼吸していたという。それをひきずりあげ、小川に浸《つ》けて洗い、城下にひったてて帰った。

「首を刎《は》ねよ」

継之助はいった。この三人の首をはねることによってかれらはふたたび脱走の気をおこさなくなるであろう。

寄せ場の広場にひきだし、一同にもそれを見せ、首を刎ねた。

ばくちについては、いまひとつ、おもしろい話がある。

継之助は、よほどばくちがきらいらしい。

「どうあっても、きらいだ」

と、継之助は良運さんにいった。これほど人間の精根をすりへらし、人間の活動をにぶらせ、社会を腐らすものはないというのである。

「好ききらいで、禁制するのかえ」

「ちがうサ」

目的に反するからだ、と継之助はいった。継之助の目的は越後長岡藩と藩領をして天下第一の富強地帯にすることであり、横浜のファブルブランドの故国であるスイスのように教育と経済と軍制を確立したい、というところにある。継之助のめざしている将来の越後長岡藩というのはもはや幕藩体制におけるいわゆる藩ではなく、一個の独立公国であり、その建設をさまたげるものは容赦なく摘みとらなければならない。

「ばくちが、それサ」

と、継之助はいった。

「しかし継サ、そりゃあ大変だでや」

良運さんはいうのである。ばくちと博徒はこの社会の毒菌《どくぎのこ》にはちがいないが、人間の弱点のなかに巣くっているだけに、じつに巧妙な場所に呼吸している。

「たとえば、どうだ」

「継サ、おみしゃんは町奉行さまさ。その町奉行の配下がばくちの巣窟《そうくつ》だでや」

そのとおりである。

目明しという者がいる。

これは江戸でも藩でもおなじだが、警察の末端にいて、日常茶飯、警察権を行使している。かれらがいなければ盗賊の捜査ひとつできない。

ところがこの目明しというのは、博徒の親分なのである。かれ自身が悪事の張本人であるだけに、裏面社会にあかるく、いざ犯人捜査ということになるとみごとな嗅覚《きゅうかく》で犯人をつかまえてくる。

この連中のことを、徳川時代の法制のことばでいうと、
放免

道案内
という。放免とは警察に協力するということでお上から大目にみてもらっている、という意味であり、道案内とは悪人の巣へ案内する者、という意味である。

むろん、かれら目明しは、正規の吏員でもなんでもない。

正規の警吏は、江戸でも諸藩でも、同心が最末端である。物語の「右門捕物帳」などに出てくる右門が同心である。身分は足軽であった。

この足軽格の同心が、警察権の象徴である十手をもっているのだが、なにぶん同心の数が足りない。このため同心は私的に博徒の親分などを手なずけ、これに仮に十手捕縄《とりなわ》を委譲しておく。こういう種類の男が、長岡城下で五人いる。五人がそれぞれ数十人の子分をもち、博徒のくせに、

「お上御用」

と称して、町人百姓に対し、大いに威勢をふるっており、その勢力たるや、代々の町奉行職などはかれらの無法ぶりに対し見て見ぬふりをするしか仕方がなかった。

「その連中をどうするのだ」

「一掃するさ」

「やれるかえ」

「良運さん」

継サが、眉《まゆ》をひそめた。

「それがやれねえで、藩を改革するのどうのということは言えねえこった」

「継サ、おもしろい」

良運さんはこれは観物《みもの》だとおもった。

継之助のやりかたは、まず自分の施策についてその理由を明快にすることであった。

「なぜばくちがわるいか」

ということを、あらゆる手段で城下、城外に徹底させ、悔いあらためる者には便宜をはかり、しかるのち容赦なく弾圧した。

「大《てえ》したことはねえだろう」

とたかをくっていた者に、目明し多兵衛という親分がいる。五十年配の男で、城下では非常な名士であり、

——暗闇《くらやみ》のお奉行

というあだながついている。

「ばくちが御禁制てえことは、百年も前からきまりきったことさ。御禁制はたて前と

いうもので、お奉行さまがそうおっしゃるのはうわべだけよ。やがてひっこめなさるさ」

と、そういう理屈で相変らず賭場《とば》をひらいていた。

「第一《でえいち》」

と、多兵衛親分はいう。

「ばくちを禁じなされば、おこまりになるのはお上だでや」

それはそうであろう。幕府のひざもとである江戸の場合も諸藩のばあいもおなじだが、かれら目明しにお手当があるわけではなく、無給なのである(もっとも、多少の小遣銭が同心の財布から出ることはあるが)。

かれらは、賭場をひらくことを大目にみてもらうということで――つまり無法を黙許されていることで――大きな収入がある。賭場のテラ銭がとれるのである。そのテラ銭でおおぜいの子分をやしなっている。つまり奉行所《おかみ》はかれらに賭博をやらせることによって、無給警察員を多数やしなっているということであり、もし賭博が禁制になれば、なるほど多兵衛のいうとおり、こまるのはお奉行さまであろう。

が、継之助はこの手も打った。

「目明しに、御扶持《おふち》をくださる」

という布告をしたのである。しかもすぐ実行した。

「だからばくちをやめよ」

という。その御扶持とは、目明し（親分）にそれぞれ米二十五俵、その手下にはおのおの米五俵から六俵というものであり、わるい給与ではない。しかも、お扶持をいただけるとなれば、小者ながらもかれらは藩吏である。このことは、これだけで画期的なことであり、天下ひろしといえども、目明しやその手下に扶持を出すのは長岡藩をのぞいて他にないであろう。

多兵衛はそれでもこっそり城下や在郷の旦那衆《だんなしゅう》をまねいて内々で賭場をひらいていた。

「叩《たた》っこめ」

と、継之助は配下に命じた。すぐさま多兵衛はとらえられ、寄せ場にほうりこまれ、頭を坊主刈りにされて柿色の着物を着せられた。さらに城下のほうぼうを捜索し、賭場道具いっさいを掻《か》きあつめ、寄せ場の庭に積みあげ、油をかけて焼いてしまった。

「継サは、やるなあ」

と、良運さんは感心したが、しかし良運さんにはまだ言いぶんがある。

「ものがものだでな」

つまり賭博は人の本性に根ざしたものであるため、なかなか根絶しにくい。田舎あたりの博徒が、お上の目がとどかぬことをいいことにして秘密の賭場をひらくだろう、そうなればかえって悪結果になる。社会に暗黒面をつくってしまう、というのである。

「いやサ、それも考えている」

継之助は、非常手段をもっていた。

ある日、灯《ひ》ともし頃《ころ》になって継之助は行きつけの貸座敷藤本屋へ出かけ、かまちにあがるなり、

「あば公と牛蒡《ごぼう》をよんでくりゃえ」

と、女将《おかみ》に言い、いつものように奥の一室に入って酒を注文した。継之助は町奉行になる前は三日にあげずここへやってきて酒をのんだものだが、このところ御用繁多でちょっと跡切《とぎ》れている。

やがてあば公と牛蒡がやってきた。どちらも四十を越えた芸者である。

「頼みがある。人にはいうな」

継之助はいった。その頼みというのは、

「あば公は髪結いができるから、おれのあたまを町人ふうに結いかえろ。牛蒡にはわ

るい弟がいるだろう、あいつの衣裳《いしょう》と道中合羽《がっぱ》を貸せ。手甲脚絆《てっこうきゃはん》、わらじをわすれるな」

「いったい長町さまは」

長町というのは、継之助の屋敷のある町名である。

——なにをなさるおつもりなんです。

と、あば公がきいた。桐油屋《とうゆや》の三代吉《みよきち》というのが芸者としての名だが、大変なあばただから継之助はあば公とよんでいる。牛蒡は名がおりくで、城下でもこれほど細長い顔はないであろう。どちらも継之助が大のひいきにしている大年増《おおどしま》だった。

「芸者は肚《はら》しごとだぜ」

「え？」

「にぶいやつだ。わけなんざ聞かず、はいといえばいいというのだ。このこともむこう三年は口外法度《はっと》だぜ」

「そりゃ、口が堅いことだけが芸者の身上《しんじょう》でございますけど」

「だからこそ、おみしゃんらに頼んだのだ。さあ、こいつを」

と、自分の後頭部をたたき、「やってくりゃえ」といった。あば公がそっと部屋をぬけだし、帳場から髪結い道具を借りてきた。牛蒡はそのころには弟の家へ衣裳借りに走っている。

やがてこの藤本屋の座敷で、ひとりの旅の博徒《ばくと》ができあがった。

「帳場にも内緒にしろ」

と、このお奉行さまは裏口からそっとぬけだし、そのまま城下から姿をくらました。

(内緒ばくちの息の根をとめてやる)

というのが、継之助のこんたんだった。物事をとことんまでやるというのが、この男の性分らしい。

実のところ城下を離れるとき、城下の地蔵《じぞう》ノ辻《つじ》という辻で、盗賊方(奉行所同心)の太田門造に継之助は見つけられている。門造はこの夜、たまたま番の日で着流しに両刀を挟《はさ》み、雪駄《せった》ばきという定廻《じょうまわ》りの姿で町々を巡回していた。これを、「おまわり」という。

「てめえは、たれだ」

と、門造は継之助の袖《そで》をとらえ、提灯《ちょうちん》をつきつけてから驚いた。奉行ではないか。

「だまっておれ」

と、継之助は小声でいった。この門造が後年、継之助のこの種の逸話を多く語り残している。

「どちらへ、いらっしゃいます」

「ゆくさきか」

継之助はちょっと考えた。なるほど行きさきをいっておかねば、もし死んだ場合、奉行が行方不明のままになってしまう。

「栃尾《とちお》だ。おみしゃんに関係はない」

というのは栃尾は在だから町奉行所の管轄《かんかつ》外ということであろう。継之助は郡奉行《こおりぶぎょう》として出かけてゆく。

長岡城下を東へ五キロも離れると、もはや山の中である。継之助は月を頼りに山道を歩き、やがて森立峠《もったてとうげ》を越えた。

めざす栃尾というのは山中の小盆地である。越後では、

「栃尾気質《かたぎ》」

という。気概に富む半面、他郷の者に容易に同化せず、闘争心がつよい。戦国のころ、上杉謙信が少年時代をこの栃尾でおくった。謙信がのち信越、北陸、関東に威をふるったころ、謙信麾下《きか》の越後兵は日本最強といわれ、織田信長でさえ謙信が死ぬまではかれの機嫌《きげん》を損じまいとしたが、その越後軍のなかでもことに栃尾衆が最強とい

われた。

余談だが、豊臣時代の末期になって上杉家は越後を離れ、会津に移封《いほう》された。徳川期に入ってさらに会津から米沢にうつされ、いよいよその故国の越後から遠ざかってしまったが、国人はかつて北方の覇王《はおう》として天下におそれられた謙信のころの栄光をわすれていない。

さらについでながらいうと、徳川幕府はこの越後という長大な地帯に対してじつに慎重であった。なぜならばこの国の地勢、地理的位置、郷民の気質など地政学的にみて、ここでかつて謙信の上杉氏という大勢力ができあがったように、この一国を一大名に呉《く》れてしまうとどうしても強大になり、中央の統制に服しなくなるのではないかとおもい、その理由からここをこまぎれに割り、多くの大名を置いた。

栃尾は、長岡藩領になった。

が、郷民は藩への恐れが薄く、なにか事があると、代官に対し、

「われらは不識庵《ふしきあん》さま（謙信）以来の土地でござりますれば」

などという言葉をつかう。

こんどの賭博禁止令についても同様で、

「お奉行の気まぐれさ」

として、表むきはサイコロ、花札などを焼いたが、内々では相変らず人をあつめてさかんにやっているらしい。

継之助は、栃尾郷の西中《にしなか》ノ俣《また》という在所に入り、勇蔵という遊侠《ゆうきょう》の家をたずねた。

まず敷居をまたぐ前に、この渡世でいう仁義というものを切らねばならない。

「手前、生国《しょうごく》と発しましては」

からはじまる正体不明の日本語である。継之助は諸国を歩いていたころ旅籠《はたご》で旅の博徒と知りあいになり、その仁義と称する妙な文句をおぼえてしまっていた。

越後柏崎《かしわざき》の者でござんす、といった。

勇蔵は五十がらみの顔の大きな男で、百姓仕事をしないために首筋がふやけている。かまちにすわり、生気のない目をぼんやりひらいていたが、この旅人《たびにん》が侍であろうとは最後まで気づかず、ただひたすらに手を振り、

「ならねえ、ばくちゃハア、ならねえ」

と、言いつづけた。それでも継之助はしつこく頼み、ついにふところからサイコロを取りだすと、勇蔵は奥へ駈《か》けこみ、二分金の紙ひねりをもってきて、頼む、頼むからどっかへ行って呉《け》ろ、おめえがその人体《にんてい》でうろうろすりゃ、おれはまだばくちをやっているかと目をつけられ、

——これよ。

と、打ち首のまねをした。継之助はしかしひきさがらない。

「じゃア、このあたりで内緒いたずらをしてくださる親分衆と申しやすと、どなたさんでござんしょう」

と、なおも食いついた。勇蔵は、

「荒山在の猫源《ねこげん》ならどうだろう」

といい、とにかく継之助を追い出した。継之助は猫源にむかった。

(変っている)

猫源というあだなが、である。

あちこちで様子をきいてみると、どうやらこの栃尾でもよほど勢力のある博徒で、他国にまで名の売れた男らしい。

「猫源は猫を可愛《かわい》がるのかえ?」

と、途中で休んだ茶店できくと、店番の老婆《ろうば》が急に口をつぐみ、奥へ入ってしまった。こわがってうわさをしたがらぬ様子であった。

(よほど、性悪《しょうわる》なやつらしい)

しかし猫を可愛がるほどのやつなら、どこか情にあまいところもあるにちがいない、などと、あれこれ想像した。

途中、継之助は女の鍼医《はりい》と一緒になった。五十年配のよくしゃべる女で、外輪《そとわ》の足を、蹴《け》りだすようにして歩く。

「猫源の家にゃ、いまどれくらい猫がいるんだえ？」

ときくと、女鍼医は足をとめ、継之助の顔をまじまじみた。

「猫なんざ、いやしないよ」

「居ないのか」

「はいサ。居ねえどころか」

くすっと笑って、この在所の猫というのは猫源の家へ一丁とは近寄って行かねえはずだ、といった。

「なぜだえ」

継之助はきいた。

「なにサ、食うからサ」

女鍼医のいうところでは、それが猫源のまじないだという。猫源にいわせると、ばくちの前に猫を食えば猫の魔性が乗り移って憑《つ》きがちがうらしく、若いころからあすはばくちという前の晩にはかならず食う、というのである。

「猫を、どうして獲《と》るんだ?」

「そこは考えていやがるさ」

マタタビさ、といった。焚火《たきび》の灰のなかにマタタビの実をほうりこんでおくと、そのにおいが風に乗って四方にひろがり、猫が吸いよせられてくる。そいつを獲って食う、という。

(そりゃ、ひどい)

継之助はおもった。

猫源の住む荒山の在所に入ると、在所の外れから三軒目に〝源〟と油障子にかいた家がある。

(ここか)

とおもいつつ、継之助はいったん通りすぎた。気のせいか、妙に甘っぽいにおいがただよってくる。

(マタタビか)

とすれば、運がいい。あすあたり、賭場《とば》をひらくのではないか。

その夜、継之助は、他の在所の旅籠でとまり、様子をしらべてみると、果してそうらしい。

翌朝、この〝源〟の油障子をあけ、小腰をかがめた。

——手前は柏崎の三五郎という、けちな……

と、名乗ると、子分らしい若衆《わかいしゅ》が継之助の人体をじろじろみていたが、

「いったい、なんの御用で来なすった」

と、用心ぶかげにきいた。継之助はふところからサイコロを二粒とりだし、掌の上で器用にころがしながら、無言で笑った。

子分がうなずき、やがて猫源自身がかまちまで出てきて突っ立った。

（なるほど、猫を食いそうな奴《やつ》だ）

目尻《めじり》がさがって笑っているような顔の、そのくせ目つきのひえびえとしたかおで、皮膚が飴色《あめいろ》になめしたような、妙なつやをもっている。

継之助の口上を、猫源は信用したのか、

「まあ、いいだろう」

と、肉のたっぷりついたあごをしゃくった。あがれ、という意味だろう。継之助は恐縮し、井戸端を借りて足をあらった。

（妙だ）

とおもったのは、そのときである。裏口から何人もの人間が出てゆく気配がした。

継之助は、奥座敷に入った。中の唐紙障子をはずしての賭場である。広い。が、そこにいる人間は八人ぐらいでしかない。その八人というのは、どうみても猫源の子分である。

賭場の客がいない。

（さっきの気配はそれか）

旦那衆《だんなしゆう》を裏口からかえしたのだろう。残っているのは賭場の世話をする連中だけであった。継之助を見る目つきがけわしい。

継之助は、中ノ間のしきいの外に両膝《りようひざ》をあわせ、手をつき、あいさつをした。

「入んな」

と、眉間《みけん》に傷のある、あにい株らしい男がいった。継之助は入った。

そこへ猫源が入ってきて部屋の奥へ入り、床ノ間にあがってあぐらを掻《か》いた。

（床ノ間を作ってやがる）

と、継之助はちらりと思った。この程度の分際の人間が床ノ間や欄間《らんま》を作るなど、許さるべきことではない。

ちなみに、庶人で床ノ間、欄間をゆるされているのは——どの藩でもおなじだが——本来は庄屋《しょうや》ぐらいのものである。庄屋に準ずる大百姓の場合は、わざわざ上に許可を得てつくる。その許可を得るために冥加金《みょうがきん》を藩におさめねばならない。それ以上の構えは門をつくることだが、これは特例の場合をのぞき、庄屋以外はゆるされない。もしこれらの法を無視したばあいは容赦なく取りこわされてしまう。

むごいようだが、徳川封建制というのはそういうことで支えられていた。武士階級だけでなく百姓にも家格と階級をつくり、それによって社会を秩序づけ、無秩序に人間が頭をあげることを厳重に封じてしまっていた。たとえばこの猫源の場合における床ノ間がそうであり、この一事だけでも猫源は牢《ろう》にたたきこまれる価値があるであろう。

「やるべえ」

眉間傷の男が継之助にいった。継之助は座につき、ふと気づいたように、

「これは皆さま、お玄人衆《くろうとしゅう》ばかりでございますな」

というと、眉間傷がいきなり肩をそびやかした。「くだらねえ頬桁《ほげた》をたたくな」というのである。

結局、この連中と継之助はやらざるをえない。連中は、継之助を挟みこむようにし

てすわった。

中央に畳が一枚、置かれている。これがこの猫源の盆であろう。若衆がそのそばに立膝《たてひざ》し、壺皿《つぼざら》を持った。壺皿は籠《かご》編みのもので渋紙が張ってある。そこへサイコロを二つほうりこむ。

（野郎、どうもくさい）

と、猫源は背後の床ノ間から継之助を観察しつつ疑いをふかめていた。もし奉行所の密偵《みってい》なら面《つら》をたらいに浸《つ》けさせて「溺死《できし》」させ、そのあと川へほうりこみ、どうみても水死体としかみえぬように仕立ててしまう。

ばくちが、はじまった。

（いよいよくせえ）

と猫源がおもったのは、どうということではなく継之助のしぐさがひどく素人《しろうと》くさいことだった。

「三五郎さんとやら」

と、ばくちの途中で、猫源が床ノ間から声をかけた。

「二度きくようだが、柏崎のたれの身内だったえ、おめえさんは」

「あっし？」

継之助は顔をあげた。さっき、土間で口から出まかせに自分のことをいったが、もうそれを二度とくりかえす必要はない。

「わすれた」

と、そっぽをむいた。この野郎、と叫んだのはむかいにいる眉間傷だった。

「うぬは長岡からきたな」

「そうよ」

継之助はいった。

かれらにとって予感どおりだった。長岡の目明しの子分に相違ない。そいつが旅の博徒に化けて賭場をつぶしにきたのだろう。

「どの野郎の手下で何てえ名だ」

「牧野備前守《びぜんのかみ》の手下だ」

「ふざけるな」

猫源は怒りのあまり、突っ立った。殿様の名ではないか。ちかごろ目明しの親分とその手下がばくち停止《ちょうじ》で解散させられ、そのかわり藩からお手当をいただくようになった。それで図に乗って殿様が親分だと言やがるのだろう。

「野郎ども」

と、猫源は笛のような声をあげた。

（なんと甲高い声を出しゃがるんだろう）

と、継之助はおもった。猫源の声はなにかのどに欠陥があるのか、声変り以前の声を出すようだった。

「水で、殺しちまえ」

という。継之助は、刃物は持っていない。

「動くな」

と、継之助は低く言った。動くやつア、牢にぶちこむ、動かねえやつは殊勝とみて寄せ場入りだけで勘弁してやる。

「おれに手を出すやつは」

と、継之助はつづけた。

「獄門だ」

そこまでいったとき、眉間傷が跳ねあがって継之助にとびかかってきた。が、継之助の体に触れるまでにあごを蹴られてのけぞった。

継之助は、すでに立っている。

「ひかえろっ」

と、低く叫び、そのすさまじい目でまわりを見まわした。みな、息を詰めた。

「おれが、河井継之助だ」

（あっ）

とおもったのは、猫源だった。すぐ左手の障子を蹴倒して逃げようとした。廊下へころび出ながら、

（あのつらにまちがえはねえ）

　自分の不運がなさけなかった。継之助の顔つきは色白で前額部《おでこ》が張り出し、両眼はその下で鳶色《とびいろ》に光っている。そういう人相だということはかねてきいていた。

「いまから申すことを聞け」

と、継之助の声が追っかけてきた。つらに似合わず声のいい御仁《ごじん》だということも、猫源はきいていた。

「一同、あすの真昼までにお城下の呉服町裏の寄せ場へ出頭しろ。もし逃げかくれすれば打ち首だ。おとなしく来た者にはお慈悲がある」

　継之助はその夜のうちに長岡にもどり、翌朝役所に出ると、猫源とその子分一同が寄せ場に出頭している旨《むね》の報告があった。

彼等はその日のうちに髪を切られ、例の赤いお仕着せを着せられた。が、三日で釈《と》き放った。

以後、藩領で賭博《とばく》の風がなくなった。


ある夕、小山の良運さんが庭に楓《かえで》を植えていると、継之助がやってきた。

「おや、もうそんなことをしていいのか」

と、継之助は気づかった。樹《き》がわりあい大きくて、病身の良運さんには重労働であるようだった。

「いいのさ」

「この楓は植木屋のものかね」

と、継之助はきいた。

「いや、山から掘ってきたのだ」

「大仕事だな」

継之助がきいてみると、良運さんは森立峠の西斜面でこの楓をみつけたのが三年前だという。そのとき山番をよんで掘らせ、根をナワで巻き、土塊《つちくれ》のはちをつくってそのままその場に活《い》けておいた。翌年もう一度そこに人をやり、余分な根を切ったり巻いたりしてふたたびその場に活けておいた。三年目のことし、やっと山からおろさせたという。

「気のながいことをする」

「ながくもないさ」

良運さんはいった。良運さんにいわせると山の樹を里の庭に移植するにはそれしか手がないというのである。

山で生えた樹をそのまま掘ってすぐ庭へ植えたところで、枯れてしまう。枯れぬようにするためには、根をうんと痛めておき、それをしかも生えた場所に置いておく。二、三年それをくりかえしてやると、樹は土塊のはちの規模と苦しさに馴《な》れ、そののち庭へ移してやれば環境に順応するようになる。

「手をあらってくる」

と、良運さんは消えた。継之助が例によって書斎で待っていると、良運さんが入ってきて、「つぎは妾退治《めかけたいじ》かね」といった。

「きいたかね」

と、継之助は吐月峰《はいふき》で煙管《きせる》をたたいた。継之助は、

——蓄妾《ちくしょう》ノ儀ハ一切相成ラズ

というおふれを出すつもりだった。しかしながら、まだ藩命は出していない。

「もっぱらの風評《うわさ》だよ。こんどはお奉行さまはおめかけ退治をなさるらしい、ということは色町から出ている」

「耳が早いな」

「なんの、路傍で物売りまでがそんなはなしをしているさ。うわさの出所はどこだろう」

「おれさ」

と、継之助は笑いもせずにいった。継之助のやり方であった。ある禁止令を出すとき、まずうわさを流してしまう。そのうわさだけでひとびとは心の準備が出来、該当者も法令の出る前に身辺をきれいにしておくことができる。

「楓の根巻きとおなじだな」

継之助はそういったが、良運さんはニヤニヤしている。

「なんだ、いやな笑顔だな」

「笑うさ。楓でも継サ、根巻きに三年かかるのだぜ。無理だよ、そういう俄仕事《にわか》では」

なにしろ蓄妾の風俗は日本古来の風習であり、自然に社会に根をおろしている点、山の楓とかわらない。

なにしろ、妾を置くというのは単に好色の風だけでなく、それによって子孫を得るという実際上の必要として大名や上級の士分の家では普通におこなわれている。そこまで根をおろしているこの風が、一片の禁令でおさまるかどうか。たとえ表面おさまったとしてもどこかに無理がきて生きた社会を枯らすことになるかもしれない、と良運さんはいった。

——いったい、妾というようなものを政治で禁止していいものかどうか。

という疑いが良運さんにはある。行きすぎだぜ、と良運さんはいった。

「聞いたこともないよ」

まったくそのとおりである。徳川三百年の例にないばかりか、それ以前の室町、鎌倉、平安、奈良の代々にもなく、唐土《もろこし》の文献にもない。

「ないぜ」

良運さんは、顔をあげた。大体、政治というのは万能ではなく、万能であってはならないと良運さんはいう。妾などは人間の閨房《けいぼう》のことであり、政治はそういう閨《ねや》の中までのぞきこんではならない、というのである。

「立派な考えだ」

と、継之助はうなずいた。原則としては良運さんのいうとおりである。しかし、こと越後長岡藩という場合になってくると、そうもいってておれない。

長岡藩はさいわい、藩士で妾をもっている者はいない。殿様もいまの忠恭公は行儀のいいひとで、お手付の婦人もいなければお部屋さまというひともいない。妾を蓄えているのは、富商か、庄屋階級の豪農である。かれらは十人のうち八人まではそういう種類の婦人をもっている。

「百姓、小作というのはその日ぐらしの者が多く、年貢《ねんぐ》もおさめかねている者が多い。であるのに庄屋は、楽々と食っている。これはいいにしても、妾まで置いて贅沢《ぜいたく》をしているというのは余分であり、許せぬ」

「書生論だな」

「なんの、おれという男が書生論をぶつものか。おれの考えているのは金のことのみだ。目下、おれは金の亡者《もうじゃ》のようになっている」

藩庫をふやしたい、ということであり、藩庫を潤沢にしてこの小藩を思いきった西洋風に仕立てなおし、銃砲その他は欧米における最新式のものをととのえ、できればゆくすえは産業も機械化したい、という。そのためには金がいる。

「百姓を搾《しぼ》っても、金は出やしない。さほどの物産もないこの藩では、将来はべつとしてただいまのところでは御用金以外にない」

と、継之助はいった。領内の富商や豪農に御用金を申しつけて金を借りあげてしまうということである。

が、どの藩でもそれをもって藩財政の一時しのぎにしてきたが、富商、豪農のほうでもそれをのがれるためにいろんな智恵《ちえ》をしぼってきている。かかりの藩重役に賄賂《わいろ》を贈ってまぬがれたり、わざと火を出して火事を申しわけにしたりするのだが、藩のほうでもぬかりはなく、たとえば御用金の見返りとして苗字《みようじ》帯刀をゆるして侍まがいの待遇をあたえたり、あるいは歴《れっき》とした石取りの士分格をあたえたりしてかれらをよろこばせようとする。

かれらも、増長した。ちかごろも御用金のことがあったが、藩から交渉をうけたある富商は傲然《ごうぜん》といった。

「たとえお殿様が手前どもの軒さきにいらしって手をついてくだされても、無いものはどうしようもございませぬ」

この暴言をまた聞きできいていた継之助は腹が立った。その富商が、じつは城下と小千谷と十日町でそれぞれ一人ずつの妾をかかえて豪勢な生活をさせているということを知っていたからである。

「妾退治」

は、そういうところから思いついた。妾への出費がなくなればそのぶんだけ藩に入れあげさせることができるではないか。

「政治は閨をのぞくべきではないと良運さんは言いやるが、おれはなにも、下女のお花と米つきの権助《ごんすけ》の恋路をさまたげようとはせぬ」

と、継之助はいった。金持から妾を追っぱらうだけのことだ、という。

「さてな」

良運さんは腕を組んだ。妾のことはいいとしても、そういうことまで法令で縛って庶民の生活を規正してゆこうというのは、はたして政治がなすべきことかどうか。

「継サ」

と、良運はなにか言おうとしたが、継之助はかぶりを振った。おれはやる、という。

継之助にいわせれば、良運の政治思想は泰平の世のものであり、いまの世はちがう。世がひっくりかえろうとしているときに、その考えは通用せぬ。継之助が考えている理想の小国家をつくるためには土壌《どじょう》からして入れかえねばならぬほどの大改変が必要であり、この妾退治もその一環だ、という。

「それに、人間には必要だということはあるまい」

妾という、日本社会の性風俗については継之助は書生のころから考えていた。横浜のスイス商人ファブルブランドにきいたりしたところでは、スイスにはそれに相当する言葉もなければ実物もないという。宗教によって定められた一夫一妻が、社会の原則になっているという。

「スイスはスイスだよ」

「そのとおりだ。しかし妾が人間の世にそれほど必要なものかどうかを考える上で、多少の役には立つ」

「しかし、どうだろう」

禁令が出れば妾を隠しはしないか、こっそり囲ってしまえばわかるまい、と良運さんはいう。李定公の文章にも、「理にあわぬ禁令が出ると、ずるいやつが得をする。政治が社会を毒するのはそういう場合だ」と書いてある、と良運さんはいうのである。

「なんの」

継サは、いった。

「おれ自身が踏みこんででも、やるとなれば根絶やしにしてしまう」

(この男なら、やりかねない)

良運さんはおもった。

とにかく、

——河井さまがお妾退治をなさるらしい。

といううわさは、城下城外に流れた。妾に縁のない連中は大いに痛快がり、あれだけのお奉行さまは唐天竺《からてんじく》にもありゃしねえ、と非常な人気になった。

城下きっての富商で、太刀川の旦那《だんな》という有力町人がいる。座敷酒が好きで、この点、継之助ともうまが合い、よく一緒に飲んだ。この旦那が唐津屋で酒を飲んでいたとき、並いる芸者のなかでおちいという芸者が、

「旦那」

と、急に顔をこわばらせた。目が光り、口もとがわなないている。おちいは太刀川の旦那にかつてかこわれていたが、旦那が禁令のうわさにおびえ、手を切った。とにかくこの場は、おちいは旦那が他の芸者の酌《しゃく》ばかりを受けているのが気に入らなかったらしい。やにわに自分の髷《まげ》をつかみ、短刀で切って旦那へ役げつけた。

一座もおどろいたが、それ以上にこの旦那は恐怖した。

「もしこのことが、河井様に知れたらどうするのだ」

と、座敷から逃げだしてしまった。継之助が流している禁令のうわさは、よほど効があるらしい。

やがて、禁令を出した。

——蓄妾ノ儀、一切相成ラズ

という厳達である。ただし城下の商人には出さず、農村地帯の庄屋《しょうや》にのみ出した。

「味なことをなさる」

というのが、一般の評判であった。庄屋は百姓の収穫のなかから税米《ねんぐ》をとりたてる存在だから、かれらが妾をかこう場合、百姓の労働のかすりで養うということになり、商人の場合よりもいっそうに罪のにおいが濃い。それに庄屋にさえ禁じておけば城下の商人もそれにならうであろうという含みがある。

が、庄屋のなかにはたかをくくった者があり、古志郡鎌磨《かまとぎ》の某などは、

「妾はわが甲斐性《かいしょう》でかこうもの、なんの殿様に遠慮があるものか」

と言い、かねて身受けしてあった遊女を妾にすべく事をすすめていた。

継之助はそのうわさを、城下の旅籠《はたご》の枡屋《ますや》できいていた。

「ほんと、うそではございませぬ」

といったのは、旅籠のむすめのむつであった。まだ齢《とし》は十二で、継之助によくなつ

いている。旅籠は稼業《かぎょう》がら人夫の出入りが多いが、それらのうち二十人ばかりが長岡から古志郡まで遊女の荷はこびにゆくという。

「そりゃ、いつだ」

「あすだと申しておりましたけど」

「嬢や」

継之助はむつをそうよぶ。

「嬢がなんとか才覚しておれもその人夫の仲間にいれてくれ」

むつは枡屋のむすめとして口入屋にそのように頼むと、存外うまく行った。むろん継之助の名は出さない。

翌朝、継之助は人夫に変装して口入屋へゆき、荷運びの仲間に加わった。

「見なれねえ野郎だ」

と人夫たちは不審がったが、たがいに寄せあつめだから深く詮索《せんさく》しない。その行列が本善寺の前にさしかかったとき、たまたま寺に用事があって来ていた良運さんが継之助を目撃した。

(やれやれ、ご苦労なお奉行さまだ)

と、良運さんはなかばあきれる思いだった。やりだすとここまで徹底せねば気のすまぬ性格というのは、やはり地獄者らしい。

「あれは地獄者だよ」

と、良運さんはあとで同志の村松忠治右衛門の役宅に立ち寄ってそう言った。「地獄者」というのは土地の言葉で、物事をやりだしたら地獄の釜《かま》のふたをあけてみるまでやりとおすという性格をいう。

「まことに」

と、村松も苦笑しながらうなずいた。ちなみに村松は良運や継之助たちの読書仲間で、継之助が町奉行になったとき、

——忠治サ、助《す》けてくりゃえ。

と継之助がたのみこんだために、いまはかれの下で盗賊奉行をつとめている。例の寄せ場の直接管理者もこの村松だった。

さて人夫の継之助が古志郡の庄屋屋敷にぶじ荷物を送りこむと、庄屋の手代が出てきて、

「祝いのしるしだ」

といって土間で酒食のふるまいを受け、そのうえ日傭賃《ひようちん》に祝儀《しゅうぎ》をかねて天保銭《てんぽうせん》八枚をもらった。継之助も他の人夫ともどもそれを頭上に押しいただいて庄屋屋敷を出た。

――どうも芝居めかしい。

というのが、小山の良運さんが、継之助に対して感じはじめている感想であった。

(意外だな)

良運さんはおもう。継之助の人柄《ひとがら》は子供のころから知りぬいているが、継之助ほどひとに対して演技のない男もめずらしい。それが、奉行になってあたらしい政治をやりだすと、名人が舞台に駈《か》けあがるなりもうそれだけで所作《しよさ》がみごとにきまってしまうように、そういういわば晴れやかな所作をする。

(継サには、そういう性分があったのだろうか)

この妾囲《めかけ》いの古志郡の庄屋某のばあいもそうであった。人夫に化けて妾の荷物を運んだ継之助が長岡城下にもどってくると、すぐ庄屋をよびだした。

庄屋は手代一人をつれて出てきた。手代ともども板敷にすわったが、顔色も変えず、薄笑いをうかべている。

継之助が閾《しきい》一段だけ高い畳敷の間にあらわれ、庄屋を見すえた。

「めかけを、囲うたな」

それが第一声であった。しかしながらそれっきりあごをあげ、天井を見た。相変らず拳固《げんこ》を虚空《こくう》につき挙げたようなとりつくしまのない面《つら》つきである。

「めっそうもございませぬ」

庄屋は予期していたことらしく、淀《よど》みなく弁じた。誰からお聞きあそばしました。根も葉もなきことでございます。おそらく手前に意趣をもった者の作りごとでございましょう。

「………」

継之助はだまっていた。黙っているだけに庄屋はつい多弁になった。自分ほど固い者はない、それはこれなる手代にきいて頂いてもわかります、という。

「妾を、返してしまえ。こんどだけは不問にしてやる」

「もうし。手前は」

と、庄屋はなかばあきれながら、いった。あれほど妾を持ちませぬといっているのに、このお奉行は耳がお悪いのか。

「即刻、返せというのだ」

「しかしながら、居りもせぬ妾を追いだすわけには参りませぬ」

「手代」

と、継之助はそのほうをむいた。

「わしの顔に見覚えはないか」

「おそれながら」

手代はひれ伏した。お奉行さまを拝むのはいまがはじめてであり、見覚えはございませぬ、というと、継之助は懐中から天保銭八枚をつつんだ紙包みをとりだし、

「そのほうども。これでも覚えがないと言い張るのか」

と、板敷の上へ投げだした。庄屋も手代も真青になった。

「わかればよい。帰れ」

と、継之助は言い、座から消えてしまった。むろん、それっきりで庄屋は妾に暇を出したが、このうわさは領内に聞えわたり、他の政策についても藩の禁令ときけばみな粛然とした。

「それが狙《ねら》いさ」

と、継之助は、良運さんにいった。徳川時代には現実にあわぬ悪法も多く、それを守らぬといってもお上も大目に見、領民も「法といえば表むきのこと、裏には裏がある」という生き方を身につけている。継之助は新政治を布《し》くにあたって領民の遵法《じゅんぽう》精神に筋を入れるためにことさらにこのようなことをした。「芝居といえばそうだが、政治というのは、演《や》る者も観《み》る者も命がけの芝居だぜ」といった。

　継之助は、これらの施策をすすめているあいだも、遊びをやめない。

「なあ、おすが。また金だでや」

と、出させる。奉行になってからは、いよいよ遊興に熱が入りはじめた。歴代の長岡藩奉行のなかで、これほど遊里であそんだお奉行さまもないであろう。

　そのあそび方も風変りで、月のうち半月ばかりは毎夜あそびに出かける。あとの半月はわすれたように昼夜となく執務している。

「その凜々《りり》しいお姿といったら」

と、桐油屋の抱え芸妓《げいぎ》三代吉が河井家にきておすがにいった。その執務中の凜々しさは、とても座敷で「コリャコリャ　二世三世」と手をたたいている人物にはみえない。

　遊びに癖があって、一人では行かない。良運さんや同志の三間《みま》市之進、花輪《はなわ》馨之進《けいのしん》らをさそったりするが、かれらが都合がわるいときは、道で出あった見知らぬ人までさそう。ある夕方、仲間がないまま継之助が道をいそいでいると、ちょうど公用で巡視中の盗賊方がむこうからやってきたので、

「おい、行こう」

と、袖《そで》をつかまえた。盗賊方はおどろき、めっそうもございませぬ、お奉行さまとご酒を飲んでは息がつまりまする、と逃げようとすると、

「なんの、乳母《うば》の家へゆくのだ」

といって継之助はきかない。盗賊方はうなだれてついてきた。が、辻《つじ》をまがろうとするとき、逸散《いっさん》に逃げてしまった。

「しまった」

と、継之助は釣《つ》り師が魚を逃がしたようなくやしそうな顔をした。

「おすが、つきあえ」

と、そんなときにはもどってきておすがを誘ったりする。

(どこがおもしろいのだろう)

とおもうが、とにかく座敷でさわいでいる継之助は砂あそびをしている子供のように夢中で、無邪気だった。

——よく金がつづく。

と、友人たちは案じているが、しかし河井家は百石そこその分限にすれば代々理財家がつづいたために内福で有名であり、禄高《ろくだか》や役料のほかに小作米も入るし、家には十分な蓄財もある。皮肉なことにこれらの蓄財は、父の代右衛門をはじめ河井家

代々のひとびとが能吏で地方官などをしていたためにいわゆる袖の下が自然と家にたまってしまっていたのであろう。継之助はその思想の手前、それらを浪費してしまおうというつもりの遊びなのか、それとも天性遊びがすきなのか、そこはよくわからない。

しかし、いつも金があるわけではなく、あるとき、おすがに、

「金」

といったとき、おすがはどういたしましょう、と当惑した。

「ないのか」

「はい、あいにく」

「じゃあ、あれを出そう」

と、継之助は、座敷に飾られている具足櫃《ぐそくびつ》のほうに歩み寄った。武家の家ではいざ合戦のときの用意に、具足櫃にはかならず軍用金が入れられており、家がいかに窮迫してもいっさいそれには手をつけない。

河井家の具足櫃には、古金《こきん》で百両という大金が紙で糊《のり》づけされて入っている。何代前の先祖がそれを用意したのかは知らないが、虫干しのたびに継之助は少年のころからそれを見ている。それを持ち出そうというのである。

「あ、そのお金は」

おすがは、するどく叫んだ。なりませぬ、そのお金だけはなりませぬ、とつづけさまにいった。継之助のすることにはほとんど反対したことのない彼女にしては、めずらしい取りみだしようであろう。

——お気が、狂われましたか。

とさえいった。武家にうまれた者なら、どういう放蕩者《ほうとうもの》でも具足櫃の金だけは手をつけた者はあるまい。

おすがの生家の梛野《なぎの》家にもこういう具足櫃があって百両の古金が入れられている。

「死んでも手をつけない」

というのが、不文律であった。主家のある武家だけでなく、浪人者でもたしなみのある者はこの具足櫃を大事にし、先祖が入れておいた軍用金には手をつけない。ある浪人が食に餓《う》え、窮迫のあまり切腹して果てた者があったが、その死後ひとが具足櫃をあらためてみると、百両の金が入っていたという。そのことは、武家ならばたれでも知っている。おすがも、むろん知っている。

「なりませぬ」

と、継之助の袖をとらえて離さない。

継之助は、苦笑した。

「おすが、おみしゃんほど立派なやつはない」

皮肉でなく、そういった。さすがに侍の女房だともいった。

侍というのは、いうまでもなく武家美の教徒である。その武家美の偶像ともいうべきものが家々の床ノ間におかれている具足櫃であり、その誇りをささえているものは、いかに窮迫しても軍用金には手をつけぬという、いわば歯を食いしばって我慢する精神であろう。

が、継之助はいった。

「おれの考えはちがう。こういう具足櫃など古道具屋にたたき売るほどの心がなければ長岡藩は救えぬ」

「まあ」

おすがは、唇《くち》をまるくあけた。驚くと、いつもの可愛《かわい》い女にもどった。

「またわたくしをおたぶらかしになるのでございますか」

「ちがう。本気だ」

「うそ、うそ」

おすがは、身をよじった。

「こまったな」

継之助にいわせると、武家のことを古来弓矢の家というが、こんにちとなれば通用しがたい。

「砲艦の家」

というべきだ、という。陸の大砲と海の軍艦こそ武士の魂を寄せるべき道具で、その道具を一日も早く藩に整備せねば西欧の侵略に呑《の》まれてしまう。

「こんな五月人形のような具足をかぶって武士だ武士だといっているかぎり、日本国も長岡藩も数年を出ずして滅亡だ」

「だから百両のお金で芸者をおあげになるのでございますか」

「そうさ」

封建体制下の武士たちはいざ合戦のとき自分で軍装をととのえ、士卒の兵糧《ひょうろう》も準備して出陣するが、火砲と軍艦の時代になればそういうものは個人でととのえられない。藩がととのえるべきで、さればこそ継之助はその金を生み出すべく日夜苦心している。

「こんな金と古い武士をどぶに捨ててはじめてあたらしい時代に生きられるのだ」

継之助は、金をふところに入れた。おすがは突っ立ったまま、そういう継之助を呆《ぼう》然《ぜん》とながめている。

ある夕、継之助は役所から帰ってくると、部屋に入ったまま出てこない。あれっきり、食事も摂《と》らず、部屋にあかりもつけずに籠《こも》っている。

(どうなさったのだろう)

と、おすがはいぶかしがったが、刻《とき》がたつにつれて心配になってきた。

——旦那《だんな》さま。

と、廊下にすわり、声をひそめてきいてみた。お加減でもお悪いのでございますか。

「いま、何刻だ」

「先刻、夜廻《よまわ》りの拍子木が通りましたけど」

とすれば、九時をすぎているだろう。「腹が減った」と、継之助がなかからいった。

おすがはすぐ台所に立ち、膳部《ぜんぶ》をととのえて部屋にもどった。

まだ、真っ暗である。おすがはなかに入ったが、どこに継之助がいるのかわからない。そろそろと畳のへりをさぐりつつ歩いた。

「足もとに気をつけろ」

「でも、このように真っ暗では」

「ばかだな」

「なぜでございます」

と、おすがは膳部を支えたまま、とほうに暮れてしまっている。

「灯《あか》りをつければいいではないか」

継之助は、くすくす笑っている。言われずともわかりきったことだけに、おすがはつい腹が立った。そこが継之助という亭主のむずかしいところではないか。このように部屋を真っ暗にしているのもなにか理由があってのことだろうとおすがは察したればこそ、暗闇《くらやみ》のなかで膳部を支えて立っているのである。

「でございますのに、馬鹿《ばか》だけは余分でございましょう。どうせおすがはばかでございますけど」

(怒ってやがる)

継之助はあわてて起きあがり、行燈《あんどん》をひきよせて灯《ひ》を入れた。

おすがは、膳部を置いた。

「ああ、おすが」

と継之助は膳部を見ながらいった。

「酒をたのむ」

「お酒？」

めずらしいことだとおもった。継之助は酒を嗜《たしな》むくせに家では晩酌《ばんしゃく》も朝盞《ちょうさん》もせず、いっさい酒気を断っている。かれにいわせれば酒などは——おすがにはよく理解できないが——茶屋の座敷で飲むべきものだという。

やがておすがは酒の燗《かん》をしてもってきた。

「そこにいて酌をしてくりゃえ」

「きょうは芸者のかわりでございますか」

と、おすがはますますわからなくなった。茶屋へ遊びにゆく金がないわけでもないのにどうしたことだろう。

「今夜は、どうなさったのでございます」

「思案をしていたのさ」

「よほど大きな」

と、ついおすがは立ち入ってしまった。

「ああ、大思案《おおしあん》だ」

継之助はしばらく考えていたが、おすがに話してみようとおもった。役向きのことなどおすがに話したところで仕方がないが、しかし話すことによって継之助自身の思案がまとまっていくかもしれない。

「じつはな、おれはお城下はおろか、御領内いっさいの遊郭を禁止してしまおうとおもっている」

おすがは内心おどろいたが、しかしあわてて顔を伏せ、その表情を継之助にみせなかった。

こまるのだ。こまるどころか、おすがにとってこんなに迷惑な話題はない。遊郭とか遊女など、厳格な武家の内儀の口にすべきことばではあるまい。それに、

——遊郭を廃止する。

などと継之助はいうが、この亭主ときたら家中《かちゅう》で鳴りわたるほどに評判のその方面の権威ではないか。

「おすが、おれもな」

と、継之助は白状した。さんざん遊んだものさ。——江戸の吉原、長崎の丸山、それに東海道五十三次の宿場々々で酌婦を買い、ああいう場所の甘いも酸《す》いもなめつくした、とまでは継之助はさすがに女房の手前いわなかった。

「存じております」

「なんだ、知っていたのか」

「御家中でも評判だということでございますもの」

「たれからきいた」

「申せませぬ」

と、おすがは手で口をおさえた。教えてくれたのは実家の梛野の兄だが、兄の嘉兵衛は継サにいうなよ、といったからこれだけはいえない。

「あっははは、出所は想像がつく」

「やはり、あの……」

と、おすがは、真赤な顔でいった。顔に血がのぼっているのは、羞恥《しゅうち》と、それを嫉《しっ》妬《と》だとおもわれたくないための懸命な抑制のためにそうなっているらしい。武家の妻は嫉妬をしてはならぬというたしなみを、おすがは幼い巫女《みこ》が神を信ずるような素直さで信じている。

「やはり、あの、あれでございますか。あのような場所の婦人たちは」

情があるのか、と訊《き》いてみた。継之助は真正面からおすがをみつめつつ、

「情があるかどうかわからぬが、情が芸とすればそのほうの芸の玄人《くろうと》だ。男子の鉄腸を溶かすような婦人もいる」

継之助は言いつつ、吉原稲本楼の太夫《たゆう》小稲を脳裏にうかべた。あの小稲の継之助に対する心ははたして情の芸だったのか本心だったのか、いまでも継之助にはよくわからない。

「素養と言い、気品と言い、世間にもざらにおらぬような婦人もいる。もっとも江戸でもそういうのは四、五人だが」

「江戸ではそのような学問をなさっていたのでございますか」

「そういうこともした」

「まあ」

おすがは、腹が立ってきた。

「おすがとしては、どう申したらよいのでございましょう」

「あとで怒れ。いまは聴け」

「耳がこう、鳴ってきたようで、よくお声がききとれませぬ」

「鳴ってきたか」

継之助は、仕方なくだまった。鳴りやむのを待つしかない。

「それであの、その旦那さまが、いまはひらきなおって御領内のそういう稼業《かぎよう》を停止《ちようじ》なさるとなれば世間の聞えはいかがでございましょう」

「それさ。世間の半分は腹をかかえておかしがるだろう。あとの半分は怒るに相違ない」

「いかにお奉行さまにおなりあそばしたからといって急に掌《てのひら》をかえすような」

「待ってくれ。おれは江戸の書生のころからこのことを真剣に考えてきた。人にも論じ、師にも語り、終始かわらず廃娼論《はいしょう》をとなえてきた」

「お女郎屋さんに通いながら？」

おすがは、おかしくなってきた。

「でも」

おすがは、言わねばならない。

「旦那さまは遊女がお好きなんでございましょう？」

「よく見た」

(見なくたって、わかっている)

ばかばかしくもあるが、継之助が大まじめなためおすがは怒るわけにもいかない。

「好きでお通いになりながら、やはりこれはよくない場所だとお思いになっていたのでございますか」

「へっ」

継之助は裂くような声を出した。一種、自嘲《じちょう》の笑いであるらしい。

翌夕、役所がおわると、小山の良運さんの屋敷に立ち寄った。

廃娼についての抱負を語ったあと、

「ゆうべ、おすがを相手に話してみたが、どうもあいつは神さまのようで話し相手にならぬ」

「それはならぬだろう。だいたい、遊女のことについて女房と相談するのがまちがっている」

良運さんは、軽い咳《せき》をした。昨夜、四半刻《しはんとき》ばかり庭に出ていたら風邪をひいた、とささやくような声でいってから、

「だから、わしもだめだよ」

遊女存廃論の相談相手として、である。こんな半人前の健康の男に、そういう世界のことを論ずる資格がないという。

継之助は、かまわずに喋《しゃべ》った。良運さんがおどろくほど継之助はその世界の表裏に通じており、ひょっとしたら女郎屋の研究では日本の武士階級で継之助におよぶ者はあるまいとさえおもわれた。

「女郎屋へゆく客は、存外、やもめの若衆はすくない」

と、継之助はいった。遊興費が高くて徒弟ふぜいの男では一年ぶんの給金を貯《た》めねば安女郎も買えない、という。

「また女郎屋のほうも、そういう客は歓迎しねえのさ」

女郎屋では、客を上中下とわけている。上客だよ、とやりてがささやいたり、あれは中客だから大事におしよ、といったりする。上客は商家の旦那衆や医者、中客は商家の番頭とか、腕のいい中年の職人とかいった連中で、これら上と中はみな女房をもち、場合によってはめかけまでもっている。これらがおとす金で女郎屋は大いに繁昌《はんじよう》しているのだが、下客は歓迎されない。

「長岡に十七軒の女郎屋がある」

と、継之助はいった。その一軒ごと、しらみつぶしに客の年齢、富裕度をしらべさせたところ、素っかんぴんの若衆などほとんど登楼《あが》っておらず、ほとんどが赤ら顔の爺《とつ》つぁまばかりさ、と継之助はいった。

「しかし、ぶっつぶせば女郎が路頭に迷うだろう」

「そこはちゃんと世話を焼く。楼主で転業する資本《もとで》のない者には上《かみ》からその金を貸す」

「本当にやる気か」

「やる」

「いつ、やる」

「例によってしばらく時期をみる。うわささえ流れればさっさと廃《や》める楼主もあるだろう。やるのはそのあとだ」

「継サが、なあ」

と、良運さんはなおふしぎでたまらないらしい。これほど女郎屋通いをした男もめずらしいというのに、その男がかれのつくる「長岡国」には女郎屋をみとめないというのである。

この間、継之助は売春禁止のうわさだけを流して他の改革のほうに没頭していた。どれもこれもひとびとにとってこころよいものではない。

「一種の狂人だ」

という批評が、とくに藩の門閥階級のあいだにおこなわれた。殿様の忠恭にじきじきにそれを訴えた藩貴族もいる。

「町奉行、郡奉行《こおりぶぎょう》というのは、改革がしごとではありますまい」

と、かれら継之助反対派はいう。

理屈は、そのとおりなのである。奉行というのは政治家ではない。司法官と行政官をかねた役で、現行の法律をしもじもにまもらせる役目なのだ。あたらしい政治をとり布《し》いてゆく役ではない。

「それほど、評判がわるいか」

と、殿様の牧野忠恭が、ながい顔をかしげ、しばらくだまった。

「わるうございますとも」

といって、内訴者が、ちかごろ色町ではやっている唄《うた》の文句をさし示した。

「唄ってみよ」

「いいえ、御前でかような淫楽《いんがく》をうたうことははばかられまする」

この内訴者は、藩主の一族で叔父にあたる牧野青々という老人である。生涯《しょうがい》なにごともせずに暮した気楽人で、書画や俳句を好み、若いころは吉原でもずいぶんあそんだという。おそらく城下の貸座敷業者や遊女屋が手をまわして青々老人をうごかしたのであろう。

「いや、唄っていただきましょう」

と、藩主は歌詞をかいた紙きれをながめつつさらに要求した。作詞は、芸者か遊女らしい。

「されば」

と、青々は扇子を半びらきにし、それで拍子をとりつつ、やがてうたいだした。

河井々々(可愛《かわ》い可愛い)と
今朝《けさ》までおもい
いまは愛想も継之助
「うっ」

と、殿様は胸をおさえた。笑いがこみあげてきたのだが、うかつには笑えない。しかしなんとうまいうたであろう。

「たれが、それを作りました」

「無名の民の声でございます」

「みごとな唄です」

と、殿様はつい頬《ほお》がゆるんでくる。諷刺《ふうし》がみごとに効いているうえに、効きすぎてぎすぎすするところがなく、情感とユーモアの果糖で苦味をたくみにつつんでいる。

この唄は、継之助の耳にも入った。耳に入れてくれたのは、学僕の彦助だった。

「うめえ」

と、聞くなり継之助は膝《ひざ》を打った。おそらく作り手は遊女ではなく芸者であろう。きょうまで可愛い可愛いと彼女らがおもったのは、継之助がお奉行のくせに座敷酒がすきでかつては家中でも鳴らした遊冶郎《ゆうやろう》だったということであろう。その継之助がいまは自分たちを裏切ろうとしているために「いまは愛想も継之助」なのである。

「言やあがる」

継之助はこの作り手に会いたくなった。会ってこの妓に三味線をひかせ、ひと晩でも唄って飲みあかしたい。

「おすが、金があるか」

と、奥へひっこんで大声でいった。祝儀《しゅうぎ》のための小粒をうんと持って行ってやりたい。

「軍用金の残りならございますけど」

と、おすがは、そっといった。例の具足櫃《ぐそくびつ》の金である。それだ、それを出せ、と継之助はいった。

その夕、継之助は街路をあるきつつ、

「よおっ」

と、大声で気合をかけて男をひとりつかまえた。盗賊奉行の村松忠治右衛門だった。

「こまる。こまります」

と、継之助にとって下僚だが、しかし親友でもあるこの男は、迷惑しきっていた。学者肌《はだ》でまじめいっぽうな男なのである。

——芸者をあげにゆこう。

というのが、継サの強要だった。言いだしたらきかない。ついにひきずられるようについてきた。

「おっ」

と、袋町の角で、またひとりつかまえた。石工《いしく》の助五郎という老人で、河井家やその一族の墓碑はこの「石助」がきざんでくれている。

「旦那《だんな》ア」

石助はながい悲鳴をあげた。いかに石助が酒ずきでも奉行さまにおごってもらって飲んでは、針のむしろにすわるようなものだ。

「石助、逃げるな」

と、一喝《いっかつ》した。逃げかけた石助が、腰をがくりと崩した。叱《しか》られてはたまらない。

(こまった酒だ)

と、盗賊奉行の村松はおもった。おおぜいをさそって座敷でさわがなければ、飲んだ気がしないらしい。

横町の藤本屋へあがった。

「おりく、三代吉」と、なじみの名を言い、「そのほかそのあたりで茶をひいているのをみなあつめてこい」

と、継之助は命じた。使いが唐津屋や煙草《たばこ》屋あたりまで走った。

が、あつまりが妙にわるい。小半刻《こはんとき》たってやっと五人あつまっただけであった。

「なんだあ」

と、継之助がいうと、紅小壺《べにこつぼ》という芸者がキラリと目をあげた。色白で瓜実《うりざね》の、いかにも越後型の美人である。

「みな、いやがっております」

と、紅小壺がいう。座敷で芸者が、客にこういうことをいうのは例がない。しかもその客は、町奉行兼郡奉行の継之助であり、そのそばにいるのは盗賊奉行なのである。

「剣幕だなあ」

と、継之助はくびをすくめた。継之助にはほぼ見当がつく。遊女屋や貸座敷の廃止を継之助がもくろんでいるということで、彼女らは煮えかえっているのだろう。

「紅小壺」

継之助は、猪口《ちょく》を出した。ひそかに継之助はこの女が好きであったが、しかし態度にあらわしたことがない。

「注《つ》いでくりゃえ」

というと、紅小壺はひざをにじらせて銚子《ちょうし》をとりあげた。

「注げとおっしゃれば芸者でございますからおつぎ致しますけれど、うれしくてお注ぎしているのではありませぬ」

それだけのことを、他にきこえぬほどの小声で紅小壺はいった。一見、濡《ぬ》れ場に似たひめやかな声である。

「一揆《いっき》をおこす気か」

と、継之助も小声できいた。

「いいえ、とても」

と、見あげた紅小壺の両眼にみるみる涙があふれたから、継之助はそっぽをむいた。元来、涙ほどこの男にきらいなものはなかった。しかし紅小壺は唇《くちびる》を嚙《か》むような表情でいった。

「哀《かな》しいのではございませぬえ、くやしくて腹が立つからだとおぼしめせ」

座敷着の袖《そで》で、ぐいっとぬぐった。

酔った。

常になく酒が早くまわったらしい。

「さあ、唄え」

と、継之助は三味線をとりあげた。

芸者衆は継之助のことだから例の「コリャコリャ」かとおもい、「四海波でも」とうたいはじめると、継之助は、

「ちがう」

といった。

「可愛い可愛いのあれだ。あれをうたえ」

といったから、芸者衆は一瞬緊張した。あの唄がすでに継之助の耳に入っているとは意外だったのであろう。

「おりく、うたえ」

というと、おりくは袂《たもと》で顔をおおい、やがて四ツン這《ば》いになったかとおもうと、がさごそと逃げだしてしまった。あばたの三代吉もそれにならった。

「紅小壺、うたえ」

というと、この女はまっすぐに継之助をみて、いやです、といった。

(ひでえことになった)

継之助はおもった。芸者が座敷から逃げだすなど前代未聞《みもん》であろうし、客が唄を所望してことわられることも、まずまず例がない。

「こうとなれば、おれが唄わア」

と、継之助は三味線の調子をあわせていたが、やがて唄いだした。

可愛い可愛いと
今朝までおもい
いまは愛想も継之助
あとは無言で杯をかさねていたが、つい度をすごしたらしい。座敷の真ンなかにたおれて大吐息をついたかとおもうと、いびきをかきはじめた。

目がさめたときは、子《ね》ノ刻《こく》をすぎていたろう。別室にいた。

「おすが。水だ」

といったのは、屋敷にいるつもりだったのだろう。すかさず枕《まくら》もとの湯呑《ゆのみ》に水が注がれたが、どうも水の音がちがう。

「なんだ、紅小壺か」

と、継之助は起きあがってあぐらをかき、ぴしゃりとおのれの股《もも》をたたいた。酔いざめのまじないなのだが、効きそうにない。

「天井が、まわっていやがる」

「ずいぶん、お飲みになりましたから」

「おまえ、ひとりかね」

「みなさま、スタコラ」

と、紅小壺は腕《かいな》をまげて逃げるまねをしてみせた。

「なぜ、おまえだけ残った」

「寝首を頂戴《ちょうだい》するつもりで」

と、紅小壺は本音とも冗談ともつかぬ顔でいった。

「冗談じゃねえ。芸者に寝首をかかれてたまるか」

「お命が惜しゅうございます?」

「惜しくもねえが、あと四、五年、この継之助が生きておらねば長岡はどうにもならぬ」

「芸者衆にとっては迷惑でございますよ」

「おれがか」

「みな、路頭に迷います。うかがいますけど、廃娼《はいしょう》々々とおっしゃっているのは、お女郎だけでなく、芸者もそうなんでございましょう」

「あたりまえだ。女郎だけを廃すれば、女郎が芸者に化けてくる。芸者には気の毒だが、飛ばっちりを食ったと思ってこのさい廃業してもらうのだ」

「寝首」

紅小壺は銀のカンザシをぬき、そのさきを指でぴんとはねた。むろん、冗談なのだろう。

（いやなまねを、しやアがる）

と、継之助は紅小壺の手にある銀のカンザシをみた。先端《さき》がするどく、その気になれば兇器《きょうき》にでも使えそうであった。

「紅、なぜおれを介抱してくれた」

もともと継之助はおりくや三代吉をひいきにしてきてやったのだが、彼女らは継之助を捨てて座敷から逃げてしまっている。

（この紅小壺など、ひいきにしたことがないのだが）

理由は、簡単であった。彼女が美人すぎるし、それに継之助はこの種のなり姿の女を好む癖《へき》があり、それを自覚しているだけにわざと遠い存在にしておいた。

「それはね」

と、紅小壺は顔を動かさず、目だけを継之助のほうにむけた。

「佐倉宗五郎のつもりです」

「芸者の義民か」

「お奉行さまはなんのおつもりか、芸者や貸座敷をおつぶしなさる。そりゃ、弱い稼《か》業《ぎょう》でございますから潰《つぶ》れてしまえとおっしゃれば潰れますけど、しかし芸者にもいちぶがございます」

「どんないちぶだ」

「これ」

銀カンザシをきらりとかざした。

紅小壺のいうところでは、きのう芸者衆のうるさい手合があつまって相談したのだが、おとなしくつぶされてしまう手はない、ということになり、紅小壺がその代表をひきうけたのだという。

「その前に」

と、紅小壺がいった。

「白状しますけれど、あの唄《うた》はこの紅小壺がつくったのです」

(なるほど、こいつか)

継之助は小さな衝動を覚えた。この女でなければあれほどの唄はつくれないだろう。

「カンザシを仕舞え」

「いいえ、仕舞いませぬ。佐倉宗五郎のつもりでございますから、時と場合によっては、このカンザシで河井様を刺し、私ものどを突いて無理心中してしまいます」

「本気か」

「本気です」

(さすが、長岡芸者だ)

と、継之助はいい気持になった。いままで博徒《ばくと》やめかけ持ちを退治してきたが、みな継之助の剣幕におそれてひとりも抵抗した者がない。

「おれは、本気が好きだ」

と、継之助はいった。どんな馬鹿《ばか》なことでも本気でやる手合にはかなわないということを、継之助はつねに自分に言いきかせてきた。

「となれば、おなじ宗旨だ。おれも本気で芸者をつぶしにかかっている」

「もっと」

と、紅小壺はいった。その本気のところをもうすこし解《わか》るように聞かせてくれ、といった。こうさ、と継之助は語ると、もうそのころから紅小壺の姿勢がくずれはじめた。

「だめ」

と、急に片手をつき、肩を落した。酔いが一時に出たのであろう。

「だめだ、あたしは」

「なにがだめだ」

「惚《ほ》れている」

急に継之助の膝にくずれかかった。よく考えてみると、紅小壺はよほど手のこんだ仕掛けで継之助を口説こうとしているらしい。

後日譚《ごじつたん》になるが、継之助は娼妓《しょうぎ》の廃止令をすぐにはやっていない。慶応三年十二月五日になって断行している。その布告の仕方は業者のことごとくを町奉行所におよび、諸役人列座のうえ、花輪馨之進から言いわたさせている。が、業者のほうも年来このうわさをきいていたため動揺もなかった。

その行政措置として、
一、転業資力のない業者には相当の資本を貸す。
一、娼妓に対してはそれぞれ旅費をあたえて親もとへ帰らしめる。
というものであった。芸者もむろん、この法令の巻きぞえを食って廃業させられているが、ただ遊芸師匠という名目により彼女らに対しては寛大であった。

娼妓については、

「たしかに親もとへ帰るかどうか、行くさきをきびしく監視せよ」

と、継之助は諸役人に命じておいた。もっとも帰るあてのない者もあり、これらについては継之助もどうすることもできなかった。彼女らはひそかにその楼にとどまり、中働きの女中という名目で居すわった。しかしその人数も十人内外でしかなく、ほぼ禁令は徹底したというべきであろう。

さて、あの夜のことである。

紅小壺はじつのところ、

(色仕掛けで)

というのが、こんたんであった。色仕掛けで継之助の心をひるがえしてやろうということで、右の狂言を仕組んだ。

――あたしに考えがある。

といってあらかじめ芸妓一同をなっとくさせた。継之助が紅小壺に気があるらしいということはみなも気づいていたし、当の紅小壺も知っていたから、あるいはうまくゆくかもしれぬと期待した。

それからが、前述のやりとりである。最後に紅小壺は片手を突き、肩をおとし、やがて継之助のひざにくずれた。

「だめ。惚れている」

と紅小壺がいったのは、惚れているがために狂言ができない、狂言はもうやめた、という意味の、いわば降伏ということであったが、当の継之助はそれに乗らず、くすっと笑った。

「見ぬいたぜ」

と、この役者の肩を抱いてやりながらいった。

「やめたどころか、これからが狂言のヤマ場だろう」

継之助はいった。紅小壺はびくっと肩をうごかした。

「おれもさんざん遊んできたんだ。その程度のことはわかっている。色仕掛けか」

「…………」

「しかしながら、みごとな手管《てくだ》だ。さんざん遊んだといってもおれのは書生遊びだから、これほどの手管をみたのははじめてだ。名人の芸を見せてもらったように感心している」

「——負けた」

と、紅小壺は起きあがろうとした。が、継之助は起きあがらせなかった。

「紅小壺、ここまで濡れてこのまま幕にしてしまえばおたがい後生の障りになるだろう。観念しなよ」

それから小半刻《こはんとき》ほどして、継之助はこの家を出てさっさと帰路についている。

風雲

慶応二年というのは、天下騒乱のなかで明け暮れている。

「いずれ、乱になる。乱をおこす者は、西より来る」

と、継之助は口ぐせのようにいっていた。西とは、薩長《さつちよう》両藩である。

「食いものの恨みはつよいというが、長州毛利家のひそかな恨みは三百年つづいている」

と、継之助はいう。

長州の毛利家も薩摩の島津家も、関ヶ原の敗者であった。ことに毛利家は関ヶ原以前の百二十万石から三分の一にけずられている。家臣も減知された。居城もそれまでの広島城から日本海岸の萩《はぎ》に移された。

「とてもやってゆけないから、封国《ほうこく》も城も投げ出す」

とさえ、その当時の当主であった毛利輝元《てるもと》はいっている。家臣たちも無禄《むろく》になった者も多く、山野を開墾してみずからの自作米で露命をつないだ。

その後長州毛利家は、干拓をしたり、他の産業をおこしたりして懸命に経営し、この幕末当時になると、実高は百万石をこえるというところまで漕《こ》ぎつけている。三百年の苦境をやっと脱し、他藩よりもむしろ財政がゆたかになった。この金をもって兵器や軍制を一新した。

その余裕と自信と、そして三百年にわたる徳川氏へのひそやかな憎しみが、幕威がおとろえるとともにかれら長州武士をして頭をもたげさせた、というのが、継之助の見方であった。薩摩の事情や立場は、長州ほどひどくはないにしても、徳川家への忠誠心がうすいという点ではあまりかわらない。

この慶応二年には、幕府は第二次長州征伐をおこしている。

「勝てやしない」

というのが、継之助の見方であった。幕軍の装備は戦国時代とさほどかわらず、長州軍の装備はほぼ洋式化していた。果然、幕軍は長州藩の三つの藩境において連敗し、その威権を大いにうしなった。

この幕府の長州征伐については、長岡藩に対しても動員令がきた。

継之助はこの時期、たまたま江戸に滞在中であったが、極力反対した。

が、奉行程度の職分では、一藩の方針をうごかすわけにはゆかない。

長岡藩は、出兵した。

が、かれらが大坂に到着してほどなく将軍家茂《いえもち》が戦況の不利のなかで死んだ。このため幕府の方針がかわり、長州征伐はとりやめになり、長岡藩軍も国もとへひきあげた。

「幕府三百年来の暴挙」

と、継之助は痛論している。かれの見方ではこの敗戦が幕府のいのちを（早晩ほろびるにしても）十年ちぢめたということであった。

ところが、この慶応二年の十二月二十五日、孝明帝が崩御《ほうぎょ》された。

この報を、継之助は長岡できいた。

「えらいことになる」

と、継之助はこの日、藩庁にいたが、顔色がかわったという。かれの見方では孝明帝ほどの徳川好きはない。その帝《みかど》が没し、幼帝が立てば、京都朝廷は討幕論者の巣窟《そうくつ》になるであろう。

「早晩、西日本は薩長のものになる」

と、継之助はいった。

「この天地が崩れる」

という予感を河井継之助がもったのは、そういうことである。繰りかえすと、慶応二年におけるつぎの四つの出来ごとによる判断であった。

夏　長州征伐における幕軍の連戦連敗
夏　将軍家茂の病死
冬　徳川慶喜《よしのぶ》の将軍宣下《せんげ》
冬　孝明天皇の死

（えらいことになる）

という思いが、いつまでもかれをして町奉行や郡奉行《こおりぶぎょう》のしごとをつづけるという気持をうしなわせた。

「馨《けい》サ、かわりをたのむ」

と、継之助は自分の親友で家中きっての秀才である花輪馨之進たちに代務をたのみ、その旨《むね》藩主と藩庁の了解をえた。

「だいじょうぶか」

と、藩主の牧野忠恭《ただゆき》がきいた。

「だいじょうぶでございます」

継之助にいわせると、すでに改革はうごきだしている。建築でいえば、縄張《なわば》りをし、図面をひき、基礎をつくり、棟あげまでおわった段階である。あとは屋根をふいたり壁をぬったりするだけのことだから、藩の秀才たちにまかせればいいであろう。

（そのとおりだ）

と、忠恭もおもっていた。たとえば継之助の経済政策のおかげで、藩にだいぶ金がたまった。継之助は「一万両箱」というものをあらたにつくらせ、一万両たまるごとにお城の御広間に積みあげた。あとはその政策さえ運用してゆけば一万両箱はいよいよふえてゆくであろう。

ちなみに、継之助は、

「お城に蓄えるかねは、銀貨はだめ。金貨にかぎる。銀貨は金貨にかえてたくわえよ」

と、そういう方針をとっている。江戸時代というのは、金銀ふたつながらの本位で、いずれもを尊ぶ。

これは豊臣時代からひきついでいる貨幣観念で、大坂は銀本位であり、江戸は金本位であった。たとえば江戸では、

「千両役者」

という。年俸《ねんぽう》で金千両をとっているスターのことをそういうのだが、これは銀本位の大坂では通用しない。銀何百何匁《もんめ》の役者といういたって歯切れのわるいことになるであろう。また角力《すもう》の世界でもそうである。角力の階級で、

「十両」

という番付がある。年俸を小判で十両とっている者をいうのだが、金小判が本位でない大坂ではこれはいわない。

江戸時代は右のように東日本は金、西日本は銀といったようにしてやってきたが、

横浜などで外国と通商するようになってひどく混乱した。国際的な価値からいえば日本は金が安すぎ、銀が高すぎるのである。これで外国商人はずいぶんともうけた。

「将来は、西洋と同様、日本も金が中心になる」

と継之助は見ぬき、長岡藩の所蔵金はすべて金にかえてしまったのである。そういう基礎的なことさえやっておけば、あとは藩の能吏たちがうまくやってくれるであろう。

「それで、そちはどうするのだ」

「いましばらく、江戸や横浜を駈《か》けまわらせてくださいますよう」

継之助には、壮大なこんたんがある。

継之助は、雪に縁があるのであろう。この年も、大雪をおかして三国峠をこえた。

(越後《えちご》人のつらさだ)

と、継之助はおもった。江戸という、時勢の中心に出るには、これほどの自然の悪条件を越えねばならない。

「北陸道の者は、すべてこうだ」

と、峠の降雪を笠《かさ》ひとつでしのぎつつ、継之助は学僕の彦助にいった。

「しかし、おれは越後が好きさ」

（たしかに、お好きだろう）

若い彦助には、わかるような気がする。

「天正のころの豪傑で、佐々成政《さっさなりまさ》というのを知っているか」

「存じませぬ」

「北陸人なら、知っておくべきだ」

継之助は、降りしきる峠の雪のなかで、叫ぶようにいった。あと二時間も歩きつづければ峠は上州にむかってくだりはじめるであろう。されば降雪もすくなくなるであろう。

「佐々成政は、織田信長幕下《ばっか》の部将で、越中《えっちゅう》一国をあたえられ、富山城の城主だった」

暖国の尾張《おわり》から富山城主になったのは天正九年である。その翌年、主人の織田信長が本能寺で明智光秀に殺された。すかさず羽柴秀吉が光秀をほろぼして京に旗をたてたが、織田家の一族や秀吉の旧同僚でそれをこのまぬ者が多かった。秀吉が旧織田政権の権益を横どりして天下人《てんかにん》になろうとしている、とかれらは糾弾し、連合し、秀吉と対戦した。その中心が、信長の次男で東海地方を領土とする織田信雄《のぶかつ》と徳川家康であった。秀吉ぎらいの佐々成政も北方からはるかにそれに応じようとした。

「が、遠い」

天下の覇権《はけん》あらそいは、越中富山からはるかに離れた京と東海地方を中心におこなわれている。この天正十二年の覇権あらそいだけでなく、日本の歴史の主舞台はつねに太平洋岸であり、それも京と関東のあいだの東海道であった。日本史の覇権はつねにこの街道を往復した。鎌倉期の源頼朝《よりとも》、室町期の足利尊氏《たかうじ》、戦国期の織田信長、豊臣秀吉、徳川家康、すべてそうである。

「成政は、遠い」

遠いだけでなく、この時期は真冬であり、北陸道は雪にとざされ、中央にむかって南下しようにも日本アルプスの嶮《けん》がある。

成政は、うごけなかった。が、この蛮勇の男は、決意した。アルプスの嶮をふみやぶって南下し、遠州浜松城にいる家康と連絡し、連合戦線を張ろうとした。

天正十二年の旧暦十一月二十三日、かれは富山城を発し、南下した。供は百人ほどであった。一週間ほどのあいだ、中部山塊のなかでもだえるように歩き、多くの者は凍傷、疲労、なだれなどで落伍《らくご》し、十二月一日ようやく信州上諏訪《かみすわ》に出、さらに南下し、浜松に出て家康に会った。

「遅かった」

と、家康はいった。すでに信雄・家康の連合軍は小牧長久手《こまきながくて》で秀吉の軍を一部やぶりつつも、秀吉と講和をし、中央の覇権のゆくえはさだまってしまったのである。

成政は失望し、ふたたび雪をおかしてもときた道をたどって北方へ帰って行った。

このとき成政の詠《よ》んだ失望の歌が、
何事も変りはてたる世の中を
知らでや雪の白く降るらん
「北方人は、損さ」

やがてかれらは江戸へ出た。

江戸へついたのは歳《とし》のはじめであったが、風がつよく、空が突きぬけるように青かった。

(この空の青さ、まぶしさ)

と、継之助はいつもながらただこれだけのことに感動した。冬のうち、鈍色《にびいろ》にとざされている越後の空をおもうと、江戸のひとびとがみな極楽に住んでいるように思えるのである。

愛宕下《あたごした》の藩邸にゆくと、義兄の椥野《なぎの》嘉兵衛が玄関までとびだしてきて、

「継サ、きたか」

と、抱きつきたいような様子をした。このおすがの兄は、猪首《いくび》で肩骨の張った、いかにも武士らしい体つきをしている。学問もあり性格も沈毅《ちんき》で、こんなかるがるしいそぶりをみせる男ではない。

(よっぽど、さびしかったのだろう)

と、継之助はおもった。実をいうと、江戸藩邸にはもうほとんど藩士はいない。

「猫《ねこ》とねずみと、この椥野嘉兵衛だけだ」

と、椥野は、右肩を吊《つ》った、癖のある歩きかたをしながら、廊下のまがりかどでいった。事実、このひろびろとした藩邸には、足軽十人ばかりと椥野嘉兵衛しかいない。


なぜか、ということを、筆者はかれらにかわって言わねばならない。

江戸幕府の大名統御の方法としてもっとも巧妙であったのは、ひとつは大名の家族を江戸に置かせたことである。その母親、夫人、それに嫡子《ちゃくし》は江戸藩邸に住む。いわば人質であり、人質である以上、かれらは国もとへ帰るわけにいかない。大名たちは江戸に妻子を住まわせている以上、国もとで反乱をおこそうにもおこせないのである。

随筆風にいおう。徳川家康は関ヶ原での勝利のおかげで天下をとった。しかしその幕下大名の大半は旧豊臣系の大名であり、いつ国もとで謀叛《むほん》をおこすかわからない。それら外様大名たちもその点を疑われてはかなわぬとおもい、豊臣系のなかでももっとも因縁濃厚な加藤清正が、家康に対し、

——江戸に屋敷をもちとうござる。

と、みずからすすんで申し出た。家康はよろこび、品川に屋敷地をあたえた。これが最初であったが、加賀の前田家も同様のことをしており、浅野家、池田家も自発的にそれをしている。これが家康死後、三代将軍家光のときに制度化された。

このため、大名夫人というのは生涯《しょうがい》江戸に住む。大名の嫡子は江戸でうまれ、江戸で教育されるから、薩摩の島津家のような方言のはなはだしいところでも殿様だけはつねにさわやかな江戸弁をつかっていた。

しかも大名そのものも一年は江戸、一年は国もとで送るというのが幕法である。いわゆる参観交代《さんきんこうたい》というのがこれであったが、なにぶん経費の負担がおびただしい。江戸に多数の藩士を住まわせねばならぬことや、参覲交代にともなう道中の出費のために江戸三百年のあいだ、大名の家計は息をつくことすらできない。

が、この幕府のもっとも重要な大名統御の政策を、数年前、幕府みずからが捨てて

しまったのである。

捨てたのは、井伊直弼《なおすけ》のあと幕政を担当した改革ずきの松平春嶽《しゅんがく》であった。理由は、

「外国の侵略にそなえねばならぬときに、大名を疲弊させるこの法はよくない」

というものであり、このため諸大名の家族は江戸をひきあげ、国もとへ帰り、参観交代も事実上廃止されたのである。

この、
参観交代制の廃止
大名の妻子の江戸住い廃止
ほど、幕府の命脈を決めた政令はなかったであろう。

「春嶽はばかなことをする」

と、幕臣のあいだで大いに不評判であった。なぜならばこの直後から長州藩の鼻息がつよくなり、やがて反乱をおこした。

「あれさえ廃止しなければ長州藩も公儀に弓をひくような大それたまねはしなかったろう」

というのが、江戸の旗本たちの感覚であった。幕府創業以来、大名の妻子を「江戸

住い」という名のもとに体《てい》よく人質にしていたために諸大名もおとなしかったのだ、というのである。

が、春嶽は右のような幕臣たちと政治思想がちがっていた。

松平春嶽は越前福井三十二万石の殿様で、幕末では「四賢侯」とか「三賢侯」とかいわれて大名のなかではひときわめだった存在だった。

その家柄《いえがら》はただの大名ではなく、紀州・尾張・水戸のいわゆる御三家につづく「御家門」という格の家で、徳川一族のなかでもきわだった尊崇をうけている。

しかしながら春嶽は嘉永《かえい》以後、世界のなかの日本という視点にめざめ、欧米列強に対する危機感がつよく、このため徳川家についての概念がかわった。たとえばかれが御家門大名でありながら浪人の坂本竜馬《りようま》などを近づけ、かれの事業に多額の出資をしたりしたことなどは、その日本主義のあらわれといっていい。

このため幕府の政事総裁職になって右の政策を断行したのも、徳川家の利害よりも日本の利害を考えたことであろう。

「大名の疲弊は日本の国防力の疲弊である」

という立場からそれをやったのだが、このため江戸がさびれた。

第一、江戸城に大名が詰めなくなったために、その世話をする幕臣（といってもいわゆる茶坊主《ちゃぼうず》という御家人《ごけにん》階級だが）の収入がなくなり、かれら茶坊主たちがはなはだしく春嶽を憎んだ。

「春嶽はあんまのような名をつけて」

などという落首《らくしゅ》を江戸城の厠《かわや》にかかげたりしたが、かれら茶坊主たちよりもっと打撃をうけたのは江戸市民だった。

この当時、江戸は人口百万を越え、世界的大都会であったであろう。しかし変則的な人口構成で、五十万は武士だった。あとの五十万が町人で、町人は武士の消費生活（というより諸大名の消費生活）をたすけるかたちで生計を営んでいた。たとえば桐《きり》の火鉢《ひばち》ひとつにしてもそうであろう。問屋が大名屋敷から注文をうけ、材料を買い、職人にやらせる。これによって衣食する人間の数はおびただしいが、大名の江戸ひきあげでそれらの注文が一時にとまったのである。

「江戸は、灯《ひ》が消えたようだぜ」

と、義兄の梛野嘉兵衛がいった。

「そりゃ、そうでしょう」

継之助はうなずいた。梛野のいうところでは、吉原の客足もめだってすくなくなっているという。

なにしろ長岡藩というこの小藩でさえ、その藩邸は江戸に三つあった。それらをこんど整理してしまわねばならない。継之助はこんどの出府で、それをやってしまうつもりだった。

「義兄《あに》サ。あすは御蔵の錠をひらいてもらいたい」

と、継之助はいった。

「御蔵？　なんのことだ」

「御家のご宝物やご什器《じゅうき》で金になるものはことごとく売ろうと考えている」

「えっ」

棚野嘉兵衛は目をむいた。主家の宝物を売るばかがあろうか。

「売って兵器を買うのだ」

「た、たれに売るのだ」

「高く買う者に。銅器や漆器は夷人《いじん》がよろこぶから横浜まで運んで売りたててしまうつもりだ」

「夷人に売るのか」

「売って、もっともあたらしい砲と銃を買うのだ」

「よせ」

棚野嘉兵衛は叫んでしまった。棚野は相当視点の高い経綸《けいりん》思想のもちぬしだが、しかし、それでも武士である以上、主家の宝物や什器をたたき売って金にするというところまで飛躍はできない。

「それが必要なのだ」

と継之助はいったが、蔵のかぎをもつ棚野は顔が土色になってしまっていた。

「継サ、必要はわかる。越後長岡藩をうまれかわらせるためには金はいくらあっても足りない。しかし、ものにはならぬことがある」

「どういう意味です」

「必要だからやる、というのが正論なら、餓《う》えていれば盗みをしてもいいということも正義になるではないか。なるほど百姓町人なら畑の大根を盗んでもいいだろう。しかし武士はそうせぬ。我慢をする。我慢をして餓えて死ぬのが武士だ。ならぬことはならぬ、というところに武士の他の者とちがうところがあるのではないか」

「そのとおりだ」

と、継之助はいった。棚野のいうところは継之助の本来の思想であり、この男の武士論とは、「元来、武士というものは理も非もない存在である。理も非もなく武士と

しての美しさをまもるのが武士というものだ」ということであった。だから、

「義兄《あに》サのいうことに異論はない」

といった。

「しかしながら藩は、武士ではない」

と、斧《おの》で割り木をたたき割るようにいった。棚野は絶句した。

「なにをいいだすのだ」

「わしは横浜でごろごろしていたころ、西洋には人以外の人がいることを知った」

継之助がくわしく話しはじめたのは、法人のことである。会社、社団法人、国家、市、といったものを、かの地では一種の人とみなし自然人に対比している。

継之助はスイス人ファブルブランドからその話をきくに及んで、かれが迷っていた藩というものが明快になった。藩を法人と思えばよい。

たとえば長岡藩主牧野家は徳川家の創業のころからの家来であり、そこに徳川家への恩義を思わねばならないが、「藩」となれば法人であり、そういう自然人としての義理人情は整理されねばならない。

この宝物や什器を売るということについてもそうであった。なるほど「ならぬことはならぬ」であるが、しかしそれは自然人の道徳であり、法人「藩」ということにな

れば必要ならば売ってもよかろう。

「とにかく、売るさ」

と、継之助はいった。


継之助は、棚野嘉兵衛をその夜、ひと晩かかって説得した。

「理屈ではわかるが」

と、棚野はなっとくしない。棚野ほどの教養人でも理屈だけでは動かぬものらしい。人間を動かすものは感情であり、よりそれを濃厚にいえば「情念」なのであろう。棚野の情念がなっとくしなかった。

「什器、宝物は、歴代の君公ご遺愛のものであり、いわばご遺品のようなものだ。それを末代のわれらが売るというのはどうか」

「義兄《あに》サ、徳川日本は、いまにくずれるのだぜ。そのときわれらが長岡藩も、よほど腰をすえてかからねばほろびてしまう」

「わかる、おみしゃんの持論だ。しかしながら、この件についてはわからない。ひとつ、例をあげよう」

棚野はいった。

「たとえば、武士の両刀さ」

両刀は重いから売ってしまえ、というようなものだ——と棚野はいうのである。まさかそのような暴論を吐く者はあるまい？

「義兄サ、ところがここにいる」

継之助は笑いもせずにいった。

「わしはな、長岡藩の武士どもには刀を差させまいと思っているのだ」

「継サ」

棚野は叫んだ。

「刀は武士の魂ではないか」

「倫理道徳は、時勢によってかわる」

と、継之助はいった。継之助は江戸の古賀塾《じゅく》にいたころ、史論をやらせれば師匠の古賀謹一郎ですら傾聴したが、それをふまえたうえで言いはじめた。

「刀は武士の魂ではない」

というのである。

継之助の議論を現代語でいいなおしてみると、戦国武士の場合、刀は単に道具であり、切れればよかった。このため戦場へ三本も背負って出かける者もあり、刃こぼれしたときの用意に砥石《といし》を馬にむすびつけてゆく者もあった。道具であった。

それが江戸時代に入って、神聖なものになった。またいではいけないとか、どうとかと言うようになったのは、世が泰平だからである。道具が、神器のようになった。同時に武士の身分をあらわす階級の紋章のようになった。戦国期には百姓も刀をもっていたが、江戸期ではそれがゆるされず、武士の独占物になり、武士はそれ（両刀）あるがために誇りや名誉を感ずるようになった。このため、

――刀は武士の魂

という道徳ができた。武士の、いわばわが皮膚をなでて快感を感ずるような自己愛《ナルシシズム》にすぎない。ナルシシズムが道心にまで醇化《じゅんか》したものが、刀は武士の魂というものなのである。

「あたらしい世をひらく者は、あたらしい倫理道徳を創《はじ》めねばならぬ」

というのが、継之助の意見であった。武士は両刀をすて、世界最新の兵器をもって武装せよ、ということであった。

「まして、書画骨董《こっとう》、銅器、漆器のごときものが何あろう」

と、継之助はいうのである。言いおわってから、かれはもっとも重要なことを最後にいった。

──藩公の許可を得ている。左様、殿様の命である。

これを最後にいったのは、いかにもこの男らしい。


翌日、継之助は横浜へむかった。

(江戸の御道具売りたては、棚野の義兄《あに》にまかせておけばよい)

と、継之助はおもっている。昨夜、やっと棚野嘉兵衛をなっとくさせたのだ。

(あれも、越後ザムライだ)

頑固《がんこ》でゆうずうがきかない。百論を吐いて反対したが、そのくせ継之助が最後に、

──殿様のご意志である。

というと、棚野は体の心棒が折れたように肩をおとし、なにもいわなくなった。けさ、継之助が目をさますと、棚野はもう御蔵をあけてお道具の整理をしていた。

「義兄サ、御精が出ますなあ」

と、御蔵の入り口で声をかけたが、棚野はふりむかない。泣いているらしい。泣きっ面《つら》を見せまいとして、わざと背をまるくして手をいそがしく動かしていた。

「義兄サ」

と、継之助はかまわずにその背後に立ち、

「お道具はできるだけ高く売ってください」

というと、棚野はふりむかず、無言のままうなずいた。

(泣いてやがるな)

とおもったが、さらに継之助はかまわず言うべきことを言いはじめた。

「道具屋は、およびになりましたか」

「おれは道具屋などは知らぬ」

「それならば拙者のほうから使いを出しておきましょう。日本橋の山形屋次郎兵衛、鍛冶橋《かじばし》の伊豆久、伝通院門前《でんづういんもんぜん》の鍵屋《かぎや》惣兵衛《そうべえ》の三人がいままでのお出入りです。あす三人に入札させますから、御広間にすべて出しておいてください」

「入札には、継サが立ちあってくれるだろうな」

「いや、私は横浜へゆきます。これはすべて義兄サにやってもらう」

「これだけのものを、一日で整理はとてもむりだぞ」

「左様、義兄サお一人ではむりです。きょうの午後から江戸三邸の者をすべてお集めください。右三軒の道具商の番頭、手代どもにも手伝わせてください」

「心得た」

声に力がない。

「それから、絵のなかで贋物《がんぶつ》などもございましょう」

「あるだろう」

「それは手前が夷人に売ります。夷人たちにとっては作者名の真贋よりも出来ばえの華やかさのほうがよろこばれましょう」

「それはいかん、いかに夷人に対してでも贋物をつかませるのはいかぬ」

「贋物であろうとなかろうと、日本の越後長岡侯の御愛蔵品、という来歴だけは本当なのです。うそをつくわけではない」

「なるほど」

「それから、銅のお火鉢や花器、九谷《くたに》の華麗なるもの、金蒔絵《きんまきえ》の漆器その他、きらきらしたものは夷人むきとして脇《わき》へとり置いてください。拙者が横浜で話をつけてきます」

「そのために横浜へゆくのか」

「それもあります。別の用もあります」

そういうことで、藩邸をあとにしてきた。

その日の夕刻に横浜に入り、まっすぐに百七十五番館ファブルブランドのもとにゆくと、この若いスイス商人は、

「あっ、カワイサン」

と、真青な目に涙をあふれさせた。よほどなつかしかったらしい。

「ちっとの間ア、遊ばせてくりゃえ」

と、継之助は越後弁でいった。

それが奇妙なことに、この若いスイス商人に通じるらしい。激しくうなずき、どうぞどうぞ、といったふうの身ぶりをし、継之助を二階へつれてあがり、一室のドアをひらいてみせた。

「これはあなたの部屋です。いつあなたがいらしっても間にあうようにこのように片付けさせてあります」

捲舌音《けんぜつおん》のはげしいドイツ語でいうのだが、それがまた奇妙に継之助に通じる。

「ありがとう」

そとは、日が暮れている。

「食事にしましょう」

「いや、洋食はごめんだ」

これは、双方通じなかった。階下へ降り、継之助は食卓につかせられた。

葡萄酒《ぶどうしゅ》が出た。

継之助は手をあげて清国人《しんこくじん》の番頭をよび、

「筆談できるか」

と、書いた。

大いにできるらしいのである。ファブルブランドは日本でのことばの不自由を嘆じ、上海《シャンハイ》から清国人の青年をよんだ。

それが、この張恩靖《ちようおんせい》である。張は郷試《きようし》という官吏登用の初等試験に何回か受験したことがあるというだけに、なかなかの読書人であり、古典にも通じている。日本人の漢文知識は千年以上前の中国文章語であるために、ふつうの中国人よりも古典教養のある中国人でなければたがいに通じあわない。この点、張はうってつけであろう。

そういう漢文筆談を介してのファブルブランドとの会話がはじまった。

「江戸藩邸にある道具の一部を売りたい」

「それは大公殿下（藩主）の御道具か」

「しかり」

「品目は、どういうものなりや」

というものであった。

商談がおわってから、ファブルブランドは、

「もしおさしつかえがなければ、なぜ江戸の家財をお売りになるのか、おきかせねがえないでしょうか」

といった。

継之助は、日本の現状を包むことなく語ってやった。

「徳川三百年のあいだ、徳川幕府の法律により、江戸に大名があつまって暮していた。ところがこんどその法律が消滅同然のかたちになり、大名たちはそれぞれの郷国に帰った。自然、江戸での道具は要らない」

「内戦がおこりますか」

ファブルブランドの質問は飛躍した。商人としてききたいのはこの一点であり、内戦の予想がたしかになれば商売の方向も変えねばならない。たとえばファブルブランドはおもに時計を売りにきているのだが、兵器も大いに売らねばならぬであろう。

「そういう予想はできぬ。ただいえることは徳川家はこの参覲交代《さんきんこうたい》制の廃止で、どうやら一大名の位置におちてゆく。三百諸侯は、イタリー人の現況のごとく連邦をなしてそれぞれに領地で消極的割拠をするだろう。その盟主にひきつづき江戸の将軍がな

るのか、あたらしく京都の天子がなるのか、それはわからない。西国人は京都を考えている」

「どの盟主をえらぶかで、戦争になりましょうか」

「日本に、一寸先は闇《やみ》、ということわざがある」

継之助は、声を立てて笑った。

継之助は、なにかを待つようにこの横浜の外人商館に逗留《とうりゅう》した。

――なにかを待つ。

というが、べつにあてがあるわけではない。ないが、この横浜外人商館のなかで起居していると、なにかおもわぬ思いつき、おもわぬ事件、意外な人物などに出くわしそうな気がしたのである。

「ただ泊めてもらっては気の毒」

というわけで、以前もそうしたように、夜になると、

「火の用心」

と、商館のまわりと近所を触れてあるく。大小は帯びず、着流しの尻《しり》をからげ、拍子木をたたくのである。

ちょーん

火のウ、ようウじん

と流していく声がなんともいえずいいきで、端唄《はうた》や小唄できたえているだけにいかにも芸者のよろこびそうな声調子《こわぢょうし》であった。

「やめてください」

と、ファブルブランドは閉口していったが継之助はやめなかった。

「すきなんだから、やらせておいてくれ」

という。そういえば継之助はこどものときから火をおそろしがる性質があり、長岡の屋敷にいても火の始末だけは病的なほどに気をつかった。それに盆踊りの仮装が好きなように、こうして身をやつして拍子木をたたいてあるくことが、しんから気に入っているのであろう。

「こまります、とてもこまります」

と、若いスイス人商館主は、ときに泣きだしそうにした。かれの理解している河井継之助とは越後長岡の小公国の首相代理であり、拍子木をたたくような身分ではない。それに、ファブルブランドは明治後も長くこの横浜に住んでいたが、

「旧幕時代から明治のご聖代にかけてずいぶん多くの日本人に会いましたが、河井継

之助さんほどえらいひとを見たことがない」

と死ぬまで言っていたように、継之助を敬慕することひとかたでないのに、毎夜、商館のまわりから、

「火のウ……用心」

ときこえてくる声には、身のちぢむ思いがした。

が、継之助はちょっと楽しい。拍子木を打ってまわりながら、

（もう一度うまれなおせるとすれば、町内の辻番《つじばん》の爺《じじい》にうまれてこのように拍子木を打って暮したい）

とさえ、ふと思っている。継之助にすれば長岡は窮屈、江戸は雑駁《ざっぱく》、京は物狂いという世の中から、一時でも脱出できるのは横浜での火の用心の毎日ぐらいのものであろう。

そういうある日、

「河井さん、妙な人物に会ってみますか」

とファブルブランドがいった。

「何藩の者だ」

「日本人じゃありませんよ」

と、ファブルブランドは部屋のすみの地球儀まで継之助を連れてゆき、オランダの場所を指さした。

「オランダ人かね」

「ところが、真の国籍がわかりません。当人は都合によってはこれ、いとも称しています」

と、トルコを指さした。しかしながら実際の国籍はプロシャらしい。

（怪人物だな）

継之助は、興味がわいた。

「エドワルド・スネル」

というのが、その問題の夷人《いじん》だった。幕末の日本で活躍した冒険商人のなかではもっとも特異な人物であり、後世の史家から怪人物の印象をもって見られつづけている男である。スネルは一種伝奇的な神秘性をもっており、第一どの国のどのような人物なのか、よくわからない。かねてファブルブランドに、

「ぜひ、河井を紹介してほしい」

とドイツ語でたのんでいたが、ファブルブランドが他の場所でスネルと出会ったと

き、かれがフランス人と流暢《りゅうちょう》なフランス語で話しているのを目撃した。しかも幕府の神奈川奉行所の通訳官とはオランダ語で話し、日本側役人のあいだでの人気もいい。おどろいたことにどこで学んだのか、日本語もすこしできるらしいのである。

始終、ファブルブランドの商館にあそびにきて、

「私はスイス人が好きだ」

という。その理由は小国だからだ、というのである。スネルのいうには自分も小国のうまれであり、小国の出身者は極東において手を組まねばならない、という。

「スネルについての私の知識は」

と、ファブルブランドは継之助にいった。

「その程度です。善悪はわかりませぬ。あとはあなたご自身がご覧になって、おつきあいなさるべきかどうかをお決めくだされればよろしいでしょう」

——会おう。

と、継之助はいった。

翌朝、スネルが訪ねてきた。継之助は着流し、無腰《むごし》のかっこうで階下のすみで対面した。

「エドワルド・スネルです」

といって握手をせず、日本式に頭をさげたこの男は、思ったより若く、思ったより小柄《こがら》な男だった。

西洋人にしてはやや扁平《へんぺい》な顔をし、あごの下に黒味がかった薄いひげをはやしている。

(日本人に似ている)

それが、継之助にはおかしかった。スネルが、トルコ人であると自称することがあるのはその髪の黒さ(トルコ人にはそういう特徴をもった者が多い)によるものだろうし、あるいはトルコ人の血も入っているのかもしれない。

現に継之助に、

「私にはトルコ人の血が入っています」

といった。

トルコ民族とは、東洋史上の突厥《とっけつ》であろう。ふるい時代、中央アジアの草原に活躍した騎馬民族のひとつで、その人種のうち西へ行った者は「ヨーロッパ・トルコ」といわれ、混血のために碧眼《へきがん》紅毛になった。しかしながらその言語の祖形は日本語とおなじウラル・アルタイ語族に属するものであり、その点でトルコ人は日本語をおぼえやすい。

——私にはトルコ人の血が入っています。

とスネルが継之助にいったのは、自分に親しみをもたせたいためであろう。

「私の情熱は、英国人を憎むことから出ています」

と、のっけにいった、なぜ憎むかはいわなかったが、とにかく、

「英国は薩長を後押ししています。そのゆえに私は薩長を憎み、憎むがあまり、徳川家とその系統の藩の味方であります」

というのである。

(なるほど夷人にしては)

と、継之助はおもった。小さくて貧相な漢《おとこ》だ。が、小柄な男によくあるように、エドワルド・スネルは背骨に鉄のしんを入れたようにぴんと、そぎ立っている。胸を張り、上体を微動だにさせずにしゃべる。

(なるほど、浅草の観音だな)

と、継之助は、小粒な男の気おいが感じられておかしい。

スネルは、両のコブシを卓のうえにのせて互いに摑《つか》みあわせている。そのコブシが小柄な体に不似合なほど大きく、赤ン坊の頭ほどあるであろう。

（百姓の血だな）

と、継之助はおもった。

「私に自分自身を語らせていただけますか」

スネルはいった。

「ああ」

継之助はわざと間のぬけた返事をした。日本の剣術でいえば上段の相手に対し、わざと剣を下段にいなして、すきをみせるというかたちである。継之助のみるところ、山師ほど初対面のひとを相手に自分自身のことをせっかちに過剰に語りたがるものであった。スネルは山師ではないかと継之助はおもった。

「日本には欧米の山師が多く来ている」

と、スネルは、継之助の意中を察したかのようにそのようにいった。

「伯爵《はくしゃく》でもないのに伯爵だといっている者すら、この横浜にいる」

シャルル・ド・モンブランのことであるらしいが、継之助はその冒険家（最初は政府方に近づき、ついで薩長方に接近したという）の名を知らない。

「私は、氏《うじ》も素姓もないプロシャの一市民です」

と、スネルは正直にいった。自分の正直さをみせるためか、むしろ情熱的に無名の平民であることを強調した。

「町人でけっこうさ」

「しかし私を特徴づけているのは、無私な情熱です。この点では何人《なんぴと》にも負けない」

少年のころから、とスネルはいう。自分の生涯《しょうがい》を意義づけたいと思っていた。そのためにヨーロッパのほうぼうに漂泊した。

「ところがパリにいたころ」

新聞で、日本が条件づきで港をひらいたというニュースを知った。正直なところそれまで日本という国名すら知らなかった。

「シナは知っていました。知っていたどころか、この神秘の世界に身を投ずることが自分の念願でした」

その直後、香港《ホンコン》にゆき、上海に行った。商業上の冒険者であるかれは当然、そこでブローカーをしようと思ったが、ここでイギリスの強大な商業組織とそれを擁護する駐在外交官吏、さらにそれを護衛する英国東洋艦隊の力を知り、歯も爪《つめ》も立たず大いに失望し、悲憤し、やむなく情熱を日本に転じた。

ところが日本でも英国はシナにおけるその執念ほどでないにせよ、諸国の外交団や商人を圧している。

「英国《かれ》にとっては、地球は自分のものだとおもっているのです」

ところが英国は日本においてはフランスに足場をさきどりされている。フランスが幕府により接近し、その外交、軍制、経済上の顧問然としてきているのに対抗し、長崎を基地として薩長を後援しはじめた。

「その鼻をあかしてやる、というのが、私の情熱を構成する何パーセントかの要素です」

「情熱とは、なにものか」

と、エドワルド・スネルは、西洋人につきものの哲学癖があるらしい。

「それは好悪《こうお》です。好きかきらいか、そういう情念です。理性や打算ではない」

「ふむ」

と、継之助はあいかわらずすきの多い顔つきできいている。

「薩長はきらいだ」

と、スネルは叫んだ。徳川系の大名のために働きたい。

「わからぬなあ」

継之助は、にがい顔でいった。西洋人にもたとえば判官《ほうがん》びいきのような、そういうひいきの心情というのがあるのか。

「ヨーロッパの社会は」

と、スネルは話頭を転じた。

「老朽化しています」

「でもあるまい」

「いや、そうです。社会の秩序が頑丈《がんじょう》で、しかもふるびきっている。貴族でなければ官吏、軍人、政治家になれず、商人として大成しようにもすでに既成の勢力がはびこり、われわれ無名の若者を受け入れない。自然、このスネルのような男は、まだ夜がつづいている極東の天地で自分の舞台を見出《みいだ》さざるをえないのです」

「日本は、シナより利益が多いか」

「むずかしい質問です」

と、スネルはいった。列強はシナに領土的な魅力をもっているが、日本にさほどもっていない、という重要なことを言いはじめた。

「そういうことはあるまい」

継之助は、いった。かれとかれの仲間である日本の武士階級にとってはこのことが天地最大の関心事であり、列強の領土的侵略を感じていればこそここ数年壮大な攘夷《じょうい》運動がまきおこっているのではないか。

「それは、ちがいます」

スネルはいった。列強にすればシナという広大な国土と人口をもつ巨大な大陸がそこにあるのに、となりのちっぽけな日本列島などに食欲がおこるはずがない、という。

「シナのことはいざ知らず、日本については純粋に経済的な対象です」

「とは？」

「領土ではありません。日本人に物を売りつけてもうかればよい。列強にとってはそれだけの関心です」

「本当かね」

「私は強国のうまれでしょうか」

「左様、あなたは小国の町人だ」

「でしょう？　だから私が政治的な、うそをふくんだ発言をするはずがない。私のような者の立場からいう言葉が、ほぼ公平であるとおもっていただければ幸いです」

「なるほど」

「いずれにせよ、私は」

と、スネルは話題をまた自分にもどした。

「いずれにせよ私は、ヨーロッパでは容《い》れられる余地のない自分の情熱を、この極東の日本にそそぎ入れたいのです。それによって自分の人生を意義づけたい。このスネルがなぜうまれてきたかという意味を、この日本で見出したい。欲得ではない」

「欲得もあるだろう」

「それはあります。欲得は商人にとって魂ですから」

「それをきいて安堵《あんど》した」

継之助は笑い出した。とにかくこの男に関心以上の好意を継之助はもった。

その夜、継之助は相変らず拍子木をもって火の用心に出かけた。

継之助があるくと、犬が咆《ほ》える。

「騒ぐなっ」

とどなると、犬はすっとぶようにして逃げてしまう。

もどってきて、

「旦那《だんな》は起きているかね」

と、シナ人の張にいった。張は、涼やかなまつげをもっている。

「いま、お部屋にお入りになったところですが、まだおやすみではないと思います」

と、それをきれいな文字に綴《つづ》った。

やがてファブルブランドが、二階から降りてきた。寝衣のままだったが、すぐ継之助の話が単に雑談でなさそうなことに気づき、もう一度二階へあがって服に着かえてきた。

(礼譲のある若者だ)

と、継之助は感心した。攘夷思想家は日本は礼譲の国であるといい、洋夷にはそれがないという。だからけものであるという。しかしながら実際はそうではないらしい。

「なにか、重要なお話ですね」

と、ファブルブランドは椅子《いす》にすわった。

「どういう?」

「先日、おはなしした江戸藩邸のお道具の件ですが、できるだけ高い金にしたい」

「当然でしょう」

「明後日、こちらに運ばせる」

「結構です」

うなずき、そのあとこの若い商人はおもしろいことをいった。

「自分は河井サンを友人以上の、家族の一員だとおもっている。しかしこと商売になった場合は、商人としての態度で、この商務を処理したい」

その言葉を張恩靖の文章で読んだとき、継之助は妙な気がした。

（やはり、洋夷は凄《すご》い）

ということであった。人情や義理ということでなしに容赦なく値をつけたいということを、わざわざファブルブランドは冷厳に宣言したのである。

が、すぐ誤解だとわかった。このスイス人の意味は、

「信義をもって処理したい」

という意味らしいのである。ファブルブランドは、商人が商行為をするということを、きわめて高い倫理感をもって誇らしく考えているようであり、「相手をあざむかず、すべて信用を第一とし、公正な値段をつけ、商行為が終了後も責任をもちつづけたい」という意味なのであろう。

（日本の町人とはちがう）

と継之助がおもったのは、このことであった。ファブルブランドは、すぐいった。

「入札にしましょう」

そのほうが値がより公正になる、というのが積極的な理由であり、消極的な理由としては、

——自分は東洋の美術品について暗い。

ということであった。このため、

「エドワルド・スネルを入札の仲間に入れてやってほしい」

というのである。暗い知識でこれだけの利益を独占すれば、きっと長岡藩に不利な結果になりそうだ、そして自分も怪我《けが》をする、という。

「ねがってもないことだ」

継之助はファブルブランドの率直な態度に好意を持ち、よほど好意をもった証拠に、めったに笑わぬこの男が、沁《し》み入るような微笑をした。

継之助は、江戸藩邸に飛脚をやると、打って響いたように棚野嘉兵衛が横浜にやってきた。おびただしい荷駄《にだ》を宰領している。

「幕吏に、よく見つからなかったことだ」

と、継之助は棚野にいった。幕府は、大名が幕府の機関を通さずに直接貿易することを好んでいないのである。

「番所も時勢で、ゆるみきっている」

と、棚野はいった。これだけの荷駄隊を指揮して江戸を出ているのに、六郷の川番

所も神奈川の番所も、

「通らっしゃい」

と物憂《ものう》げにいうだけで、荷物のなかみをあらためようともしない。

「あのぶんでは、西国の雄藩がひとたび立てば江戸の守りなどあぶないものだぜ」

と、棚野はいった。

すぐ、それらの品物をファブルブランドの商館に入れ、スネルをよび、ファブルブランドと二人で入札させた。その商務は、棚野がとった。

三日かかった。

すべてがおわってスネルが、

「慰労のために、みなさんを私の宿にご招待したい」

といって一同を短艇にのせた。

「あなたの宿は、海にあるのか」

棚野が、目をみはった。そのとおり、海上にある。

宿が足りないために、外国商人の何割かは碇泊《ていはく》中の商船を宿にしている。スネルはオランダ船にいた。

「私なども」

と、ファブルブランドがいった。

「牛肉が食いたくなると、懇意の船に出かけます。横浜の夷人《いじん》はみなそうです」

「義兄《あに》サ」

継之助はいった
「牛肉が出ますが、食えますか」

「私は食わない」

棚野は、はげしくかぶりをふった。

やがて短艇は、舷側《げんそく》につけられた。船名をレイデン号といい、三本マスト三本煙突の城のように大きい蒸気船である。

その食堂に案内された。

「棚野サンは魚がよろしいでしょう」

と、物に機敏なスネルは早くも棚野嘉兵衛の顔色を察し、そういった。

「さあ」

棚野は声をかけられて当惑していると、スネルはさらにいった。

「私も、魚がすきです。私も魚を注文します。おなじものでよろしいですか」

このあたり、いかにもスネルは人をそらさない。棚野は救われたように、

「おなじもので結構です」

といった。そういうやりとりを、継之助は皮肉な目でみていた。

（油断ならぬ男かもしれないが、当方の態度如何《いかん》では相当に使える）

と、スネルをそう観察した。

食事がおわって、スネルは船内をご案内したいといった。

継之助も椰野も、異存はない。スネルはまるでわが船のように甲板、船室、操舵《そうだ》室、機関室などを案内してまわったが、最後に継之助にとってのちに運命的なものになった或る部屋の前にスネルは立った。

そこは、倉庫である。

「世界でもっともめずらしいものをおみせしましょう」

と、エドワルド・スネルは鍵《かぎ》をあわせていたが、やがて大きく戸をひらいた。なかは、暗い。埃《ほこり》とかびと、機械の格納油の入りまじったにおいが、重く沈んでいる。

「灯《ひ》を入れましょう」

と、スネルは、カンテラをかざした。継之助と椰野は、そのあかりを頼りになかに入ると、凝然とうずくまる一機械をみた。

「砲ですな」

と、継之助はつぶやいた。しかし砲にしてはその形があまりにも奇妙であった。

「砲です。しかしただの砲ではありません」

（そのとおり、ただの砲ではない）

継之助は、息をのむ思いでそれをみた。砲身は一メートル半ほどあり、その形態はレンコンのようである。その異様な砲身が、軽快そうな砲車に載っている。

「砲の種類は？」

「左様、ガットリング砲です。欧州の列強でもこれをもっている国はまだありません」

機関砲というべきであろう。

もっとも、その後の感覚ではこれは機関銃とよぶほうがわかりがいい。ちなみに砲と銃のちがいはその口径の大小による。その後わが国では（多くの国もそうだが）口径一一ミリ以下のものを銃とよぶことになったから、このガットリング砲はやはり機関銃とよばるべきであろう。

ガットリング砲は、要するに機関銃の先祖というべきものである。

その構造は、六連発レンコン型弾巣《だんそう》の拳銃《けんじゅう》からヒントを得たもので、継之助が「砲身」とみたその長大な部分は弾巣であり、ながいレンコンのような形をし、二十個ほどの穴があいている。このレンコン穴に弾丸が装塡《そうてん》される。

操作は、歯車つきのハンドルでおこなう。そのハンドルをまわすとカラカラと音をたてて右のレンコン弾巣がまわる。

砲の基部に帯状の弾帯がついており、三百六十発がびっしりとならんでいる。右のハンドルをカラカラとまわすことによって噴水のように弾丸が発射されるのである。

「これは、何国の製品だ」

「アメリカ合衆国のものです。その国はつい最近まで南北戦争という内乱のなかにありました」

その南北戦争の末期に、このガットリング砲が出現したという。

「これは、売りものかね」

「左様、見本です」

「貰《もら》おう」

継之助は無造作にいったが、しかしからだじゅう、びっしょりと汗をかいていた。

どういう性質の汗か、自分でもわからない。

（この砲で、越後長岡公国の主体が確立する）

という感動が、全身をかけめぐっていたことはたしかである。わずか七万四千石の小藩が、この砲一門で一躍三百六十人の兵がふえるのと同様であった。

「薩長も、もっておりません。しかもこの見本をふくめて三門しか、極東に来ておりません。他の二門は上海にあり、奔走しだいで入手できます」

「ぜんぶ、買おう」

継之助はいった。

長岡から、

――すぐ帰ってこい。

という飛脚がきた。継之助は、

「惜しい。惜しい」

と、何度もつぶやいた。ファブルブランドが、その日本語はどういう意味でしょう、というから、継之助は、

「帰りたくないということさ」

と、意訳して教えてやった。横浜にいれば西洋知識に接しうる、というようなこと

よりも、この気楽さが気に入っているのである。ここは日本ではない。ことに外人商館にいると、日本の法律・道徳などのおかまいのない天地であり、ごろりとベッドに寝ころんでいても本当の意味の怠惰が味わえる。

「私は本来、怠け者なのだよ」

と、継之助は、この若い紅毛にいった。ファブルブランドは驚いた。

「怠け者ではありませんよ」

「おれを知らないからさ」

なるほど継之助は、真実を求めるために塾《じゅく》を転々とし、諸国を遍歴した。しかしそれは自分の勤勉さ、篤実《とくじつ》さ、刻苦勉励的なものによるのかと自問すると、どうやらちがう。どうやら学問よりも旅の気楽さ、その日常からの解放のほうに魅力を感じていたらしい。酒徒が酒を恋うようにそのことは継之助にとっては強烈な欲求だった。怠けたい、ということなのである。

その点、横浜はなんと魅力があることであろう。ここには武士の日常もなく、日本の日常もない。

「ねがわくは一生、拍子木をたたいて時に青楼《せいろう》に登る、という暮しがしたいものだ」

シナ人の張が、声をあげた。

「それは老荘の極致ですね。カワイサンは老荘の学問をおやりになったのですか」

「いや、私は孔孟《こうもう》の徒だよ。一生あくせく現実のなかにまみれて治国平天下《ちこくへいてんか》の道を尺取虫のように進もうという徒だ」

「であるのに厭世《えんせい》逃避のあこがれを」

「持っているさ。しかし息せききった仕事師というのはたいていそういう世界にあこがれている。よき孔孟の徒ほど、老荘の世界への強烈な憧憬者《どうけいしゃ》さ。しかし一生、そういう結構な暮しに至りつけないがね」

「西洋には」

と、若いスイス人がいった。

「汝《なんじ》ニ休息ナシ、という諺《ことわざ》があります」

「なんのことだ」

「神が天才にあたえた最大の褒辞《ほめことば》です」

「わからん」

「その才能をもってうまれたがために生涯《しょうがい》休息がない。そういう意味です。汝ニ生涯休息ナシ」

「私が天才かね」

「そのように思えます」

「天才とは戦国のころ私の故郷から出た上杉謙信とか、尾張から出た織田信長に対することばだ。なるほどかれらの生涯は死に至るまで休息がなかった」

滞在中、継之助はひまをみつけては横浜の色里に出かけた。国にかえるとそういうこともできない、とこぼすと、ファブルブランドは御国《おくに》にもそういう場所はあるでしょうといった。継之助はかぶりをふった。

「ない」

「どうしてです」

「私がつぶしたのさ」

卯《う》の年

継之助が長岡に帰ると、山々にはなお去年《こぞ》の雪が残っていたが、信濃《しなの》川の蘆間《あしま》にはすでに春の日ざしがかがやいている。

すぐ登城し、殿中で家老たちに対面し、あらましを報告した。

「ご苦労であった」

どの家老も、それだけしかない。かれらはすでに時勢の担当能力がないことを自覚しており、継之助にたよるほかない。

「そのほう、留守中に年寄役に任ぜられておる。ありがたく御沙汰《ごさた》を拝せよ」

と、家老の上席者がいった。

町奉行兼郡奉行《こおりぶぎょう》職は、免ぜられた。これはかねてからの継之助の希望であった。すでに継之助が道路をつくってしまった以上、その上をたれか能吏に歩かしめればいい。

年寄役、というのは、家老に準ずる役目であり、もはや行政職でなく政治職であった。このため今後は継之助の自由裁断の幅はいよいよ大きくなるであろう。

「横浜では銃器などを買ったそうだな」

と、家老の牧野がいった。

「すでに手紙をもってご報告申しあげたとおりでございます」

そのとおりである。継之助は江戸や横浜に滞在中、何度も飛脚便を国もとへ送っており、いまさら口頭で報告する必要もないくらいであった。

「それらはいつ着く」

「左様、おっつけ、横浜から新潟港まで送りつけて参るでありましょう」

しかしながら継之助は例のガットリング砲についてだけは言わなかった。これはかたく秘密にしておかねばならない。諸藩とくに薩長《さっちょう》に洩《も》れればろくなことがない。かれらも買いたがるか、それとも長岡藩を、それあるがためにかれらは目のかたきにするかもしれない。

そのあと、殿様の牧野忠恭《ただゆき》に拝謁《はいえつ》したときも、明瞭《めいりょう》にはいわなかった。藩公といえども側近に洩らすかもしれないのである。

「洋銃千五百挺《ちょう》、そのほか洋砲数門を買いましてございます」

と、継之助は申しあげた。洋銃についての性能はくわしくいった。

「すべて元込銃《もとごめじゅう》でございます」

ヨーロッパにおける最新式のものを、十分に吟味して買いととのえた、といった。元込銃とは、銃尾で弾をこめる銃のことである。

ちなみに、ここ二、三十年ほどのあいだ、欧米における銃器の発達は驚異ともいうべきもので、きのうの銃はきょうは廃品とすら言いうるほどの勢いであった。

たとえば、おなじ洋銃といってもゲベール銃などというものは欧米では過去のものである。これは銃身みじかく銃口粗大で命中率がわるいうえに、先込銃であった。弾を銃口からころがす。いや、その前に炸薬《さくやく》を銃口から入れ、細長い鉄棒（槊杖《さくじよう》）をさし入れて十分に銃尾に固定させ、しかるのちにまるい弾をころがしこむ。発火装置は、ヒウチイシである。引金をひくと石火《せつか》を発し、その石火が炸薬に引火し、爆発し、その圧力で弾がとびだすのだが、構造的には日本の火縄銃《ひなわじゆう》とかわらず、装塡《そうてん》操作がじつにてまどる。

それでも「洋銃」である。横浜・長崎商人などは日本の諸藩が洋銃といえば目がないのにつけ入り、このゲベール銃をふんだんに売りつけた。長州藩でさえ初期にはそれをずいぶんつかまされた。東北諸藩などは幕府敗亡後もこの旧式銃を旧式と知らずに買い、それで「洋式装備」をした。

おすがは、継之助を見つめながら生きている。河井家の主婦としてその日常はいそがしいが、しかし子がないだけに亭主の継之助に関心を集中するしか仕方がないのである。

が、それもひかえめであった。

「亭主に過度な関心を示すな」

というのが、婦徳であり、この江戸時代人がつくった、ほとんど芸術的なまでの美意識であった。十六で輿入《こしい》れしてきたおすがは、ごく自然にその美しさを自分のものにしている。

「お年寄役になられた」

というのは、河井家代々における最高の出世であり、河井家の親族一統にとってもこれほどの光栄はない。たかが、百石そこその身分ではそういう高官になれないというのが、長岡藩だけでなく諸藩の例だった。

「おめでとうございます」

と、その夜、おすがは衣紋《えもん》をつくろい、薄く化粧《けわい》をして継之助の部屋にゆき、折り目だてて祝意をのべた。

「めでたいか」

継之助は、意外な顔をした。

「めでたくはないぜ」

「なぜ」

というあどけない顔を、おすがはわざと作ってみせた。うかつにものをいうとどう切りかえしてくるかわからぬ亭主である。

「この狐《きつね》」

継之助は笑いだした。利口者のおすがならそれくらいのことはわかっていそうに思えたのである。

「いいえ、わかっておりませぬ」

「まあ、おいおいわかってくるだろう。ともかく、おれはこの長岡藩の料理人にさせられるのだ。年寄役ぐらいでそのように化粧してこられてはこまる」

「料理人と申しますと？」

「もっとうるさい役につけられるだろう」

「うるさいお役とは？」

「家老よ」

「うそ」

おすがは噴きだしてしまってから、あわてて袂《たもと》で口をおさえた。

「おすが、いつまで子供だ」

「申しわけございませぬ。いつまで経《た》っても利口者になりませぬ」

「とにかく、祝い客はことわれ」

継之助は、書見にもどった。横浜で買ってきた書物で、上海《シャンハイ》版の漢訳西洋兵術書であった。継之助はいま、洋式兵器による防衛戦略戦術に没頭していた。

その夜、夜がふけてからひとりの飛脚がたずねてきた。継之助は縁へ出、

「おまえはたれだ」

ときくと、新潟の飛脚問屋吉葉屋の者でございます、お手紙をあずかりましたので、
という。

「たれから」

「御文面を見ていただきとうございます」

と、飛脚はいった。

継之助がひらくと、漢文であった。蘇寧児というあやしげな漢字があてられている
のはスネルのことであろう。読むと、スネルが長岡藩買いつけの兵器を積載して新潟
沖まできているという。

「おすが、新潟へゆく」

夜中ながら支度を命じた。

継之助が、

（よほど大胆なやつだな）

とスネルのことをおもったのは、かれ自身夷人《いじん》の身をもって新潟港外まで乗りこん

できたことであった。この港は夷人は入れない。

新潟は信濃川の河口にあり、越後《えちご》の代表的な港である。

もとは長岡藩の支配地であり、げんに継之助の父代右衛門も壮年のころ新潟奉行をつとめたことがある。

「むかしは賑《にぎ》わったものさ」

と、代右衛門はよくいっていた。むかしといっても代右衛門の奉行時代ではなく、それより以前の元禄期《げんろくき》である。年にこの港に入る船が三千五百艘《そう》、その入貨は四十六万両、出貨が五十八万両で、その運上金をとりたてるだけで藩庫はずいぶんうるおった。

ところが、その後やや衰えた。それ以前は信濃川が阿賀野川《あがのがわ》をあわせて新潟港にそそいでいたのだが、それを分離させたため河口の水量が減り、かつ奥地からの河川船の数が減り、港としての価値が多少減じた。

それでもなお繁昌《はんじょう》はつづいたが、継之助十七歳の天保《てんぽう》十四年に幕府はこの港の利益に目をつけ、長岡藩からとりあげて直轄《ちょっかつ》地にしてしまったのである。このころ、人口二万三千人であった。

さらに新潟港の運命が変転したのは、幕府は安政通商条約でとりきめた五つの開港場にこの港をふくめたのである。が、現実には新潟はまだひらかれていない。

——いつひらくか。

ということが列強と幕府とのあいだで外交問題になっているが、とにかく、この港は海外貿易の指定港にはなっていないのである。

だからスネルがやってくるのは、

「抜荷《ぬけに》（密貿易）」

であった。密貿易といえばこの新潟は在来シナ人の密貿易者に大いに利用されてきたところで、長岡藩時代、幕府直轄時代をふくめて奉行の頭痛のたねであった。

「抜荷」

ということは、スネルもわかっている。わかっていればこそ、飛脚にもたせてやった継之助への手紙に、

「自分の船に長岡藩の藩旗をかかげてほしい。でなければ港に入れない」

といってきている。その智恵《ちえ》と度胸はやはりなみなみではない。

（こいつは、いそぐ）

と継之助がおもったのはそのことであった。ながながと沖泊りさせていては幕府の目につく。

継之助は、若党と学僕の彦助をよび、係役人をかれの屋敷にあつめさせるべく街へ走らせた。

もう、丑満《うしみつ》（午前二時）のころだろう。

やがてかれらがあつまってきた。それぞれ継之助が推挙して登用したよりぬきの秀才官僚たちである。

「事情はこうだ」

と、継之助はくわしく説明した。その説明を家老にさせるべく、花輪馨之進《けいのしん》、村松忠治右衛門のふたりに席をはずさせた。

ついで藩旗をもたせてやる人員を新潟へ出発させた。さらに積荷を揚陸する人員の手配方を、三間市之進に命じた。

それらの組織が動きだしたあと、継之助は新潟へ発《た》った。まだ夜は明けない。

新潟では、継之助は藩の懇意の回船問屋栃尾屋で寝ていた。

しごとは、花輪、村松によって指揮される組織が、すべてをやった。

継之助は、座敷で寝ていればいい。

「なぜそのように寝てばかりいらっしゃるのでございますか」

と、栃尾屋のむすめのお篠《しの》が、色白の、若衆のような顔をかしげてきいたくらいであった。お篠は継之助の身のまわりの世話をしていた。

「妙なことを訊《き》きやがる」

継之助は苦笑し、あわてて起きあがった。なぜ寝ているかとひらきなおってきかれても、答えようがない。

「どこか、お悪いのでございますか」

「いや、悪くない」

年ごろの娘というのはどうであろう。継之助がそういうだけで身を揉《も》むようにして笑いだしたのである。

「なんだ」

「いいえ、思いだしたのでございます」

継之助が問いつめると、新潟には継之助の父の代右衛門について伝説がある。町の者から、

――寝奉行さま。

といわれたほど代右衛門はたいてい寝ていたそうだ。その子だけに毎日座敷でごろごろしているということが、お篠にはおかしかったのであろう。

「寝るやつは、えらいのだ」

と、継之助は父のために弁護せざるをえない。父の代右衛門のことは知らず、いまの継之助の場合、かれはスネルの兵器揚陸に関する受入れ組織を夜明けの一刻のあいだにつくり、それを精巧な自動機械のようにいま動かしている。

かれは寝ていればいい。

一つ場所に寝ていることが必要だった。花輪や村松が判断にこまったときにここへ駆《か》けてくればそれでよいし、また幕府の新潟奉行所がつむじを曲げたとき、すぐ行って機敏に手を打つことができる。

しかもこの二階座敷の便利なことは小さな北窓がついていて、それをあければ沖合のスネルの蒸気船がみえるのである。

継之助はファブルブランドから贈られた遠眼鏡《とおめがね》をもっており、それでのぞくと、マストにも船尾にも長岡藩の藩旗がひるがえっていた。藩旗は、戦国三河以来の「五段梯子《ばしご》」である。

どうかすると、甲板にいるスネルの姿までめがねでとらえることができた。

(スネルに会いたい)

と継之助が胸のうずく思いでおもっているのは、やはりスネルには不思議な魅力が

あるからであろう。その魅力というのは、継之助によれば、

（あいつも自分の情熱に命を張っている）

ということであった。継之助は同国同藩人よりもむしろスネルにおいて自分の同志を見出《みいだ》したような、そういう思いがある。

三日目に揚陸が完了し、継之助は日没後伝馬船《てんません》を出し、スネルの船にむかった。調印をするためであった。

スネルの蒸気船の名は、

――カガノカミゴウ
というのである。

ほどなく継之助は、おすがのもとに帰ってきたが、顔がちがっている。

（どこか、ちがう）

おすがは、奇妙におもった。もともと拳固《げんこ》を力いっぱいにぎりしめたような面《つら》つきの男だが、しかし険しくはなかった。

「なんだ、人の顔ばかり見て」

継之助は、夜の茶をのみながら、湯のみごしにおすがをみた。

「なにか、ついているのか」

「それが」

「付いているのだろう」

継之助には、自分の顔つきの変化がわかっているらしい。

「どんなぐあいだ」

「それが、でございますね」

おすがは、言葉をさがそうとした。険といえば言いすぎる。言うとすれば方角のない緊張が、発散されぬままに赤味を帯び、赤光《しゃっこう》を発し、顔をぎらつかせているという感じである。

「そうだろう」

継之助は自分で言い、自分でうなずきつつ、ちょっと笑った。自嘲《じちょう》といっていい。

「おれも大したやつではないな」

「なぜでございます」

「いやさ、人間とはもろいものだ」

その翌日、継之助は小山の良運さんのところをたずねて、この話をした。

「おすがにまで見抜かれるようじゃ、よほど胡乱《うろ》がきていたものとみえる」

「継サ、なんのことだ」

「おれは世界一の鉄砲大砲を買い入れた。そいつを船からおろし、陸《おか》に揚げ、荷車三十台にのせて長岡までひいてきた。それをお城の御蔵に入れてからしみじみと眺《なが》めてみたところ、恥ずかしながら心が慄《ふる》えてきた」

「ほう、継サ、それは英雄の戦慄《せんりつ》だ」

「まあ待て」

継之助は、自分を語らねばならない。

「こんど手に入れた洋式銃というのは、弾が丸かねえ。椎《しい》の実のようにさきがとがっている。こいつはよく飛ぶし、命中度も他の銃の比ではない。銃の構造もちがう。元込めで、操作もそのように簡単だ。引金をひくと撃針が飛びだし、雷管を撃つ。その爆発で弾がとびだす仕掛けだ。その操作の早さは、ゲベール銃を一発うつあいだに十発うてる。ということはわが長岡藩は七万四千石の小藩であるが、この銃を全員にもたせることによって七十四万石の大藩の兵力に匹敵する」

「ほう」

「それに」

と、継之助は、この良運さんにだけガットリング砲の秘密をうちあけた。一分に三百六十発という、まるで竜吐水《りゅうどすい》で水を撒《ま》くようないきおいで弾が出る。いまその一門が入っただけだが、おっつけもう一門か二門上海から直行してやってくる。この一門で三百六十人に匹敵するわけだから、長岡藩の武力はここ数日のあいだに十倍から十五倍に飛躍したということになるであろう。

継之助は、冷静であらねばならない。元来が、冷静な男だ。その男が、この兵器の群れをみたとき、思想も感情もゆらぐほどの圧迫と影響をうけてしまったのである。

「おれも大した男ではない」

と自嘲したのは、そのことであった。良運さんはなにもいわずににやにやときいていた。

この年、継之助がもっとも大きな衝撃をうけたのは、大政奉還であった。

この急報が長岡に入ったときはすでに越後の山に雪が降りはじめている十一月のはじめであった。

「本当か。まちがいではあるまいな」

と、京からの報告者に念を押した。信じられぬことであった。

「大樹公《たいじゅこう》（将軍）が、みずから政権をお投げ出しになるなどはありえぬことだ」

と、継之助はいった。将来を見通す点で異能ぶりを発揮している継之助すらこの事態は予想もしていなかった。幕府が崩れるにしてももっとちがった形をとるであろうとおもっていたのである。

(それも、もっと将来《さき》だとおもった)

「ひょっとすると、誤報かもしれぬ」

とおもった。

ここで不自由なことは、長岡藩は京に藩邸をもっていないことであった。長岡藩だけでなく、東方の諸藩とくに越後、奥羽の諸藩はほとんど京都藩邸をもっておらず、このため京都情勢にいたって疎《うと》い。西国諸藩は二、三万石程度の小藩でも京都に藩邸をもっており、時勢に鋭敏であった。

「確報、詳報を得るしかない。いまは確かなことを知るだけが大事だ」

と、継之助は京都の情報あつめのため藩士をはるかな京にむかって出発させた。

ともあれ、継之助は殿様に拝謁《はいえつ》した。このころ、殿様の牧野忠恭はこの七月に隠居をして、

「大殿様」

とよばれていた。隠居の理由は病気ではなく、政治的なものであった。忠恭ほどに

明敏な殿様は、隠居するほうがよりいっそうに行動を軽快にすることができる。ゆらい、殿様というしごとは儀式が多く、それだけでもいそがしい。儀式の日程がいかに忙しくとも実際の政治の向上にはならないのである。それに、殿様は身軽ではない。藩士と話をしようとおもっても引見の形式がわずらわしくてどうにもならない。その点、隠居ならば極端にいえば道端で藩士をよびとめてでも話ができるのである。

——継之助、隠居になろう。

と忠恭が言いだしたのは、この五月のころであった。継之助は、

「ご快挙でござりまするな」

と賛成し、このときほど忠恭という殿様のかしこさに感激したことはない。土佐藩の山内容堂や越前《えちぜん》福井の松平春嶽《しゅんがく》などは早くから隠居をして（理由は忠恭の場合とは別だが）、その後隠居の軽快さを大いに利用して京の政界で活動している。大名は隠居するほうが力を発揮しうるであろう。

忠恭は、隠居名を雪堂と号した。越後名物の「雪」の字をとったのである。

十二代藩主として忠訓《ただのり》が家をついだ。齢《よわい》二十四である。

この大殿様、殿様、それに諸重臣がお城の広間にあつまり、善後策を講じた。

みな、さまざまの意見をいったが、継之助は最後までだまっている。どうせ自分が

舵《かじ》をとらねばならぬ以上、人より早くしゃべり出す必要はない。

その夜、下城はずいぶん遅くなったが、継之助は小山の良運さんの屋敷に寄った。

(起きているかな)

とちょっと気になって若党に門をたたかせようとしたが、念のため小門を押させると意外にもがらがらと鎖の音をたててひらいた。

(なるほど、あいているのも当然か)

ともおもった。なにしろ徳川十五代将軍慶喜《よしのぶ》の政権投げ出しの報がつたわったというのに良運さんが安閑と門を閉めて寝ているはずがない。

門を入ると、雪見燈籠《ゆきみどうろう》に灯《ひ》が入って玄関までの道を照らしている。継之助の来訪を待ちうけているかのごとくである。

玄関に立つと、良運さんの老父があらわれて、鄭重《ていちょう》に膝《ひざ》をついた。

「ご多難な折りから、お城のお役目、ご苦労さまに存じます」

と、いつになく老医官があいさつし、継之助をおどろかせた。なにしろこの老医官は継之助を少年のころから知っており、少年のころの継之助は「小山のおじさま」とよんで畏敬《いけい》していた。その老人がわざわざそのようにあいさつしたのはこの日に入った報がいかに長岡藩の藩士とその家族を緊張させ戦慄させていたかということがわかるであろう。

継之助が書斎に通ると、良運さんはすぐ病室から起き出してきた。

「大変だね」

というのが、良運さんの第一声だった。さすがに顔がこわばっていた。

「すこし、早くきたな」

と、継之助はいった。

「お城ではどうだった」

「それがさ」

御前で評定《ひょうじょう》をしたが、むろん確報・詳報が来ないため結論が出るはずがない、最後に継之助が、

――一藩、兵備をかため、産業をおこし、人心を結束させ、静かに世の治乱を待つのみ。

という結論を出し、評定を閉じた。とりあえずは、京都探索にやった藩士の帰藩を待つしかない。

「京まで遠いぜ。帰るまでなにも外交上の手を打たずに待つのか」

「待つ。内政に専念する。自藩の強化に専念する。わけもわからずにじたばたしても、子供が棒を上げて蛇《へび》を追っているようで仕様あるまい?」

「いい度胸だ。ふつうなら方角もわからずに駈けだしたくなる」

「良運さんにそういわれて安堵《あんど》した。おれも棒をふりあげたくて、その衝動をやっとおさえている」

「しかし継サ。将軍さまが政権をほうり出されたとすれば諸大名はどうなるのだろう。天朝さまに仕えるのか」

「良運さん、やめよう。確実な材料をもたぬ議論や臆測《おくそく》はむだだ」

「そう土性骨《どしょうぼね》がすわったことをいわれては、議論の余地がない。病人だからなにか喋《しゃべ》っていないと不安なのだよ」

「良運さん、話は別だが」

と、継之助は意外のことをいった。

「武士の石高制をやめようと思うのだ。西洋の軍人官吏のように俸給《ほうきゅう》制にしたいとおもうのだが、どうだろう。一藩が緊張しているときに乗じて封建三百年の弊風を一挙にあらためたい。平時ならばとてもできぬ。いまならできる」

「継サ、藩のやつから殺されるぜ」

良運は、あきれたようにいった。

「世の中というのは、これ、生きものだよ」

と、良運さんはいった。良運さんのいう世の中とは、社会という意味だろう。社会というのは生きもので、それを生かしめているのは、制度、法律、習慣、道徳の四つである。

「人間はえらそうな顔をして手前《てめえ》で生きているつもりだろうが、世の中に生かされているだけの生きものだよ」

「だから、どうなのだ」

継之助はいった。

「だからうかうか世の中を改革しようと思っちゃ、いけねえということだ。世の中の制度や習慣をうかつに触って弄《なぶ》っては、そこに住む人間が狂うか、死ぬ。人間どもはそうされまいと思って気ちがい沙汰《ざた》の抵抗をするよ」

「良運さんも病人ぐらしでおだやかな人間になったなあ」

と、継之助は笑った。

「みろ、制度が古びきって長岡藩も日本も死にかけている。捨てておいては人間も死ぬ。おれはこの世の中の上に馬乗りになって外科医のしごとをしてやろうというのだ」

「継サ、手術が大きすぎるよ」

「石高制の廃止がか」

「そうさ、石高制があってこその武士だぜ」

武家制度、あわせては封建制度、封建経済制度の破壊だと良運さんはいうのである。

鎌倉以来、そうだった。戦国期を経て徳川体制ができたとき、大名たちは何万石かの領地を幕府からもらったり安堵されたりして、さらにそのなかから身分に応じて家来に分けあたえた。石取りの家来は原則としては知行とりであり、領地の支配者である。しかし徳川期になっては百石取りの侍が自分の知行地の政治をするわけでなく、藩が一括してそれをやる。藩が租税をとりたて、それを家臣たちに分配する。現実には俸給制とさほどかわらなくなっている。

しかし、巨大な不合理がある。

「良運さん、わかるだろう」

軍役ということである。

「軍役が、名ばかりじゃないか」

継之助のいうとおりであった。戦国時代でも江戸時代でもおなじだが、百石取りの侍はそれだけの収入を生活に費《つか》ってしまえるというものではない。いざ合戦となれば百石取り相応の戦士をととのえてゆかねばならない。
三代将軍家光の寛永十年にさだめられた軍役の規定では、
三百石の武士
侍二人、具足持一人、槍持《やりもち》一人、挟箱《はさみばこ》持一人、小荷駄《こにだ》二人
あわせて七人の人数を平素から養っていなければならないのだが、江戸中期から深刻化した武家階級の慢性窮乏のため自分の家族がやっと食ってゆくのがせいいっぱいで、そういう人数を抱えてはいない。
五百石なら人数が十三人になり、鉄砲を一挺《ちよう》用意せねばならない。千石ならば二十三人である。
「稲垣さんとこにそういう人数が居るかね」
と、継之助がいった。稲垣さんというのは平助のことで、筆頭家老二千石である。
「いざ合戦となれば稲垣さんはうかうかすると一人で出てくるぜ。となれば二千石やっておく必要はない。もはや石高というのは戦力でなく、格式に堕してしまっているのだ。これを廃止してしまう」

「おいおい」

良運さんは、当惑した。

「なるほど、この世は古びきっている」

と、良運さんはいった。社会の秩序が古びきってしまって、欧米の国家社会と対抗できないようになっているのである。大改革は大いに必要であろう。

「しかし継サ、これはやれるかなあ」

良運さんが、桶《おけ》の底のぬけたような溜《た》め息《いき》をついたのはむりはなかった。自分で自分の外科手術はできないのである。

「良運さんのいうとおり、至難のことだ。人間は自分で外科手術はできにくい。普通、他人がやる。他人でなければできない。他人とは」

と、継之助はちょっと言葉をとぎらせ、やがて息を吐き、

「薩長だな」

といった。シナでいう革命を薩長がやって、徳川王朝を倒し、古代的な神聖君主である京の天皇家に政権をもたせ、それを中心に日本を統一し、おもいきった大改革をやってしまう、それしかない、と継之助はいうのである。

「この河井継之助が薩長の士なら、そうする。武力で旧秩序をうちたおし、日本中を焼け野原にし、しかるのちにイギリスのごとくフランスのごとき国家をうちたてる」

「継サ、声が大きい」

良運さんはまゆをひそめた。

「心配するな。おれは徳川家の譜代大名牧野家の家来だ。その立場でしか生きる道を考えておらず、その立場で生死しようと思っている男だ。脱藩して勤王家になるというのならこれほど簡単なことはないさ」

「脱藩といえば」

と、良運は話題を変えようとした。

「わが長岡藩は一人もいないな」

「話を変えないでくれ。おれは石高制を崩してしまうぜ」

「殺されるだろう」

「へっ、おれを斬《き》るほどの気甲斐性《きがいしょう》のあるやつが家中にいるならよろこんで殺されてやらあ。どうせ二、三度、どぶに叩《たた》っこまれる程度だ。とにかくやる」

「成功するか」

「ものには時機がある。時機が来なければいかに名案でもものにならぬ。その時機がそろそろ来かけているのだ」

「時機とは？」

「全藩が、危機を感じ、戦慄《せんりつ》恐怖、しかも勇奮するときだよ。この大政奉還という様子があきらかになったときさ。その機をとらえてやる。徳川家や牧野家がほろびるか生きるかのときだから、どんな手術やにがい薬もひとは甘受する。政治とは機をみることだ」

「継サはえらい」

「からかっちゃいけない」

「まじめにいっている。学問なら多少私のほうが広いかもしれないが、しかしそういう機を見る眼《め》がない。そういう機敏さは、人のうまれつきのものかもしれないな」

「どっちでもいい。まあ今夜は」

継之助は腰をあげた。やがて良運さんの屋敷を辞して夜道をあるきだした。

——サムライの制度を一変させる。

というのだが、言いつつもかれ自身、それがやれるかどうか、自信がない。しかし蛮勇をふるってやらなければ長岡藩は時代の洪水《こうずい》のなかで溺死《できし》する以外にないであろう。

お堀端《ほりばた》を北へゆくと、袋町である。その西側が継之助の住む長町だから、いつもこの道をゆく。

三日経《た》っている。

（もう、良運さんは、ひろめてくれたろう）

とおもっていた。例の石高制の廃止の一件である。噂《うわさ》がひろまらなければ、継之助は政治ができない。

この継之助の噂利用については、かつてスイス人ファブルブランドが、

「新聞紙の代用ですね」

といった。すでに横浜では居留地の外人のためにジャパン・コマーシャルニューズ紙やジャパン・タイムズ紙が発行されている。一国の政治、社会、経済がうごいてゆくために新聞がなければならない。

「どうも新聞はおもしろそうだな」

と継之助は横浜での欧米現象のなかでこのことにもっとも興味をもったが、しかしせまい長岡城下でこれを発行する気がないし、その必要もない。口から口へ噂というものは簡単につたわるのだ。

――来やアがった。

とかれが足をとめたのは、そのことなのである。北のほうから三人来る。武士である。顔を黒い布で覆《おお》っている。

(やる気だ)

かれらの歩き腰でわかる。どこかぎごちなく、臆しているようでもあり、気おっているようでもある。継之助はあの石高制の廃止につき、良運さんを通して家中に噂をながしてもらった。例によって家中の反響をみるためと、家中の覚悟を徐々にかためさせるためだが、いまあらわれた黒っぽい三つの面はその「反響」であろう。

(おや、うしろにも居やがる)

背後のは足音で人数をかぞえた。二人である。あわせて五人であった。

「松蔵や」

と継之助は若党にいった。

「もし事がおこったら、そのあたりの物蔭《ものかげ》に身をかくせ。現場をよくみてから走るのだ」

「旦那《だんな》さま、お相手におなり遊ばさず、お逃げなされませ」

「喧嘩《けんか》はおれの道楽だ」

「しかし」

「石っころをひろえ」

「なにをなされます」

「こっちへ渡せ。投げるのだ」

(子供の喧嘩だな)

と、松蔵はこんな場合だが、変におかしさがこみあげてきた。そのうち前の黒覆面《くろふくめん》のひとりがわずかに接近し、

——河井さんですね。

と、作り声でいった。継之助ははなはだ気に入らなかった。

「作り声はよせ。どうせ臆病者ぞろいだろうから面《つら》ア隠してもよし、名も名乗らなくてもいいが、作り声はやめろ。声まで作っては武士がすたれるぞ」

「…………」

余談だが、のち東京で博文館をつくった長岡の人大橋佐平は継之助をよく知っていたが、維新後ひとに語って、

——一喝睥視《いっかつへいし》すれば、人仰ぎ見る能《あた》わず。

と継之助の風姿をつたえているが、この場合の黒覆面のひとりはよほどの度胸者ら

しく、

「そのとおりでした。拙者の誤りです」

と普通の声にもどって詫《わ》び、一歩、スリ足で進んだ。こういうやつが手ごわいことを継之助は知っている。

「言え、存念を」

と、継之助はいった。

「聞いてやる」

ともいった。ふと横浜の新聞のことが脳裏にうかんだ。新聞があればこの連中も新聞で継之助反対論を書くところだろうが、長岡にはないからこんな闇討《やみうち》をせざるをえないのであろう。

(なにもかも一段落がつけば、長岡でも新聞を発行しなければいかんな)

ふとおもった。

(その主筆には良運さんがうってつけだろうなあ)

とこんな場でもこの男は考えている。

相手は、弁じはじめた。やはり石高制の廃止についての反撥《はんぱつ》であった。

「河井さん、あんたは武士を町人にしようとしている。たしかか」

と、怒りをこめて相手はいった。

（なるほど）

噂はそんなぐあいになっているらしい。しかし継之助は反論しなかった。この場に臨んでの反論は弁解とうけとられるおそれがあり、武士のとるべき態度ではない。

「士たる者が」

継之助は地の砂を捲《ま》きあげるような声でいった。

「道聴塗説《どうちょうとせつ》を信じ、かるがるしく怒るということは恥ずべきことだ。不審のことがあれば白昼わが屋敷へこい。申し聞かせてやる」

継之助は、堀端へ身を移していた。うしろは堀である。背後から襲われる心配はない。

「どうだ」

継之助が叫んだとき、ぎらっ、と剣をぬいたやつがある。先刻から沈黙していた男で、こういう手合がもっともあぶない。

その男が、地を蹴《け》った。しかし継之助は泰然と立っていた。抜きもせず、避けもせず、あごを心もち上にあげ、呼吸《いき》もみださず、風のなかで自然に吹かれていた。

（わが生命を）

風が吹きとおってゆく。それが継之助の平素の工夫であり、生き方であり、信念のありかたであり、さらにいえば継之助そのものであった。風をしておのれの生命を吹き通らしめよ。

――そのあたりの草も、石ころも、流れる水も、飛ぶ鳥も、その鳥の影も、すべておのれと同質である。すこしのかわりもない。

というのが、継之助の覚悟であった。禅宗における虚無観というのが、継之助の精神の基礎であろう。継之助の学祖の王陽明も禅をやり、禅学を学び、それと儒教を統一して陽明学という特異な思想をつくりあげた。継之助も、年少のころから禅に関心をもった。座禅のような愚劣な形式をこの男はきらったが、知的に思索することによって一種のサトリともいえる境地に達した。

――自然に融《と》けて呼吸しておればよい。死も生も自然の一形態にすぎず、一表現にすぎず、さほどに重大なものではない。

ということであった。

この場合、継之助すらおどろいたことに、継之助の呼吸は平素のままであり、脈搏《みゃくはく》も荒れておらず、風がゆるゆると継之助の透明な体のなかを吹きとおっていた。

相手が、むしろ乱れていた。馬のような息をはきながら斬りこんできたとき、剣もさほどに心得ぬ継之助が、紙一重で身をかわし、角力《すもう》が相手をウッチャルように相手を背後の堀へたたきこんだのである。

「さあ、どこからでも来い」

継之助は景気よく叫び、袴《はかま》をつかんでたくしあげ、羽織をぬぎ、それをまるめてふところに入れた。

りっぱな喧嘩支度である。が、奇妙なことにかれ自身もこの喧嘩に勝てるとはおもっていない。

「河井さん、本気でやるのですか」

と、相手のひとりが、不安げにきいたほどであった。

「あたりめえよ」

と、継之助は草履をぬぎとばした。どうせ勝てる喧嘩ではないが、やる以上は威勢よくやらねばならない。

「抜きますか」

先方が、きいた。

「そっちの勝手よ」

言ったとき、相手が左右からとびこんできて一人が継之助の右足にしがみついた。

一人が、利《き》き腕をつかんだ。

（なにをしやがる）

継之助は逆に相手をねじあげようとしたが足が宙に浮いた。

どうにもならない。

そのまま宙にほうりあげられ、やがて落ちはじめ、体が激しく水をたたいた。継之助は泳いでいた。

石垣《いしがき》をつかみ、機敏に手足を動かして這《は》いあがったが、あたりにもう人影がない。

「松蔵」

継之助は若党をよんだ。しかし松蔵はすでに屋敷へ注進したらしくそのあたりにいない。

濡《ぬ》れっぱなしのまま長町の屋敷に帰ると、父の代右衛門が門から出てきたところであった。袴もつけていない。

「なんだ、無事だったのか」

と代右衛門はつぶやき、ちょっと微笑してなかへ入ってしまった。

(りっぱなものだ)

と、継之助は感心した。父のあの様子ではべつに救援に駈《か》けつけようという勇み姿ではなかった。平装のままであり、呼吸《いき》もみだれていなかった。継之助が死体になってもどれば開門して迎えてやらねばならない、そういうごく事務的な物静かさを代右衛門はもっていた。

(父も武士だな)

と、継之助は、生涯《しょうがい》平凡な役人でおわった代右衛門を、このときだけは見なおすもいであった。

おすがだけは、さすがに血の気をなくしていたが、しかし屋敷うちに灯《ひ》を入れに行ったふるまいの機敏さと確かさだけはいつもの童女じみたこの妻のものともおもわれなかった。しかも松蔵から急をきいたとき、彼女はたれも気づかぬうちに真新しい下着に着かえてしまっていた。屋敷にいざ討手を迎えたときの死支度というものであろう。

「おすが、お堀の藻《も》を呑《の》みこんだらしい」

と、継之助が縁側に出てしきりに唾《つば》を吐いていると、おすがはもうそれだけでおかしかったのであろう、背をまるめてどこかへ逃げてしまった。

あとで代右衛門が継之助を離れにおよび、事情をきいた。継之助が手みじかに説明すると、

「そいつは滑稽《こっけい》だった。おれも新潟奉行のころ、一度海へほうりこまれたよ」

と、さも秘密めかして小声でいった。継之助にもこれは初耳だった。


そのうち、京都へやった者たちが帰ってきて、事態があきらかになった。

「たしかに大樹公は十月十四日、大政を返上なされてござりまする」

と、報告者は藩主の御前でいった。広間には筆頭家老稲垣平助以下が居ならんでおり、継之助はその報告者の横にいる。継之助が質問し、報告者が答える、というかたちであった。

「翌十五日、朝廷がこれを御許容あそばされましてござりまする」

「なぜそうなったのか」

「左様、そのこと」

と、報告者は順を追って話した。

それ以前にすでに京の情勢が悪化しており、薩摩藩の動きはあきらかにクーデターを用意しつつあった、という。薩摩藩はひそかに長州藩と手をにぎり、その藩兵を京

にひき入れようとする動きを、幕府側の会津藩が探知していたというのである。

「それで？」

「土佐藩があせったのでありましょうか。大政奉還の献策は土佐藩でございます」

土佐藩は複雑な藩なのである。藩方針としては佐幕傾向の公武合体主義だが、その下級武士層は早くから勤王化し、多数が脱藩してもっとも過激な革命運動に参加していた。この藩性格の複雑さのためにこの藩は時勢から置き去りにされつつあった。

「文久年間では土佐藩は、薩長土として併称され、京の主役でございました。しかしいまはさほどではございませぬ」

情勢が急迫してくればそうであろう。中間的な色彩は脱落せざるをえない。

土佐藩の方向としては徳川家も温存したいし、同時に新時代の主役にもなりたい。その立場が、大政奉還を将軍にすすめるという稀代《きたい》の妙手を考え出させたのだといえる。

「薩長にすればおそらく迷惑だったでありましょうな」

と、報告者はいった。幕府が大政を奉還してしまえば、薩長にすれば幕府を倒す名目がなくなってしまうのである。肩すかしをくらったということであろう。

「今後の将軍は、どうなるのだ」

「それが」

よくわからない。

依然として徳川家は諸侯の統率者であることには変りはないということもいえる。なぜならば将軍に付属している「政権」だけを徳川慶喜は御所の塀《へい》のなかにほうりこんだというだけのことで、かんじんの領地や諸侯への指揮権、領民の支配権はにぎっている。つまり幕府直轄《ちょっかつ》領四百万石と、譜代大名の主人たる位置はうしなっておらず、依然として日本最大の大領主なのである。

「すると」

継之助はいった。

「荷厄介《にやっかい》な政治だけを朝廷のお背中に背負わせ奉《たてまつ》ったというわけか」

朝廷こそいい面の皮だろうと継之助はおもった。朝廷は一万石の小世帯である。政府をつくるにしてもそれをもってとうてい日本国の政治はできない。

「朝廷でも、反論が多うございました」

「そうだろう。この長岡藩の七分の一のお力で日本はおさめられない」

(当然、薩長は徳川氏からすべての土地をうばおうとするだろう。これは戦争だな)

と、継之助はおもった。

そのあと、評定がおこなわれた。

「継之助、存念をのべよ」

と、大殿様の忠恭がいった。

継之助は広間の中央にいる。他の家老たちは左右に居流れていた。すでに夜である。

継之助は、裃《かみしも》の右肩を落し、ちょうど蟬《せみ》が雨にひしがれたような姿でうなだれている。忠恭のことばが耳に入らないのか、平伏もしない。

「継之助、お言葉である」

と、見かねて首席家老の稲垣平助がそっと注意した。

「稲垣さま」

継之助がやっと顔をあげた。

「このお広間では、話がかわってしまいます」

といった。場所がわるいという。大書院の広間は正式の場所であるために君臣の礼がやかましい。君主ははるか上段に座し、重臣は門閥の順で居ながれ、実際の藩政担当者である「年寄」の継之助ははるか下座でいちいち平伏しながら大声でものをいわねばならず、この形式ではいかにも荘重ではあるが委曲はつくせない。

「お茶室を用いましょう」

と、継之助はいった。

茶室はこの点、便利であった。茶の礼はきわめて簡素で、炉をかこんだ場合にはけじめは亭主と客しかない。たがいに腹蔵なくものがしゃべれるのは、茶室しかない。座は、茶室に移された。しかしながら炉に炭はなく、釜《かま》もかかっていない。藩公父子は、亭主の座についた。この場では広間にない親身さが一座に満ちた。茶というものを考え出した室町人《むろまちじん》は、よほど礼式の窮屈さにあきあきしていたのであろう。

「されば、申しあげます」

継之助はいった。

「今後、世がみだれます。あたかも三百年前の関ヶ原のころのごとく日本の諸侯は二つにわかれて相争いましょう」

「いずれが勝つか」

と、首席家老の稲垣平助が端正な顔を継之助にむけた。二つの陣営とは、徳川氏という旧王朝の側と、京の神聖君主を中心とした新王朝の側とのあらそいである。

「なんとおおせられました」

と、継之助は稲垣平助の白い顔をみた。

「いずれが勝つか、ときいている」

「されば御家老は勝つ側におつきあそばしますのか」

(当然。……)

と稲垣は言おうとした。当然ではないか。古来、日本人は日本国に争乱がまきおこったとき、かならずいずれが勝つかと考え、勝つと思われる側についてきた。源平の争乱のころもそうであり、南北朝の争乱のときもそうであり、関ヶ原のときもそうである。関ヶ原のときも、豊臣家恩顧の大名たち——加藤清正、福島正則《まさのり》といった子飼いの者さえ、つぎの時代をになうであろう徳川方についた。それでこそ、大名どもは家を全うし、家運をひらくことができた。稲垣平助としては家老の職責上、牧野家をまもらねばならない。だからきいた。

「拙者の存念はちがいます。いずれが勝ついずれが負けるということより、べつの原則《たて》を今夜はたてねばなりませぬ。いかに世がみだれ、藩が悲境に立とうともゆらがざる原則《まえ》というものをうちたて、それに添って全藩が動かねばなりませぬ」

——風雲のなかに独立すべし。

というのが継之助の持論であり、ここであらためてそのことを言った。

継之助はこの原則についてはくどい。

(くどいほどいわねばわからぬからだ)

と、内心おもっている。

「しかし継之助」

といったのは、大殿様の忠恭であった。継之助の才幹の発見者であり、起用者であり、保護者であるこの人物が、

「それだけではこまる」

と言いだしたのである。

「牧野家たる立場があろう。牧野家たる立場を継之助は考えているか」

牧野家は、その家系伝説では大和《やまと》から出たということになっている。奈良朝のころは大和国高市郡《やまとのくにたけちのこおり》田口村にいた。

それがいつのほどか阿波《あわ》に移り、田口氏と称し、源平争乱のころは平家に属し、四国を防衛したが、大坂湾から風雨をついて渡海してきた源義経《よしつね》に奇襲されて敗れ、平家がほろんでからは一族が離散した。

それが室町期には三河国宝飯《ほい》郡牧野村に住み、土豪になった。戦国期には付近の牛

久保（牛窪《うしくぼ》）の地に城塁をかまえ、付近を斬《き》り従えてなかなかの勢力になった。

長岡藩では、

「牛久保の士風をわすれるな」

とよくいう。越後にいながら家中だけは遠い時代の三河言葉をつかいつづけているのもそういう心のあらわれであろう。

三河の当時、土豪牧野氏はその勢力は自家の力でつくりあげたとはいえ、戦国のならいでより強大なるものに所属していた。被官というありかたであった。東隣する大勢力である駿河《するが》・遠江《とおとうみ》（あわせて静岡県）の今川氏に属し、その指揮をあおいでいた。

継之助はつねづね牧野氏の家系を考えるとき、

（この御家の運命の数奇さよ）

とおもう。

遠い時代の源平期には義経の屋島襲撃によって敗北し、戦国期にあっては今川氏に属していたために若い日の織田信長の桶狭間《おけはざま》奇襲によって敗れている。日本戦史上の二大著名戦に登場しながら、残念にも勝利の側ではない。

今川氏は桶狭間で敗北してから、にわかに勢威がおとろえた。

この時期、かつては今川氏に属していた三河の徳川家康がそれに見切りをつけて尾張の織田信長の同盟者になり、その後援のもとに三河を斬り従えはじめ、土豪の位置から大名の姿をとりはじめた。

が、牧野氏はなおも今川氏に属しつづけた。今川氏の最前線要塞《ようさい》をまもりつつしばしば家康と戦い、しばしば敗れた。

(妙なものさ)

と、この点でもおもうのである。源義経、織田信長、徳川家康という歴史上の三人の巨人にうちむかって敗れた経歴というのは、他のどの大名の歴史にもないであろう。

その後、今川氏に見切りをつけ、徳川氏に属し、その麾下《きか》でもっとも勇猛な軍団のひとつになった。家康が三河にあって武田信玄の進攻をうけたとき、牧野氏は前線の砦《とりで》をまもり、文字どおり悪戦苦闘した。牧野氏はその歴史のなかで武田信玄との経験をもくわえたのである。

「かさねてきくが、継之助は牧野家の立場を考えたうえでのことか」

と、忠恭はいった。

大殿様の牧野忠恭は、養子である。

「私はみなも存じおるように三河西尾の松平家から養子にきた」

と、忠恭はいう。

徳川期を通じ、明君といわれる大名は養子が多い。とくに幕末の場合そうであり、幕末のいわゆる賢侯のなかで養子でない者は佐賀の鍋島閑叟《なべしまかんそう》、薩摩の島津斉彬《なりあきら》ぐらいのものであり、一時期四賢侯といわれて天下の話題になった一橋慶喜、山内容堂《やまのうちようどう》、松平春嶽、伊達宗城《だてむねなり》はいずれも養子である。また佐幕派の巨柱になった会津の松平容保《かたもり》、桑名の松平定敬《さだあき》も養子であった。これら養子大名に共通しているのは能動的なことであった。

うまれついてのその家の子でないため、大名になることが新鮮であり、いずれも積極的に大名であろうとした。養子として家をつぐとき、青雲の湧《わ》きあがるような思いで、

「なにごとかをなそう」

という気概をもったであろう。そのことがかれらを積極的な大名にした。

忠恭もそうである。

「家」

というものへの思いが、他の養子出身の大名と同様、強烈であった。

——牧野家はただの大名の家ではない。

という思いである。うまれついての牧野家の子ならその点で鈍感だが、他家から入ったひとだけに、牧野の祖や藩祖や代々の藩主に対する思いが濃く、つねに意識的であり、つねに義理を感じている。

「牧野家は、徳川《とくせん》の御家をおたすけ申さねばならぬ。もしここで独立を尊ぶのあまり徳川の御家を見すてたならば、自分はこの家代々の祖霊に合わせる顔がない」

といった。

「ではないか、継之助」

忠恭は、きまじめな性分である。その義理を心から感じていることはたしかであったが、しかしそれが養子としての政治的立場でもあった。義理で継いだ養家をそうも強烈に想《おも》ってこそ、藩士もついてくるのであり、でなければ藩士がひそかにそっぽをむいてしまうことをこの養子大名は知っていた。養子大名という立場は、ことごとに積極的にならざるをえない。

「どうだ、継之助」

と、問いかさねた。

継之助は、沈黙した。継之助の構想としては京にも江戸にも属せず、できれば日本の大名たることを脱して「長岡国」として世界の列強と国交をむすびたい。それ以外に今後越後長岡藩の生きてゆく道はないように思う。

が、忠恭という養子大名の立場は、それほど乾ききった薄情の道をとれない。

「私は牧野の家の当主なのだ。牧野の家らしくふるまいたい」

と、忠恭はいった。

(とすれば)

と、継之助はおもった。

(この大殿様は長岡藩を滅亡させても徳川家への孤忠の道をとろうとなさるのか)

そういう極端な場合を例にあげて継之助は問いかえしてみたかったが、しかし藩公に対してそれは非礼であり、そこまでは言えなかった。

「私の立場も考え、あれこれをつきまぜてよき方針を考えてみてくれぬか」

と、忠恭はすがるようにいった。

継之助は、思案した。

(だめだな、明君とはいえ、やはり殿様は殿様なのだ)

と、ひそかにおもった。

——明君とはいえ。

というのは、忠恭の思案には命をかけたところがない、ということだった。継之助にいわせるとつきつめかたがあまいのである。

忠恭は、徳川家への義理人情をいう。それを今後の藩方針に加えてくれ、という。

（しかしながら）

と、継之助はおもう。

（そんな甘さで、今後、時代の大暴風《おおしけ》のなかで藩の舵《かじ》をとってゆけるものか）

継之助の考えでは、物事をやろうとするとき、その発想点はできるだけ簡単明快でなければならぬ。複雑で欲深な発想や目的意識は結局、あぶ蜂《はち》とらずになる、と継之助はおもう。

（たとえば、こういうことだ。藩のためにもなり、天下のためにもよく、天朝もよろこび、幕府も笑い、領民も泣かさず、親にも孝に、女にももてる、というようなばかなゆきかたがあるはずがない）

ということであった。そういうことを思いつく人間というのは空想家であり、ほらふきであり、結局はなにもしない。

（なにごとかをするということは、結局はなにかに害をあたえるということだ）

と、継之助は考えている。何者かに害をあたえる勇気のない者に善事ができるはずがない、と継之助は考えている。

継之助が学んだ儒教というものは、結局は政治と社会を改造しようという思想である。孔子も孟子も王侯に説くための方便としてそれを露骨に表には出さなかったが、しかし儒教のエネルギーにはそういうものが根底にある。変えようというのは薬物のごとく一面の毒をふくんでいる。その解毒《げどく》のために儒教では仁とか義とかをやかましくいう。

「継之助、どうだ」

「いますこし」

と、継之助はいった。いますこしここで考えさせていただきたい、というのである。

(大塩平八郎はどうであろう)

と、継之助はおもう。大塩は陽明学の系列では継之助の先人になる。大塩は幕吏であり、大坂の市政官(奉行所与力)であった。ときたま大飢饉《だいききん》があり、市民が多く餓《う》死し、餓えた者が町に満ちた。その原因が、大塩は政治の貧困と奸商《かんしょう》の跳梁《ちょうりょう》にあるとみた。大塩は蔵書を売って飢民を救済しようとしたが、その程度では及ばず、ついに武装蜂起《ほうき》し、大暴動をおこした。この兵火のために市民は家を焼かれ、大塩自身もその一族とともに身をほろぼした。善事にはこれほど害が大きい。

が、継之助は大塩に賛成しない。その粗末な頭脳を、ひそかに憫《あわ》れんでいる。しかし事をなそうとすれば一面の害をおそれてはならぬという考えの好例だとおもい、その意味では大塩ノ乱というものに関心が深い。

（いずれにせよ、牧野家にもよく、徳川家にもよいという方法はない。そういう方法を考えようとすることは無駄《むだ》だ）

とおもっている。継之助の目的はあくまでもこの越後の小天地に、日本ばなれのした一小国家をつくることにあった。

が、忠恭の感傷主義を否定することはできない。なぜならば河井継之助は牧野家の家来という以外の何者でもないからである。それを継之助はよく知っている。

継之助の思案がおわった。

「上方《かみがた》（京・大坂）へ参りましょう」

と顔をあげ、ぷっと糸を切るような調子で、いった。家老たちが、動揺した。

「なんと。上方へ」

「左様、上方へ。それがし、殿様のお供をつかまつります。藩士多数をお率いあそばしますよう」

「いやさ、上方とは。——」

筆頭家老稲垣平助の面上にも、怖《おそ》れの色があらわれている。京大坂といえば、風雲のまっただなかではないか。

「左様ななかへ、殿様が参られるとなれば、それも多数の藩兵をひきいて参られるとなれば、はて、どうかの」

「どうかの、とは？」

「危険ではないか」

（そうだろう、いかにも危険だ）

と、継之助もわかっている。風雲のまっただなかに飛びこんでしまえば中立の態度などはゆるされない。激流が、どちらかの方向へ長岡藩をひき入れてしまうだろう。

「しかし、京大坂に将軍がおわします」

と継之助はいった。

十五代将軍徳川慶喜は、一橋中納言慶喜とよばれたころから前将軍の輔佐《ほさ》役をつとめ、江戸を離れて京都に常駐し、風雲の一方の立役者として獅子《しし》のように奮迅し、長州をおさえ、薩摩を警戒し、宮廷を操作し、江戸の幕府官僚をなだめるなど、複雑きわまりない立場をまもりつづけた。

かれは前将軍が大坂城で病没するや、やむなく（という態度で）将軍職を継いだが、前例のないことにかれは将軍職を継ぐにあたっても江戸城に帰っていない。京に駐在したまま将軍になった。江戸に帰って就任するなどという余裕は慶喜になかった。それほど京という、政治の火事場はすさまじい炎をあげているのである。

「危険だとご家老は申されますが、その危険な上方に将軍さまがすわりっぱなしにすわっておられる。いま将軍さまのために尽したいというこの藩が、その将軍のおそばへゆくことは危険だというのはあたりますまい」

「しかし」

稲垣平助は、端正な顔をあげた。事なかれということが、徳川三百年の泰平思想なのである。上下事なかれとつとめることをもって、この奇蹟《きせき》的な泰平をつくりあげた。門閥家の稲垣平助には当然、家伝としてその政治思想がある。

「しかし、とおっしゃるのは？」

と、継之助は、どすのきいた目を、稲垣平助にむけた。しかし稲垣は成案があっていったわけではない。

「しかし」

「どうかの」

と、くびをひねっている。

継之助は、笑いだした。

「さればひっこんで、井の中の蛙《かわず》をきめこみますか。それはそれで藩方針としてはみごとなことなのです」

「継之助、ゆこう」

と、若い殿様の忠訓がいった。継之助はうなずいた。

——風雲の現場に入り、現場をみて考えてみよう。

というのが、継之助の結論だった。

藩旗

越後《えちご》長岡藩の藩章は、五段梯子《ばしご》である。藩主牧野家の紋所（ほかに三ツ葉柏《がしわ》も用いるが）で、戦国のむかしから牧野家の兵はこの梯子の紋章を袖印《そでじるし》にして戦場に出る。めずらしい紋章である。源平のころの牧野家の祖阿波《あわ》の田口氏の時代からすでにこれを用いていたというが、どうであろう。べつに証拠はない。

とにかく梯子という道具はめでたがられる。「高きにのぼる」ということで、縁起ものとされてきた。

もっとも江戸城の口のわるい茶坊主《ちゃぼうず》などは、

「なんのめでたいことがあるものか。梯子は高きにのぼるというが、高きから落ちるということもあろうよ」

と、かげ口をいっていた。なるほど阿波田口氏のむかしから牧野家は登っては落ち、登っては落ちの数奇な家運の連続で、登りっぱなしにのぼっていたのは徳川三百年のあいだだけであった。

ともあれ、継之助はこの翌日、城門のそばにこの紋章を白抜きにぬいた紺地の藩旗をたかだかとかかげさせた。

陣触れである。動員であった。これに陣貝を吹きならせば戦国のころそのままの動員風景になるであろう。

「いくさは、どこぞ」

と、城下の者は藩旗をあおいで立ちさわいだが、しかしすぐしずまった。

「殿様が将軍さまの御身辺をおまもりなさるために上方へのぼられる」

といううわさがつたわったからである。城下に異常なしずかさがみなぎり、夜に入ると武家のどの屋敷も門が八ノ字にひらかれ、高張提灯《たかはりぢょうちん》があかあかと路上を照らした。

継之助は城内にいて出陣の総指揮をとった。

「お供は六十人」

と、継之助は人数をかぎっていた。出陣とはいえ、服装は陣笠《じんがさ》、陣羽織、義経袴《よしつねばかま》、手甲脚絆《てつこうきやはん》に革足袋《かわたび》といった火事装束に似たかっこうを継之助は指定した。いわば半戦闘服であった。

槍《やり》、鉄砲はもたない。

が、それらは人目にめだたぬよう荷駄《にだ》に梱包《こんぽう》した。鉄砲はことごとく継之助自慢の最新式洋式銃であり、あつく菰《こも》をまいてわからぬようにした。

「六十人とはいえ、いざとなれば五百人の威力があるのだ」

と、継之助は自分の輔佐《ほさ》役である三間市之進にもらした。

随行の士は、選抜方式をとった。幹部はことごとく気骨と才腕のある者をえらび、士はことごとく武芸達者をえらんだ。

この夜、城の御三階に六十人をあつめ、

「京大坂には何者が横行しているか。口に尊王をとなえ、腹いっぱいに不平を蔵し、乱をのぞみ、おのれの名の知られんことを望んでいる連中ばかりである。朴歯《ほおば》の高下駄《たかげた》をはき、長大な刀を帯び、鳶肩《とびかた》をいからせ、目を鷹《たか》の目にすごませ、路上を横行し、暗殺暴行を事としている。それが、いわゆる尊王の士だ」

と、明快に規定した。

「が、それらの挑発《ちようはつ》に乗るな」

と、継之助は意外なことをいった。かれらが斬《き》りかかってくればおとなしく斬られよ、死ね、と継之助はいった。

「さればこそ勇気のある者を選んだのだ」

という。かれらの挑戦に乗れば将軍もわが藩公も朝敵にされる。それほど京はむずかしいのだ、と継之助はこの一点に念を押した。


昨夜雪がふり、この朝も天が暗い。

「三国峠を越えるまで、降らねばよいが」

と、城門を出てゆくとき、継之助は天をあおぎつつおもった。行列の先頭を騎馬ですすみ、陣笠を目深にかぶっている。

陣列がつづいてゆく。

城下を出ると、信濃《しなの》川の洲《す》である。水が涸《か》れ、洲のところどころに昨夜の雪が残っているが、これが根雪になるとはおもわれない。

「榎峠《えのきとうげ》の雪はどうだろう」

と、継之助は背後の者にきいた。

「たいしたことはございませぬ」

と、その者が答えた。

榎峠をのぼりきったあたりで、陣列のなかのたれもが背後をふりかえった。足もとに、長岡の城下がひろがっている。

——ふたたび帰れぬかもしれぬ。

という感傷が、たれの胸にもひろがった。が、継之助だけはふりかえらなかった。

「いかがであろう」

と、義兄の梛野《なぎの》嘉兵衛が馬をよせてきた。

「ここで行列をとめて休息しては」

「なぜです」

「殿様が、長岡のお城にお別れをなさりたいのではあるまいか」

「殿様がそうおおせられましたか」

「いや、おれの推量だ。町人どものあいだでも他郷へ旅立つ者は榎峠をこえるときに城下をふりかえって別れを惜しむというが」

「縁起ですか」

「まあ、風習だろうな」

「無用でしょう」

継之助はいった。武士の旅立ちにふりかえるというようなことがあってはなるまい。

「継サは、気がつよいからな」

「殿様の」

継之助は話題を変えた。

「お咳《せき》はどうでしょう」

「あまりよくない」

棚野は、暗い顔をした。若い殿様の忠訓《ただのり》は虚弱なのである。年中風邪をひいているようなかっこうで、この道中、このひとの健康だけが心配だった。

それでも忠訓は養父忠恭《ただゆき》に似てひどくきまじめなたちで、出発に際しても、

「私は駕籠《かご》を用いない」

と言い張った。これは表むきは単なる上洛《じょうらく》であっても、内々の決意は出陣である。

騎馬でゆきたい、といった。

「いや、お駕籠を用いられませ」

継之助はきかなかった。騎馬は寒い。もし風邪でもひきそえればどうなるのか、という心配があった。

「いや、先祖をわすれぬためだ」

「ご先祖さまはご先祖さまの御時代」

と、継之助はいった。どの藩でも戦国風雲のころの藩祖たちは馬上戦場を馳駆《ちく》したが、徳川三百年の泰平は大名に馬上の生活をわすれさせた。いまにわかに馬で道中されては命にかかわってしまう。

ただでさえ、忠訓は風邪をひいており、出発にあたっても咳がひどかった。駕籠のなかで温かくしてもらっているが、棚野嘉兵衛のはなしだと、引戸のそとまで苦しげなお咳が洩《も》れているという。

「薬湯《やくとう》をお召しになっていますか」

と、継之助がきいた。

「召しあがっている」

坂が、くだりになった。前方に小千谷《おぢや》の町が見える。これはもう幕府領である。

かれらは、いったん江戸へ出た。

江戸から幕府軍艦に乗って上方へゆく。この方法をとれば二日か三日しかかからない。

出発にさきだち、継之助が江戸に早飛脚をたててこの手続きをとった。この早飛脚を差したてるとき、

「左様なことを公儀に申しあげていいのか」

と、家老たちは難色を示した。

「べつに御軍艦でゆかなくても」

という。やり方が新奇すぎる、というのである。

継之助はいった。

「新奇ではありませぬ」

西国の雄藩はみな蒸気船を用いている。土佐藩などは藩公が上方へ出るときには自藩の軍艦でゆく。芸州広島藩もそうである。

「時代はめまぐるしくかわっています。東日本の諸藩はどんどん遅れてゆく。わが越後長岡藩のみならず、東日本の諸藩で軍艦をもっている藩が一藩でもありましょうか」

これに対し、西日本の雄藩の開化はめざましいものである。芸州広島藩（浅野家）、

長州藩（毛利家）、土佐藩（山内家）などは何隻《せき》かの軍艦だけでなく弾薬や陸兵をはこぶ運送船や石炭船ももっているし、肥前佐賀藩（鍋島家《なべしま》）にいたってはそれらをそろえているだけでなく、自藩内で製鉄所、造船所をつくっており、小型の蒸気船を国産できるばかりか、どんな軍艦でも藩で修理でき、その能力はおそらく東洋一であろう。なぜならば幕府でさえ自分の軍艦が故障すれば肥前佐賀藩にたのむくらいであった。

「薩摩《さつま》藩などは、いま一段とすぐれております。この藩にいたってはわれわれの想像を絶するほどにぜいたくです」

薩摩藩は、京に強烈な関心がある。

このため利《き》け者の西郷吉之助（隆盛）と大久保一蔵（利通《としみち》）を微禄《びろく》から抜擢《ばってき》し、西郷を京都駐在の大使として京に常駐させ、大久保を国もとにおき、西郷が京都外交をしつつその情報を間断なく国もとに送る。国もとでは大久保がそれを受け、島津久光に上申し、それをすかさず行政化してゆく。

たとえば京の西郷が、

「京の情勢はこうである。わが藩としてはこうすべきである。藩兵を至急何人送られよ」

というと、大久保はすぐ藩をうごかし、実行してゆく。

その飛脚船として快速蒸気船をつねに大坂湾（天保山《てんぽうざん》沖か兵庫沖）につないでおき、京の西郷が手紙を書くや、間髪をいれず煙をあげて薩摩へ走る。片みち二日か三日で京の意思が国もとを動かすことになる。この薩摩藩のおそるべき通信力が、かれらを京の主導勢力にさせており、風雲の速度をいよいよあげているのである。

「西国の雄藩はそのようでござる。わが藩に軍艦がないのは詮方《せんかた》ないとして、ないはないで公儀に借りねばなりませぬ。でなければとうてい時勢に追っつかない」

継之助はいう。継之助のみるところ徳川家に危機がせまれば関東を中心とした信越、奥州《おうしゅう》の諸藩がこれをたすけるであろうが、残念ながら西国諸藩とはちがい、蒸気船もなければ軍艦もなく、武器なども織田・豊臣時代とすこしもかわらない。それを思うと、継之助は時勢のゆくすえに戦慄《せんりつ》せざるをえないのである。

ともあれ、江戸に入った。

幕府ではその所属軍艦のことを、

「御軍艦」

という。たとえば御軍艦頭取というのは艦長のことであった。御という敬称をつけるのは「将軍の軍艦」ということだからであろう。

「明朝、品川沖に参られよ」

という通達が、幕府の御軍艦奉行からきたのは、継之助らが江戸藩邸に入ったその日であった。幕府は越後長岡藩に対して鄭重《ていちょう》であった。

夜のうちに継之助らは品川まで行軍した。

「品川沖」

と通称しているのは、のちの東京港のことである。そこに軍艦が碇泊《ていはく》している。

順動丸という。

幕府の軍艦のなかではもっとも艦歴のふるいもので、文久元年英国で進水し、同二年横浜へ回航され、幕府が買った。試運転は勝海舟がおこない、神奈川沖を乗りまわした。

鉄張りのふねである。

外輪船で、馬力は三百六十、トン数は四百五であった。幕府ではこのふねを主として将軍の御召艦とした。

翌朝、藩主忠訓を奉じ継之助らは乗艦した。継之助は長崎でこういう蒸気船を見学したことがあるが、藩主以下みなめずらしくおもい、

「あれはなんです」

などと、乗組の幕府士官にしきりと説明をもとめた。

午後一時、出帆した。

「あの御旗はなんでしょう」

と、マストにひるがえっている見なれぬ旗を、若い藩士が指さした。

「どの旗だ」

継之助は面倒くさげにふりあおいだ。そこに日章旗がひるがえっていた。

「あれは日本国政府の公式船旗だ」

と、継之助は説明してやった。

「日本国のシルシといっていい」

「ほほう、あれが日本国の」

と、他の藩士もめずらしげにあおいだ。

「軍扇のシルシに似ていますな」

と、一人がいった。

なるほど、軍扇の意匠である。源平のむかし、屋島の海で平家が一艘《そう》のふねを出し、それに棹《さお》を立て、棹のさきに軍扇をむすびつけて源氏に「これを射よ」といった。源氏の一騎那須与市《なすのよいち》が馬を海に乗り入れ、弓をしぼって射放ち、みごと射おとした。そのときの軍扇がすでに日ノ丸の意匠である。日本人はよほど古くからこの意匠を好み、用いていたのであろう。

豊臣秀吉の朝鮮出兵のときも、日本軍の船印としてこの意匠が用いられた。陸上でも用いられた例がある。のちに大坂ノ陣で有名になった塙《ばん》団右衛門は朝鮮ノ陣のころは加藤嘉明《よしあきら》の下士であったが、体が大きいために日ノ丸の旗持として選ばれた。かれは棹をからだに縛りつけて陣頭に立った。

幕府が安政条約によって諸外国と国交をはじめたとき、国際法上の船旗をつくらねばならなかった。そのとき薩摩侯の島津斉彬《なりあきら》が幕府に献言し、この旗を日本の正式の船旗とした。

このため、いまは幕府の旗章のようにもつかわれている。諸藩は日ノ丸を用いることをゆるされず、その船旗もそれぞれの藩旗を用いていたからである。

艦は、順風のなかを西航した。

「御軍艦」の順動丸は、このところ江戸・上方間に幕府の高官をはこぶ便船のようになっていた。

いまも、乗っている。

老中（閣僚）がふたり乗っていた。稲葉兵部大輔《ひょうぶだゆう》正巳《まさみ》と、松平縫殿頭《ぬいのかみ》乗謨《のりまさ》だった。

「ご老中に無礼のないように」

と、継之助は出帆直後、藩士一同をあつめて言いきかせた。そのあと、今村佐之助という若い藩士が、

「もの知らずではずかしゅうございますが、そのおふたかたは、いずれの藩の藩主におわしますか」

どこの殿様か、というのだ。老中は譜代大名でしかなれず、それだけに世襲官名をきけば、ああ、あそこの殿様か、と見当がつく。しかしいまの二人の老中は、どうもききなれぬお名前なのである。

「武鑑《ぶかん》を繰ってみろ」

「河井さまもご存じございませぬので」

「知らん」

継之助は、笑いもせずにいった。一同も笑わない。

たれかが携帯用の小さな武鑑を行李《こうり》から出してきた。武鑑とは毎年民間の書店から発行される大名の紳士録である。諸大名の氏名、本国、居城、石高、官位、家系、相続、奥方、家紋、旗指物《はたさしもの》、重臣の名などが掲載されている。

「ああ、わかりました」

と、その者がいった。

稲葉兵部大輔　安房国《あわのくに》館山《たてやま》一万石

松平縫殿頭　信濃国《しなののくに》田野口一万六千石

（小禄だなあ）

と、継之助はおどろいた。

老中というのはすべての譜代大名がなれるものではなく、慣例として、五万石から十万石程度の者がなる。一万石そこそこの大名がなった例は、徳川期を通じて過去に一例あったにすぎない。

「乱世なのだ」

と、継之助はいった。

つまり、徳川家が危機に瀕《ひん》している。この危機の政局を担当するのは、平和なころのぼんくら大名ではだめで、人材でなければならない。その人材をさがそうとなると、登用規準のわくをひろげねばならず家格などをやかましくいっておられなくなったのであろう。

（幕府がいかに衰弱しているかがこの一事でもわかる。苦しいのだ）

「それにしても」

と、若い藩士がいった。

「めずらしい御家格のお方がご老中をおやりになっているのでございますな」

「そうだ。家重代の金屏風《きんびょうぶ》をはりめぐらした家の御当主ばかりでは御人《おひと》不足になる」

「それにしても」

「なにもおみしゃんが不足をいうことはないだろう」

継之助は笑って、

「おれでも家老だぜ」

と、どすのきいた声を出した。筆者は言いわすれていたが、こんど上方へのぼるにあたって河井継之助は家老に列せられた。

「わずか百石そこそこの家の者が御家老をつとめる時代なんざ、一国一天下にとってあまり仕合せな時期ではなかろう」

継之助は、士官室をあたえられた。乗組士官たちとの同居室である。

「お退屈でしょう」

と、かれら士官たちは継之助をみるたびに声をかけてゆく。継之助は終日、椅子《いす》のうえにあぐらをかき、煙管《きせる》をくわえ、けむりを吸っている。よほど退屈な姿にみえるらしい。

（おれに退屈などあるか）

継之助は机のむこうの、船窓で切りとられた海をながめているだけで時間をすごしているのだが、これでべつに退屈はしない。頭のなかにはさまざまな想念がうかんで、それだけで十分だった。

船の高級士官で松岡盤吉《ばんきち》というひとが継之助に興味をもったらしく、昼間、勤務のひまなときなどにやってきては話相手になってくれた。

継之助も、この人物に興味をもった。

（よほど勇気のある男らしい）

とおもったのは、この松岡はまげを結ばず洋髪にしていることだった。黒いフロックコートのようなものを着、そのそでに三本の金筋が縫いとられている。齢《とし》は三十すぎだろう。

なににしてもこの男の洋髪は命がけであるはずだった。なぜならこの頭で江戸や大坂を歩けば攘夷《じょうい》浪士が——勤王佐幕を問わず——目くじらを立て、

——醜夷のまねをするか。

といって斬《き》り殺そうとするにちがいない。

「ああ、この髪形ですか」

と、松岡は齢若いわりには分のあつい微笑をうかべ、ゆっくりとうなずいた。

「多少は苦労がありますな。私が運送船の朝陽丸に乗っておりましたときですからちょうど禁門事変のあとでしたが、いちど京にのぼりたかった。これが失敗でした。服装は変えていたのですがね」

松岡のいうところでは、洋服を艦にぬぎ置き、和装をし、あの柏餅《かしわもち》のような韮山笠《にらやまがさ》をかぶって髪をかくし、その姿で京見物に出かけた。寺町筋であまりの暑さに顔の汗をぬぐおうとし、うっかり笠をぬいだところ、髪かたちをひとに見られた。

「わるいやつに見られましたよ。ええ、新選組の巡察隊です」

「どうしました」

「待て、と連中が申しましてな」

言われて松岡は大いそぎで自分は幕臣である、軍艦方の松岡盤吉である、といったが、相手の連中はきかない。

「幕臣もくそもあるか」

というのである。幕臣であろうとなんであろうと、洋夷にかぶれたやつは攘夷のため天誅《てんちゅう》を加える、というのである。

「あっははは、逃げましたよ。やつらと議論をしてもはじまらない」

また大坂では、薩摩藩士にあやうく抜き打ちの目にあうところだったという。洋髪のまま大坂の御堂筋《みどうすじ》をあるいていると、一見して薩人とわかる男が背後からさっさとやってきて追いぬき、ふりかえりざま、抜きうちを浴びせかけてきた。薩人の得意とする殺人法なのである。松岡はとびさがったが、右のほっぺたをうっすらやられた。

「ほら、傷が残っておりましょう」

と、松岡はみせた。

これによってみても、攘夷という点では新選組も薩人もかわらない。

「が、薩の奸悪《かんあく》なところは」

と、松岡はにわかに重要な話題に入った。

——薩人は奸悪である。

というのが、薩摩藩と同一傾向の長州藩もそう非難しているし、同時に幕府と佐幕諸藩のこぞっての憤《いきどお》りだった。

「薩人にだまされるな」

というのは京都政界のすべての立場のひとびとの合言葉のようにさえなっていた。

もっとも、薩摩人そのものが権謀術数にみちた性格をもっているというわけではない。なまな性格としては薩摩人は陽気で単純で勁烈《けいれつ》な特性をもち、むしろ長州人や土佐人、会津人のほうが思案の屈折が複雑かもしれない。

が、藩の動きはちがう。

藩となると革命派の長州も現状維持派の会津も、こどものような単純さがある。長州などはこども以下といっていい。

文久三年夏においては長州は宮廷を牛耳《ぎゅうじ》りこのまま倒幕へ駈《か》けだそうとするいきおいがあった。

あのころ、薩藩としては、

——長州とは握手できぬ。長州と握手していっしょに駈けだせば、かれがさきに走っているためについに薩摩は従の位置におとされてしまう。

と、判断した。そう判断したのは京都に常駐して薩藩外交をにぎっている西郷吉之助であった。

西郷はこの時期、国もとの大久保一蔵へ、

「長州をいまのように増長させておいては、わが薩藩の将来によくない」

という手紙を書いている。西郷は革命政権樹立後までを見こして薩摩藩の打つ手をきめていた。

——いま長州をたたきつぶす必要がある。

として薩摩は佐幕の極派ともいうべき会津藩と手をにぎり、密約をむすび、一夜、宮廷の門を閉め、まわりを会薩《かいさつ》両藩の藩兵がかためつつ宮廷クーデターをおこし、長州系の公卿《くぎょう》を一掃した。おどろいて駈けつけた長州人を門内に入れず、勅命をもってかれらを駆逐した。文久三年の「八月十八日ノ政変」といわれているのがそれであり、有名な七卿落《しちきょう》ちというのがそれである。

その翌元治元年夏に長州兵が京になだれこんだ。いわゆる蛤御門《はまぐりごもん》ノ変である。このとき、薩摩藩は幕兵と協力し、西郷みずからが兵を指揮して長州軍を撃退し、京から追いおとした。西郷は、

「長州を奥州あたりに移し、五万石程度にすればどうか」

という私案を出し、半ば容《い》れられている。しかも西郷は一方では蛤御門ノ変での長州兵の捕虜を優遇し、さらにまた幕府が第二次長州征伐にとりかかったとき、逆に、

「征伐は不可である。長州藩をばゆるすべきである」

と逆に幕府に食ってかかり、出兵を拒否し、陰に陽に長州のために尽しはじめた。

長州に恩を売ろうとした。西郷としては長州をここまでたたきつけた以上、もう薩摩と肩をならべるような力はあるまい、と見た。しかし長州藩の息をとめてしまってはきたるべき討幕戦のときにこまる。苦しめて弱らせ、しかし殺さずに味方にする、という策であった。

長州人は当然そういう薩摩外交のすさまじさを憎み、長州の高杉晋作《しんさく》や桂《かつら》小五郎などは西郷の手のうちを見ぬき、血涙をながした。

その長州と、この薩摩が、どうやら最近ひそかに手をにぎったらしい。討幕の一ツ目的のためであった。

「私は海軍ですからね」

と、松岡盤吉はいった。

「いつも、海にいます。だから、かえって陸のことがよく見えるような気がします」

「なるほど」

継之助はひざを打った。海にいると、陸の風雲や政情などのしわ一すじ、毛穴一個のこまごましたことまではわからないが、それだけに目が近視眼にならない。遠目がきき、巨視的になり、物事の本質をつかみやすい。なるほどそうかもしれない、と継之助はおもしろがった。

継之助がおもうのに、人間にとって必要なのは視角を変えることであり、他人の視角をおもしろがるということである。この興味で、継之助は松岡の視角に聴き入った。

「薩長がとなえる攘夷は、あれはうそでござんすな」

と、松岡はいった。

攘夷、外国をうちはらうこと。この理念は嘉永六年のペリー来航以来、天下在野の最高の正義であった。幕府当局は列強の威圧で日本の一部の港をひらき、その港を中心に外国貿易をはじめたが、この幕府の態度に対し天下の志士はこぞって反対し、攘夷の気勢をあげた。幕府の屋台骨をゆさぶるような日本史上最大のエネルギーであったといっていい。

この攘夷世論の急先鋒《きゅうせんぽう》は先帝（孝明帝）であった。自然、「尊王攘夷」ということばがうまれた。王を尊ぶことと夷《えびす》を攘《はら》うことは一つことであった。天下の志士は京にあつまり、京を背景にし、天皇という神輿《みこし》をかつぐことによって江戸政府と対抗した。のちに開国主義化したいわゆる四賢侯たちも最初ははげしい攘夷家であり、かれらは攘夷の関東本山ともいうべき水戸藩徳川斉昭《なりあき》を中心に幕閣へはたらきかけた。

この在野運動に大鉄槌《だいてっつい》をうちおろしたのは大老井伊直弼《なおすけ》の「安政ノ大獄」である。

この大獄によって攘夷論は一時いきをひそめた。ところが井伊が桜田門外で殺されてからふたたび活潑《かっぱつ》になり、国民運動というような姿をとりはじめた。武士だけではなく百姓町人の出身者までが浪人の姿をとって京や天下を横行しはじめ、ついに、

「攘夷屋」

というものまで出た。盗賊が攘夷志士になりすまし、富商の家に押しこんでいわゆる御用盗をはたらく。そこまで一般化した。

藩では長州藩が藩をあげて攘夷の火のかたまりのようになり、文久年間はまるでこの藩が京を占領したかの観があった。

「しかし、かれらは知りはじめましたよ」

かれら、というのは反幕主義の薩長両藩の指導者である。西洋の科学と兵器、兵制がいいということであった。攘夷藩であるはずのこの両藩が、もっとも早く洋式化した。

「しかし両藩は攘夷の旗はおろしません」

松岡盤吉はいう。両藩は攘夷、攘夷とはげしく連呼することによって天下の世論を掻《か》きたて、幕府をゆさぶり、ついには倒し、倒すやすぐさま開国しようとしている。

「薩長の下《した》っ端《ぱ》はそりゃ知りませんよ。親玉どもはその肚《はら》です」

松岡は、幕府の高官をのせて江戸・大坂を往復しているし、横浜の外国新聞も読む。だからあたらしい情報にもあかるいのである。

「離れると、物が見やすい」

という松岡盤吉は、そういうだけに後世のわれわれがおどろくほど正確な観察をしているようであった。

たしかに薩長の指導者たちは「攘夷」を信奉していないし、本音でもない。本心は攘夷実行という戦鼓を鳴らして幕府に迫り、

――幕府は攘夷を実行せぬ。勅命に違反している。

という口実で幕府を倒し、そのあと樹立すべき新政府ではすぐさま攘夷をすてて開国に転換しようというものであった。革命はつねに権謀と詐略《さりやく》にみちている。いわば巨大な陰謀であるといえるであろう。

例がある。

「有馬翁」

と通称される薩摩志士は大正期にまで長命したひとである。明治後の名前は純雄《すみお》と言い、明治以前は「藤太」の名で活躍した。西郷の側近で政治よりも軍事に長《た》け、官

軍の東征のときは軍の副参謀として活躍した。関東の流山《ながれやま》で近藤勇《いさみ》をとらえたことで有名である。

このひとが、継之助のこの時期、鹿児島から兵をひきいて京都にのぼってきている。

「いよいよ攘夷をやるのだな」

と、仲間の中村半次郎（桐野《きりの》利秋《としあき》）にきいた。中村は不審顔で、

「いや、やるのは討幕だ。攘夷についてはありゃやらん」

といった。有馬はおどろき、

「そりゃどういうわけだ」と問いかさねると、中村は、

「俺《おい》にゃむずかしかことはわからん。ごく最近、西郷先生からそげん聞かされた。そうか、お前、まだ聞かされんか。ソイじゃあす承れ」

といった。有馬藤太はその翌日西郷のもとへ行って質問すると、

「ああ、お前にはまだ言わなかったか」

と西郷は言い、

「攘夷は手段というもんじゃ。幕府を倒す口実よ」

その機微を西郷は説明した。

有馬翁の回顧談では、「ここにはじめて多年の迷惑が醒《さ》めて攘夷ということはせぬ

ものということがわかった」とある。一朝にしてその思想をすてるあたり、薩人が西郷に心服している様子がよくわかるが、一面、下部の実践家というのはこの程度のものであるらしい。なお有馬翁の記憶では、西郷・大久保と密盟の仲であった岩倉具視《ともみ》でさえ、この攘夷を捨てるという秘密はきいていなかった様子だったという。

継之助の順動丸は、西航をつづけている。

「うまくゆけば三日でゆける」

ということであったが、三日目はなお熊野灘《くまのなだ》の風浪のなかにあった。

ほとんどが船酔いで倒れ、なかでも若い藩主の忠訓は虚弱なせいかそれがひどく、絶えずきみずを吐き、苦しげであった。継之助はつきっきりで看病した。

「継之助、なおお前は酔わないか」

と、忠訓はしまいには継之助の元気さをうらめしくさえ思ったらしい。

が、継之助も酔っている。

かれは乗船後、二度食事をしただけで、あとはなにも胃ノ腑《ふ》に入れていない。が、この男は懸命に自分をささえていた。

四日目に、大坂天保山沖に入った。

もう十二月の初頭というのに、上方はうそのようにあたたかい。

「越後とはちがう」

と、長岡藩士は上陸直後、口々にそのことをいった。数人をのぞくほかの全員が上方の景色をみるのははじめてなのである。

「冬でも空が青い」

というのが、かれらの驚きであった。あたりまえのことだが、冬になれば鉛色の天と雪の壁のなかにうずもれているかれらの越後とくらべれば、なんと陽光のびやかな天地であることであろう。

天保山港からは川筋を船でのぼって市街に入る方法があるのだが、しかし長岡藩兵は藩主ともども陸路をとった。

継之助は騎馬で先頭をゆく。

（越後兵が一軍をなして上方に入るなどは、豊臣期、上杉武士が大坂城下にいたころからざっと三百年ぶりだろう）

とおもった。思いがつい殺伐になるのは、この大坂に佐幕諸藩の兵がみちみちているせいでもあろう。

（いやさ、大坂ノ陣にも越後勢はきたが）

と、思いなおした。

越後上杉勢は関ヶ原の段階では江戸の徳川氏に対抗したが、その後帰服し、大坂ノ陣では大坂城の攻撃にくわわった。

継之助が記憶しているところではこのときの上杉陣地は城東の鴫野《しぎの》であった。場所はやや小高な傾斜地で、前方に平野川と猫間《ねこま》川がそれぞれ北流し、そのむこうに大坂城がある。

開戦直前、主将上杉景勝《かげかつ》は全員を草の上に折り敷かせ、敵城に目をこらさせている。これが謙信以来の上杉の軍法であった。足軽にいたるまで体をうごかさせない。微動すらゆるさない。私語は禁じている。一声も出すことをゆるさない。不動と沈黙のなかに凄気《せいき》をたくわえさせるのである。

そのとき本陣の家康のもとから旗本の某が伝令将校として駈けてきた。いわゆる母《ほ》衣《ろ》武《む》者《しゃ》であり、馬上命令を伝える。

「上杉弾正少弼《だんじょうしょうひつ》どの——」

と、馬上からよばわったが、景勝は大将床几《しょうぎ》に座したままふりむきもしない。他の者も凝然として彫像のようである。

「上様のお沙汰《さた》である。かしこまれよ。なんと耳がきこえぬかあ」

と、馬上の徳川旗本はどなったが、上杉勢は動かず、景勝も無言であった。ついに旗本は怒り、

「おぼえていよ」

と駈け去った。旗本はすぐ家康のもとに駈けこみ、その旨《むね》を訴えた。家康は怒らず、

「それが不識庵《ふしきあん》（謙信）いらいの陣法というものだ」

といった。

継之助はこの話がすきであった。つねにひとにも語り、

「兵は、そういう兵でなければつよくないのだ。おれは目をつぶると、深山のように寂《しず》かな上杉陣地のなかでハタハタと風に鳴る旌旗《せいき》の音がきこえて来るような思いがする」

と、よく言った。

継之助たちは大坂城内の屋敷を借り、そこを宿舎とした。

大坂は、幕兵の怒りで沸きかえるようである。二万はいる。

――いや、五万だ。

という説もある。いずれにしても町人の街の大坂にこれだけの武装兵が駐屯《ちゆうとん》してい

た。幕兵、といっても旗本ばかりではなく、諸藩の兵が多い。大坂は長州征伐の大本営であったため、そのために動員された兵であった。つまり野戦用の軍隊であり、銃も砲も火薬ももっており、このためただささえ気が立っている。そこへ、京のおどろくべき情報がつぎつぎと入ってくる。

「大政奉還などと、そんなべらぼうなことがあるか」

とかれらは騒いだ。考えられぬことであった。始祖家康が馬上斬《き》りとった天下の権を、無料《ただ》で御所の塀《へい》にほうりこむなどはどういうことであろう。古今東西を問わず、権力の交代には代償として戦さが必要であり、それをするためには大坂にこれだけの幕兵がいる。京の薩長がいかに横暴なりといっても、その兵力は十分の一でしかあるまい。

「即時開戦」

という声が高かった。その声を、大坂にいる幕府高官は極力おさえてきた。

もっとも激烈な声としては、

「慶喜《よしのぶ》公を廃せよ」

という意見すらあった。慶喜をひきずりおろして他の公子を徳川家当主にしようというもので、「もし慶喜公が聴かれなんだら非常の手段もやむをえぬ」という声すらある。殺すというのである。

その、時勢の千両役者ともいうべき慶喜は京にいた。二条城に常駐し、うごかない。形勢を見ている。

「薩摩やその系統の公卿《くぎょう》はどう出るか」

と、慶喜は見ていた。慶喜の見るところ、政権を御所の塀にほうりこまれても公卿どもはこまるであろう、ということであった。

げんに、公卿どもは狼狽《ろうばい》した。

「無茶だ」

とさわいだ公卿もあった。政権を公卿に渡されてもどうすることもできない。日本政府としての能力など、京の公卿集団にはかけらもないのである。

――ことわろう。

という意見さえあり、いたずらにさわいだが、土佐藩の後藤象二郎、薩摩藩の小松帯刀《たてわき》などが公卿の有力者を説き、

「とにもかくにもお承《う》けなされ。それもおはやく。事は急を要します」

となかばおどすようにして承知させた。土佐の後藤は坂本竜馬とともにこの大政奉還の一件を徳川方に説き、慶喜をやっと承知させただけに、かんじんの貰《もら》い手がうろ

たえてくれてはこまるのである。

慶喜はこの大政奉還については世論の荒れるのをおそれ、異例の手を打った。この十月十三日、在京諸藩の重役を二条城によびあつめ、将軍みずからの口から説明した。この形式は三百年の慣習をやぶるものであった。

将軍への拝謁《はいえつ》権は大名か旗本しかない。ところが慶喜は陪臣《またもの》である諸藩の藩士をよび、みずから説明したのである。

みな、呆然《ぼうぜん》としたらしい。慶喜が退去してから、一同騒ぎだした。

その騒ぎは、継之助が大坂に着いたころにはさらに深刻になり、情勢は火を噴くばかりになっていた。

幕末は、日本の英雄時代であろう。古い秩序が音をたててくずれてゆくとき、そのもうもうとあがる崩壊の土煙りのなかを駈《か》けまわるのは、平和な、秩序のある安定期の家庭人ではない。常人ですら英雄の相貌《そうぼう》を帯びるであろう。

十五代将軍徳川慶喜も、例外ではない。この秀麗な容貌と、俊敏そのものの頭脳をもった人物は、すでに英雄的な気概をもっていた。三百年の政権を、戦場においてではなく、畳の上に座しながら捨てたということ一事でも、その気概は尋常なものではない。

が、慶喜は単に捨てていない。

（当然、朝廷はこの巨大な荷物をもてあますにちがいない）

とみていた。いままで朝廷――公卿たち――は、幕府のやることなすことにけちをつけ、志士どもに煽動《せんどう》されて海坊主《うみぼうず》のように幕政の針路に立ちはだかり、舟幽霊のように舵《かじ》にとりつき、幕府をほとんど立ち往生同然にさせてきている。たとえば、

――外国と戦争しろ。

と、朝廷はおおせある。それが攘夷《じょうい》の勅諚《ちょくじょう》というものであり、ひところ全盛期の長州系志士たちは朝廷の威を借り、その勅諚をもって幕府をいじめぬいた。

慶喜にすれば、政権という大荷物をほうりだすしか仕方がない。

「批判や非難は容易である。それほどいうなら自分でやってみろ」

というのが、真の魂胆であった。朝廷にうやうやしくひれ伏して「奉還」したわけではない。

「いまにみろ、吠《ほ》え面《づら》をかく」

と、慶喜はみた。

さらにまた慶喜には明快な観測があった。おそらくは朝廷側から、

——いま一度やってくれ。

と泣きついてくるにちがいない。ただしやるといってもいままでのような「幕府政治」というかたちでは日本国家はもはや一日も運営できない。

慶喜の腹案としては、天皇を神聖君主として上にいただきつつ、日本を連邦国家（三百諸侯による）とし、しかるべき代議員を諸藩から出させ、慶喜自身はその議政政体の最高運営者としてすわることである。首相という名であってもよく、議長という名であってもよい。

（きっと、泣きついてくる。そのときはそういう政体改造案を出し、依然としてこの国の実権は徳川家でにぎろう）

と考えた。このことは老中筆頭（首相）の板倉勝静《かつきよ》にも洩《も》らしたし、京の徳川家をまもる最大の勢力である会津藩主松平容保《かたもり》にも話した。この両人が慶喜案になっとくしたればこそ、慶喜の大政奉還に反対しなかったのである。

ところが、相手もばかではない。

相手は、薩摩の西郷吉之助と大久保一蔵であった。とくに大久保と公卿の岩倉具視が朝廷の策動者であった。

かれらは、その手には乗らない。

慶喜が大政奉還をするや、

――得たり。

とばかりにつぎの手を打った。慶喜を朝廷に招《よ》ばず、すべての重要会議からこの日本の最高官である男をはずしてしまったのである。

慶喜の思惑ははずれた。


情勢のこと、つづく。

小御所《こごしょ》会議のことである。この会議が天下の佐幕党をどれほど怒らせたか、はかり知れぬほどのものがある。日はこの年（慶応三年）十二月九日で、継之助はすでに大坂に着いており、京坂の情勢を知るにつとめているところであった。

継之助ですら、

「それは本当か」

と、この報をきいたあと、容易に信ぜず、やがて事実だとわかると無言になり、怒りのあまり顔色を真青にした。

この日、幼帝によって「王政復古の大号令」が渙発《かんぱつ》され、新官制がさだめられた。

京都政府の最高官は総裁と言い、これは徳川慶喜ではない。有栖川宮《ありすがわのみや》であった。総裁の下に、「議定《ぎじょう》」という閣僚がならぶ。このうち五人は親王と公卿であり、他の五人が大名である。

大名は、尾張《おわり》徳川、越前《えちぜん》松平、それに芸州広島の浅野、土佐の山内、薩摩の島津といった殿さまたちである。このなかにも徳川慶喜の名がない。

閣僚の下に「参与」という次官ともいうべき重役がつく。これが実力者であった。薩摩、土佐、芸州、越前、尾張の五藩からそれぞれ三人ずつ出る。西郷吉之助、大久保一蔵らがこの「参与」である。

「これはどういうことだ」

と、慶喜はおもった。すすんで大政を奉還した慶喜こそこの国の功績第一の者であり、その前歴や識見からみても当然、この新政府のメンバーに加わらねばならない。

この日、夕方から御所の小御所で徹夜の会議がひらかれた。しかも御所の諸門は、五藩の兵でかためられ、反対派（ことに会津藩）の襲撃を想定して大砲まで準備している。会議はその防衛下にひらかれた。

その議題は、すさまじい。

「徳川慶喜は、罪人である」

という解釈がほどこされた。薩摩藩と岩倉具視から出された少数提案であった。

「であるから、官位を朝廷に返して平人《へいじん》になれ。その直轄《ちょっかつ》領も返納せよ。裸になれ」

というものであった。他の大名がその城地を返納もしていないのに、徳川家にかぎってそれをせよ、というのである。

「もしそれに徳川慶喜が承服せぬときには朝敵として討つ」

というものであった。理もなにもあったものではなく、要するに挑戦《ちょうせん》である。徳川家を武力討伐するための口実であった。

これに対し、土佐の山内容堂は目を怒らせて大反論を展開したが、夜明けのころにはついに沈黙せざるをえなくなった。

理もなにもあったものではない、といったが、革命派には現実的理由がある。新政府は一文なしで発足した。それが政府らしい実力をもつには、徳川家の土地、金、軍艦その他すべてを奪わねばならない。そういう切実な現実のためには、盗人《ぬすっと》たけだけしい理屈もこねねばならない。

慶喜は、二条城にいた。

かれは沈思し、それでもおだやかに官位だけは捨てた。が、領地は捨てられない。

「数万の旗本をあすから路頭に迷わせることになります」

と言い、しばらく考えさせてもらいたい、とたのんだ。この間、京都にいる会津、桑名両藩の憤激は極に達した。

徳川慶喜ほどの智略《ちりやく》家は、この権謀の時代ですらまれであったといっていい。かれの反対勢力である長州人は、

「家康の再来ではないか」

とさえ評し、戦慄《せんりつ》した。

慶喜は小御所会議以前においてはこの時勢を自分の手で収拾する自信をもっていた。つまり政権を投げだし、その功によって朝廷に乗りこみ、新政府をかれの手で樹立する。その実力基盤としては徳川勢力がある。さらにフランスの援助約束をとりつけていた。フランスは幕臣の小栗上野介忠順《おぐりこうずけのすけただまさ》に対し、

「徳川家の御手で統一政府をつくりなされ。その援助はフランスが致す。まず長州を攻めほろぼしなされ、ついで薩摩、土佐をほろぼし、さらに三百諸侯を無くしてしまう。つまり封建制をやめてしまう。そのあと徳川家を中心とする中央集権制をうちたてなされ。そのために必要な陸海軍兵器や経費はいかほどでもフランスがひきうけましょう」

と、いった。つまり徳川慶喜がフランスにおけるナポレオン・ボナパルトになるということであり、徳川家はボナパルト家になり、世襲の皇帝家になるということであった。

小栗上野介はこれをよろこび、徳川慶喜に上申した。

慶喜は考えた。

このひとは小栗ほど単純な徳川至上主義者ではなかったために「自分がフランス皇帝のごとくになる」という点にひっかかった。慶喜は水戸家の出であり、水戸史観の洗礼をうけており、このため天皇至上意識がつよい。慶喜は小栗の案の新鮮さに魅惑されつつも、一面では小栗の思想を憎むという複雑な人物であった。水戸史観にあっては非尊王がすべての歴史悪の中心なのである。たとえば弓削道鏡《ゆげのどうきょう》は女帝の愛をうけていることを幸いにみずから天皇になろうとしたがために史上最大の悪人とされた。足利尊氏《たかうじ》は武家政治を樹立するために南朝をほろぼし、これがために水戸藩史家の手ではげしく糾弾された。

「小栗はおれを尊氏にしようとしている。いやフランス方式の皇帝になるとすれば尊氏以上の大奸《たいかん》として後世の史家から糾弾されるだろう。小栗は、それをくわだてている」

と、慶喜はおもった。

かといって、フランスの援助という魅力はすてがたい。結局慶喜とすれば「朝廷の一員として薩長をほろぼし、中央集権制を確立しよう」という肚《はら》があったであろう。それを、薩摩の策士（西郷・大久保）からつぎつぎにくつがえされ、小御所会議でついに平人におとされてしまった。

会津藩士たちが激昂《げっこう》し、

「薩摩を討ちましょう」

と、二条城の慶喜にせまったのもむりはないであろう。

が、慶喜としてはこの智謀のたたかいにやぶれた以上、戦乱をおこしたくない。戦乱をおこせば、もはや成功はおぼつかないばかりか、後世に「大奸」の名を残すであろう。これが慶喜にとってもっともおそろしかった。このためひたすらな恭順の道をとろうとした。

「わしが京にいては、佐幕派の者どもがどう騒ぐかわからない。大坂へ去る」

として慶喜は小御所会議から三日目の十二日の夜、京を去った。

十三日、大坂着。

継之助らは、その大坂にいる。

将軍（厳密にはすでに将軍ではない）慶喜が大坂にもどってきたとき、城内がどよめき、

「このひとを擁して京の薩長と戦おう」

と、ことごとくがおもった。新政府を独占している薩長は、慶喜と佐幕系諸藩を京から締めだしてしまった。うかうかすると、朝敵にされてしまうのではないか。

「それが薩長の魂胆でございます」

と、継之助は病臥《びょうが》中の藩主忠訓にいった。忠訓は例の風邪がなおらず、そのうえ船酔いで消耗し、大坂についてからはずっと寝たきりであった。

「われわれとしてはどうすればよい」

と、忠訓はいった。

「左様……」

継之助は、沈思した。もともとかれの基本方針は「時勢から超然として長岡藩の独立をはかる」ということであったが、しかしこのように時勢の火のなかにとびこんでしまった以上、徳川家の窮状を見て見ぬふりをするわけにもいかない。

「継之助」

忠訓は、体をおこした。

「このままでは徳川家はほろぼされてしまうのではないか」

「ほろぼされるというよりも、ほろびてしまう。秋になって木の葉の落ちるがごとく、自然の勢いというものでございます。傷《いた》むべきことではありますが、悲しんではなりませぬ」

継之助にいわせれば、一権力の興ること、ほろぶることは自然の摂理である。春夏秋冬によって消長する樹木とすこしもかわらない。そのほろびに心を傷めることはいいが、いたずらに悲しむのは愚者の心である、という。

「むごいことをいう」

「左様。智恵の道は酷《むご》うございまするよ」

「それでは、われわれ徳川《とくせん》の譜代大名としてはだまって口をあけて傍観していろということか」

「むずかしいところでございまするな」

継之助は御前をわすれて腕をくんだが、すぐ気づき、あわてて腕を解いた。

「いいのだ、腕を組め。考えてくれ」

「いいえ、考えは簡単でございます。ふたつの道しかありませぬ」

「ひとつは？」

「俠気《きようき》の道」

と、継之助はいった。その道はこのさい長岡藩が小藩なりといえども将軍のため京にむかって一矢を送るということであった。しかしそれをやれば徳川家と抱き合い心中の道をたどることになるであろう。藩主は、歴史の断頭台にのぼらねばならない。

「これは、おすすめできませぬ」

「いいや、かまわぬぞ」

と、忠訓は若い顔に血をのぼらせた。継之助はそういう忠訓が大好きであった。好ましげにその顔を見入りながら、

「ともあれ、長岡藩の立場は、むしろ徳川《とくせん》の御家以上に今後むずかしゅうございましょう。しかしながらこの時勢を切って抜けるにはなんとか絵をかいてゆかねばなりませぬ。とにかくいまは、京へのぼりましょう」

「京へ」

「新政府に徳川《とくせん》の御家の立場を弁明し、天下の正義に訴えるほかありませぬ」

藩主忠訓は、薄がゆ一椀《わん》がやっとというからだである。

「継之助、わしもゆく」

といった。京へ、である。枕頭《ちんとう》にいた典医が、顔色を変えた。この病状で京へのぼればいのちにかかわるかもしれない。

「河井どの」

と、典医が継之助のほうを見た。とめてほしい、という目と顔つきである。

「ばかだなあ」

継之助は小声で医者を叱《しか》った。当然、その声は藩主忠訓の耳に入る。

「継之助、なにか申したか」

「この詮庵《せんあん》に申しております」

「なにを申しておる」

「馬鹿《ばか》だと」

継之助は、無愛想な顔でいった。かたわらにいた棚野嘉兵衛が、

「継之助、御前であるぞ。つつしめ」

とたしなめたが、継之助は黙殺し、その理由を話した。

「人間のいのちなんざ、使うときに使わねば意味がない」

という旨《むね》のことを藩主に言うでもなく詮庵にいうでもなく、つぶやいた。

「たとえ殿さまといえども一個の男子であり男子として考えて差しあげねばならぬ。こんにち殿さまは義侠によって上洛《じょうらく》あそばす。このとき御病気なるがゆえにお控えなされたとすれば、あと百年のお命があったとしてもそれは無駄《むだ》というものだ。いま徳川家は危機に瀕《ひん》しておる。三河以来の譜代におわす牧野家の御当主としては、このとき敵地へ乗りこみこのとき陳弁せねばなんのための譜代であろう。世々七万四千石の御禄《おろく》をいただいてきたのは、この一日のためにある。男子とはそういう一日を感じうる者を言うのだ」

「お言葉だが、私は医師として」

「左様、貴殿は医師である。されば殿様のお命をあと数日お保《も》たせするよう努めよ」

「河井どの、お言葉がすぎる」

と、医師の詮庵が怒気とともに叫んだ。

「殿さまのお命、お命と申されるが、殿さまはそれほどのご容体ではない。たかがお風邪であり、たかがご疲労でござる」

「そうだろう」

継之助は、刺すように笑った。

「だから医師どのも大層なことを申すな。たとえ殿さまがご重体であろうと押して上洛なされ、新政府のお庭でお息が絶えるほどのお覚悟で上洛なさるべきだ」

「継之助、わかった。わしはそのつもりでいるのだ」

と、若い忠訓は閉口したようにいった。

「わしのいのちはそちが申すように、上洛の一日のためにある」

「左様。御上洛がおわりますれば、その翌日のためにござります。その翌日がおわりますれば、さらにその翌日のためにござります。生は事を行うための道具にすぎませぬ」

それが陽明学の基本思想なのであろう。生は生そのもののためにあるのではない、という継之助の考えを、この若い藩主はよく理解していた。

「さあ、それはよしたほうがいいのではないかな」

といったのは、老中筆頭の板倉勝静であった。温厚で聡明《そうめい》な紳士、というのが外国公使のあいだでの板倉の評判であった。

その板倉が、会いにきた継之助にそういった。かれは継之助に好意をもっていた。継之助が、かれの家老山田方谷《ほうこく》の門人であったことを知っているのである。

「よしたほうがいいだろう」

上洛のことを、である。

板倉は、徳川慶喜のお供をして京から落ちてきた。会津・桑名両藩の藩兵も、いっせいに京をひきあげた。いまや京にいるのは、

薩摩

長州

土佐

芸州

尾張

の勢力である。土佐、芸州、尾張の三藩は勤王中立主義というべきものであったが、現実の問題として薩長に加担し、京都占領の連合軍の一員になっている。

「そこへ、譜代藩の長岡藩主従が藩兵をつれてのりこんでゆくのは無謀だよ」

と、老中筆頭の板倉はいう。

「京はな」

板倉はため息とともにいった。

「欠々の巣窟《そうくつ》だよ」

とも、いった。

「ケッケツとは？」

「二字欠落しているのさ。その二字をそのほうが勝手に想像して入れてごらん」

(狂人の巣窟ということかな。それとも悪人の巣窟ということだろうか)

継之助は考えた。

「その欠々どもが、幼帝を擁して宮廷に籠《こも》ってしまった。われわれは後手々々《ごてごて》にまわらされて、ついにこういうはめになった。欠々どもはあとは仕事がしやすいだろう。勅諚《ちょくじょう》をどんどん濫発《らんぱつ》できるし、その勅諚によってわれわれを朝敵にしようとしている。当方がちょっとでも落度をみせれば、もうその日から朝敵にされ、賊軍にされてしまう」

「おそれながら」

と、継之助はいった。事の真相をきくために板倉にお人払いをしてもらいたい。それを懇望した。

板倉は、こころよく人を払ってくれた。継之助は質問した。

「上様(慶喜)に、ご戦意がないのか」

ということであった。慶喜が処女のようにおとなしくなってしまっているのは、あれは本音か、それとも将来の開戦を考えての擬装か、ということであった。

「わからない」

板倉はいった。ただ板倉は、京都を去る前後、京の薩長兵を撃滅することを慶喜に上申してみたが、慶喜はかぶりを振った。そのときの慶喜のことばとして、

「いったんは勝つとも、大勢には抗することはできない。考えてもみよ、徳川家には西郷吉之助、大久保一蔵をむこうにまわして政戦ともに戦える者が半人でもいるか」

ということが印象的であった、という。慶喜はもう、すべてに自信をうしなっているのである。である以上、へたにあがいてはかえって非になるとおもっているようであった。

いよいよ今夜上洛ときまった日の午後、継之助は一同をあつめてふたたび訓戒した。

「斬《き》られよ」

という、例の訓戒である。

京は、無警察状態であった。幕府の警察組織はすでに京をひきはらっていた。新選組も伏見へ退去したし、町奉行は大坂へ去り、京都守護職（会津藩）も大坂にひきあげており、市中を巡回する者は、

長州
土佐
芸州
尾張

あわせて五藩、いわゆる宮門守護藩の藩兵だけであった。徳川直系の越後長岡藩の藩主と藩兵が京に入れば、かれらは昂奮《こうふん》し、あるいは衝突事件がおこるかもしれない。かつ、市中を横行する者は、新政府樹立をきいて京に馳《は》せあつまってきたいわゆる勤王を称する浮浪の徒で、かれらは好んで挑戦《ちょうせん》してくるにちがいない。

「斬られよ」

というのは、そのことであった。

「いっさい刀を抜くな。つかにも手をかけるでない。おとなしく斬られてしまえ」

と、継之助はいう。

「もしもだ」

と、念を入れていった。それに応戦すればかれら薩長はその事件を言いがかりにして長岡藩主牧野忠訓を「朝敵」にし、さらに上様に累《るい》を及ぼさせ、徳川討伐のよき口実にするであろう、ということであった。

「薩長は、戦さをしたくて仕様がないのだ。徳川《とくせん》を朝敵にして天下に号令し、天下の兵をそそのかせてそれを討つ。ところが上様はそれに乗り給《たま》わず、たくみに身をかわして大坂へひきあげなされた。そこを思え」

「お話の途中ですが、河井どのは、それについてどう思われます」

と、質問した者がある。京で開戦しなかった慶喜の態度を腑甲斐《ふがい》なしとしてくやしがる向きは、会津や桑名藩士に多い。当然、継之助の長岡藩士にもその気分がある。

継之助は、慶喜の立場を是としていたからそれをくわしく説明した。

「おれが将軍でも、そうしている」

と、継之助はいった。

「あのとき京で開戦すれば、薩長の思う壺《つぼ》に入りこむようなものさ」

「なぜでしょう。あの小御所会議の時期においては慶喜公の麾下《きか》は、薩長の人数をしのぐこと数倍です。勝ちます」

「勝つ勝つ」

継之助は、笑いだした。そりゃ勝っているわさ。京都ではね。その辺のことは薩摩の西郷は百も計算ずみさ。薩長は京都において敗戦するが、幼帝を抱きかかえて丹波路へ逃げ山陰を経て芸州広島城あたりに幼帝を動座申しあげ、そこで錦《にしき》の御旗《みはた》をひるがえして、国中を真二つに割って徳川《とくせん》と決戦しようとするだろう。おれが西郷でもそうするさ。

「とどのつまり、いずれが勝ちます」

「時勢を背負っているほうが勝つね」

「それは、いずれの側でしょう」

「おみしゃん、頭がわるい」

継之助は薩長だといいたいのだが、それは公言できない。

ともあれ、その夜、大坂天満《てんま》から三十石船に分乗し、淀《よど》川をのぼった。

夜あけに、舟が伏見についた。休息もせず行列をととのえて京へゆく。

道は、竹田街道をとった。京へは三里である。行列は、略式であった。毛槍《けやり》を立てて進むあの大名行列は遠慮した。

藩主牧野忠訓は、駕籠《かご》である。駕籠わきは継之助の義兄椰野嘉兵衛がまもった。この役は死役《しにやく》といわれ、兇漢《きょうかん》が襲ってきたばあいは一歩もしりぞかずにお駕籠にはりついていなければならない。

これより前《さき》、継之助は、

「両刀のつかに、つか袋をつけよ」

と、全員に命じておいた。雨がふれば刀のつかが濡《ぬ》れ、目釘《めくぎ》から水が入り、なかごを通って刀身を濡らすおそれがあるがために、革製のつか袋をつばまですっぽりとかぶせる。刀の雨具というべきであろう。

便利であるが、とっさの闘争にはむかなかった。つか袋をとるだけでずいぶん時間がかかり、そのあいだに斬られてしまう。万延元年三月三日の大雪の朝、江戸城桜田門外で水戸浪士のために襲撃された大老井伊直弼の供侍も、ことごとくつか袋をつけていた。このため難渋した。はずそうとしているあいだに斬られた者もあり、やむをえず鞘《さや》ぐるみでたたかった者もいる。

「雨もふらぬのに」

と、みな不服だったが、継之助は頑《がん》としてきかず、強制してつけさせた。しかも念の入ったことに、紙のコヨリでつばと鞘をむすびつけ、抜けぬようにさせた。

継之助は、先頭にいる。行列が京に入ったのは、午前九時ごろだった。

堀《ほり》川の河端で、継之助がおそれていたものがやってきた。北から歩いてくる。

三人づれである。継之助のいう、

——高下駄《たかげた》、長刀、鳶肩《とびかた》、鷹《たか》の目

の徒である。月代《さかやき》をほそく剃《そ》り、まげは折らずに後ろへ垂らし、黒紋服の肩をいからせ歯の高い下駄をがらがらとひきずっている。絵にかいたような勤王過激の徒である。革命政府の樹立をきいてどこぞの田舎からのぼってきた徒にちがいなく、首筋が道中焼けでまっくろであった。

「どこの藩ぞ」

と、三人は立ちどまった。

(来やがった)

継之助は、おもった。

かれらの無教養ぶりには、一つ話がある。文久二年秋から同三年春あたりにかけて京の情勢は勤王派によく、一時、田舎からむらがるように浪士が出てきた。会津藩の宿の前をかれらが通ったとき、

「クヮイズ? これはどこの藩だ」

と口々に関札《せきふだ》をながめては首をひねったという。会津といえば戦国以来有名な土地であり、会津藩といえば幕府でも御三家に次ぐ家格をもち、しかも大藩である。その会津の文字が読めず、会津藩の存在をも知らぬ程度の者まで国事に奔走すべく京へ馳せのぼってきていたのである。

もっともかれらはほどなく長州藩の失脚で弾圧され、四散した。ところが京都に新政権ができるや、ふたたび同類の者が事変を求めてのぼってきているのである。

——何藩じゃ。

と浪士体の者は高声で言いあっていたが、やがて行列に近づき、

「率爾《そつじ》ながらうかがいたい。何藩でござる」

と、吉沢三郎という年少の藩士にきいた。吉沢は少年のように頰《ほお》が赤く、そよぐほどにまつ毛が長い。おどろいて目をあげたが、しかし無言でいた。

——道中は無言でいろ。

というのが、継之助の厳命なのである。しかし吉沢は狼狽《ろうばい》してしまった。大名行列に話しかけてくるというような馬鹿げた事態は江戸三百年のあいだあったためしがない。

(そういう作法を知らぬほどかれらは無智《むち》なのか)

と、継之助は右の応答を背中でききつつおもった。

(それとも、大名行列の尊厳も地に堕《お》ち、単に路傍の人間のむれにすぎなくなったということなのか)

浪士は、吉沢に黙殺されたことがかんにさわったらしい。

「当方が辞を低くしてきいているのに、なぜだまっている」

吉沢はたまりかね、無言の禁をやぶった。切腹を覚悟して、列外に離れ、

「ものをきくならば、まず自分の姓名から名乗るのが礼ではないか」

と、その浪士にいった。

「これは粗忽《そこつ》であった」

浪士は、意外におとなしく折れた。かれらが名乗ったところでは、

――有栖川宮の御家来

ということであった。おどろいたか、といわぬばかりの気勢である。

が、吉沢はおどろかなかった。そういう藩の名はきいたことがないからであった。

妙な時代である。

もともと京の朝廷は天子の御用から公家の封禄《ほうろく》をふくめてぜんぶでわずか一万石しかなかった。このため親王や公卿《くぎよう》が貧窮し、わずかに芸事などの免状の手数料などをとって生計の不足をおぎなったり、屋敷を賭場《とば》に貸してテラ銭をとったり、カルタの絵をかく内職をしたりして口に糊《のり》してきた。この状態では、家来などをかかえられる余裕がない。

ところが幕末になると、宮家の家来と称する者や、公卿の家臣という者がふえてくる。

じつのところ、そのほとんどが浪士あがりで、お扶持《ふち》もお手当も出ない。名目だけを藉《か》りて、奔走のための手段としている。この手合も、このどさくさでそういう名目を得たにすぎないのであろう。

吉沢はそういう事情に昏《くら》いため、

「有栖川とは、どの藩でござる」

とききかえした。これが、浪士どもを刺戟《しげき》した。おそれ多くも宮家をつかまえ、腐れ大名とまちがうとはなにごとだ、とわめいた。

「あっ、宮家でありましたか」

吉沢は、無智ながらもそれが尊ぶべき存在であるということぐらいは、ほのかに知っている。すぐ、自分の藩名をいった。

「越後長岡の牧野家？　それは外様《とざま》か」

「いいえ、譜代藩でござる」

「されば、佐幕か。佐幕藩がなぜいまごろ京にのぼってきた」

浪士は、たちまち居丈高《いたけだか》になった。

余談だが、この時期、討幕の大謀主ともいうべき薩の西郷吉之助は、徳川慶喜がいかようにも挑発《ちょうはつ》に乗らないのにあせりはじめていた。

——喧嘩《けんか》にならない。

西郷にすれば相手が激昂して剣を抜かなければ討伐はできない。剣は徳川から抜かせねば、王師を動かすわけにはいかなかった。

このため、配下の益満休之助《ますみつきゅうのすけ》と伊牟田《いむた》尚平を呼び、

「江戸へゆけ。江戸で騒ぎをおこせ」

と命じた。江戸にはこういう騒ぎをおこすのにうってつけの浪士団がいた。かつて土佐藩の板垣《いたがき》退助のもとに、

——かくまってくれ。

と頼んできた連中で、筑波山《つくばさん》に屯集《とんしゅう》していたいわゆる天狗《てんぐ》党の生き残りである。かれらは志士というほどの教養もなく、武士ということすらその素姓はあいまいで、要するに暴徒というほかない連中であった。板垣退助はこれらをまとめて西郷に談合し、

——土佐藩では藩論が複雑で、こういう連中をかくまうことができない。貴藩でかくまって頂けるだろうか。

というと、西郷は快諾し、かれらを江戸三田の薩摩藩邸に収容しておいた。

いま、西郷にとってかれらの役立つときがきた。益満と伊牟田に命じたのは、

「かれらを市中に放って乱暴狼藉《ろうぜき》させよ。盗賊、打ちこわし、放火、なんでもよい。江戸を混乱させよ」

ということだった。

——薩藩が彼らの背景にあるということを露骨に示せ。旗本どもが激昂するだろう。ついに幕府が江戸で武力行使をせざるをえなくなるだろう。そのように仕向けるのだ。

ともいった。益満と伊牟田は大坂から軍艦に乗り、江戸へ急行した。結果は西郷の思うつぼに幕府がはまりこむのだが、そういうあとのことまでは、いまの継之助の場合には必要がない。

継之助は、さとっている。この京の浪士が、やはり右のような大きな政治的理由のなかで踊っているのであろうということを、するどく感じていた。

継之助は、先頭を歩いていた。しかし許可なく列外へ去った吉沢三郎のことが気になり、横の花輪馨之進《けいのしん》にむかい、

「行列の下知《げち》（指揮）はおみしゃんにたのむ」

と言いすて、列外にはなれた。吉沢と浪士が喧嘩をすればもうそれだけで天下の大

乱をひきおこすかもしれず、その危機感が継之助をあせらせた。かれは行列と逆行しつつ陣笠《じんがさ》をとり、列のなかにいる者にあずけ、さっさと歩いた。

なるほど、堀川端で浪士三人と吉沢とが激しく口論していた。

「おのれのような」

と、浪士はそういう言葉をつかった。

「端《は》っぱ者にはわからぬ。藩主を出せ。藩主をここへひきずり出せ」

といっているのである。吉沢にすれば殿さまを侮辱されてこれ以上だまっているわけにはいかない。ついにつか袋のひもを解こうとした。

継之助は、浪士の背後に立ち、

「たいそうご立腹のようだが」

と、聞きとれぬほどに低い声でいった。浪士たちは、ぎょっとふりかえった。

「何者だ、足下《そっか》は」

と、浪士のひとりが、自分のおびえをかくすようにして叫んだ。それほどに継之助の両眼に凄味《すごみ》があった。

「河井継之助と申す」

声が、思いきって低い。牧野駿河守《するがのかみ》家来でござる、とつけ足した。

「まず、お話をうけたまわりたい。お話がいかにも重要そうでありますゆえ、体が疲れぬよう、これなる石燈籠《いしどうろう》の台にすわらせて頂く」

と、路傍の燈籠台のほこりをはらい、ゆるりと腰をおろした。すわっている者には斬《き》りつけにくいことを計算したうえだった。

「お歴々も、この万燈籠へどうぞ」

継之助は扇子をひらき、すぐ閉じ、——なにぶんわれらは越後の田舎者でござってな、といった。

「海と申せば北海しか知らず、島と申せば佐渡しか知らず、そのような田舎者がうまれてはじめて花の都にのぼってきたのでござる。作法もゆきとどかぬことがあるでありましょう。そのぶんは、この継之助がひらに御容赦を乞《こ》います。——しかしながら」

と、継之助はつづけた。

「これからのちの日本はこうではありませぬからな。越後の者も薩摩の者もたがいにゆききし、たがいに啓発しあい、たがいに大いに利口にならねばなりませぬ」

なぜ、京へのぼってきた、と浪士がきいた。

「藩主駿河守は」

と、パチリと扇子をひらいた。

「若年でござる。江戸のことは存じおれど、京のことは存じませぬ。このたび王政に復古されたるを幸い、いちど京を見せ、御所をおがませ、親王さまやお公家衆にも拝《はい》謁《えつ》させ、京のいかにありがたきものであるかをよくよく知らしめねばならぬと思い、かように供をして参った仕儀でござる」

「すると、勤王か」

「むずかしいことは存じませねど、まずまず京のありがたさを知らしめ」

「おお、京はありがたいものだ」

「左様、まことに」

継之助は芝居がかった思い入れで、あちこちをながめまわした。しかしながら本心はなにがありがたいか、と大喝《だいかつ》したい思いである。神主まがいの公卿どもが国政をとるような新政体で、日本がヨーロッパ文明とどう対決するのであろうと叫びたかった。

「まず、それならばよかろう」

浪士たちは継之助が薄気味わるくなってきたらしく、もはやおどすよりもこの場からひきあげたくなったらしい。

「御免」

と、木履《ぼくり》の音もたかだかしくその場を去って行った。継之助はにがい顔にもどり、吉沢三郎に一喝し、

「本来なら、切腹だ。しかしきょうはとくに見のがす」

と言い、ゆっくりと行列のあとを追いはじめた。


なにしろ、京は敵地である。

――薩長が、わが長岡藩にむかってなにを仕掛けてくるかわからない。

というおそれがあった。たとえば、その宿舎を襲撃して討幕の火の手をあげるということもあり得るであろう。

これをふせぐため、継之助としては、ぬかりがあってはならない。

すでに京には三間市之進という腕ききの吏員を先発させてあり、この三間が、朝廷や雄藩のあいだを駈《か》けめぐって藩主上洛《じょうらく》に関する了解をとりつけてあった。

宿所も、用意した。

北野天満宮の境内には社僧の塔頭《たっちゅう》がいくつかある。そのうちの林静坊というところで、ただふとんの用意がない。

藩主とあと数人のぶんだけはある。

「ふとんは、殿さまだけでいい」

と、継之助は到着すると、そういった。十二月の寒天ながら、

「身分にかかわらず広間でごろ寝せよ」

といった。継之助だけは御用部屋として一室をとったが一人一室というのはひどく寒く、このため五、六人をよびこんで火鉢《ひばち》がわりにした。

翌日午後、御所から、

「まかり出よ」

というゆるしがおりた。継之助は正使になり、副使には三間市之進をえらび、御所へむかった。藩主忠訓がゆくべきところ、かれの病状が上洛とともに重くなり高熱がさがらず、このため継之助が、

「牧野忠訓代人」

という資格でゆかざるをえなくなったのである。

「生きては、帰れぬかもしれませぬな」

と、三間はみちみち継之助にいった。継之助が懐中にひそめている「建白書」というものが、世にも激越な文章であることを三間は知っていたからである。

その建白書というのは、

――おそれながらつつしんで申しあげたてまつり候《そうろう》。

からはじまっている。

「わが長岡藩牧野家は徳川氏の家来である。朝廷の御直々の御命令をうかがう立場でなく、すべて徳川氏を通されよ。ところがその徳川氏に対し朝廷はなんという仕打ちをなされたか。まことに迷惑である」

つづいて暗に薩長をさし、

「姦雄《かんゆう》」

とし、「姦雄」が乱世につけ入り、「巧みに尊王の名を借り、あわせて浮浪の激徒どもは時勢のなんたるかも知らずいたずらに狂暴擾乱《じょうらん》」と書き、「要するにかれらには公憤などはない。すべて私憤から出ている」とのべ、ついで、

「かれら（薩長）は年来、幕府に攘夷《じょうい》をせまり、幕府がそれをできぬというと、朝廷の御威光をかりて責め、討幕の口実にしようとしている。ところがかれらはすでにその藩国においては外国と交際し、通商をし、兵器も買っているではないか。これは朝廷と天下をあざむくものである」

などと言う。もし朝廷がこの一文に怒れば藩主も継之助も切腹であろう。しかし継

之助はその文章の末尾にいう。

「こんにちの狂態、天下のためにだまっていられない。及ばずながら決死の諫言《かんげん》を朝廷にささげますが、このため死を賜わっても悔いはございませぬ」

御所に、

「参与所《さんよどころ》」

というあたらしい役所ができている。新政府の新官職である「参与」の詰め所である。参与は岩倉具視ら公卿が五人、西郷吉之助ら諸藩出身の者が十余人で構成されていた。

——それへ参れ。

ということだったので継之助は堺町《さかいまち》御門から入った。御門には、薩摩、長州、芸州、尾州など新政府派諸藩の銃隊がいかめしく警備している。

継之助が、主人の名、わが名、用むきなどをいうと、ずいぶん待たされた。やがて薩摩の隊長らしい男が出てきた。

小ぶとりで、童顔の若者である。継之助がおどろいたのはその男の服装であった。上質黒ラシャ製の洋式軍服で、金ボタンをつけ、袖《そで》に金の筋を縫いつけており、どうみても西洋人のすがたである。

「拙者は、薩の大山弥助と申す者」

と、その若者はいった。この若者がのちに大山巌《いわお》と改称し日露戦争のとき、日本陸軍をひきいて満州で戦う人物になろうとは、このときの継之助にはむろん想像もできぬことであった。継之助がおどろかされたのは、若者そのものではない。かれの服装である。

（ばかにしてやがる）

と、継之助はおもった。

幕末の武士の戦闘服がひどくかわったものになったはじめは、長州藩であろう。幕府に攻められて、藩境で奮戦した。このときの長州兵のすがたは、和服ではない。といって洋服でもない。洋服まがいの筒袖でボタンはなく着物のように前あわせになっており、腰から下はモンペまがいのズボンである。生地《きじ》は西洋の兵隊服のように堅牢《けんろう》なものではなく、べろべろの木綿地であった。

「長州人は、カミクズヒロイのようなかっこうでやってきた」

と、後年、勝海舟は語っている。

「幕軍は、陣羽織を着たり、具足を着けたりという戦国さながらのかっこうだ。長州人はそういう軽装であるため運動しやすい。幕軍の敗因のひとつはそういうことだ」

この長州藩兵の変り服の出現と前後して幕府では新徴募の「歩兵」に対し、前ボタンの洋服を着せた。ボタンにわらじがけといったかっこうで、その姿を見て世間では段ぶくろといった。

慶応三年——継之助のこの時期——になって幕府海軍が、榎本武揚《えのもとたけあき》の立案で、欧州の士官服にもまけぬくらいの軍服をつくり、幕府歩兵の士官たちもそれにならった。

しかし、一般の藩で西洋人もどきの士官服を着ている藩はない。

そうおもっていたところ、薩摩藩のこの士官をみて継之助はその意味でおどろいたのである。第一、継之助にいわせればこの一事でも薩摩藩は奸悪《かんあく》であった。幕府への攻め太鼓として「攘夷攘夷」といっていながら、かれら自身はこのように洋式化している。

「通りあれ」

と、大山弥助はいった。継之助が大山と接触したのは、この一瞬だけである。

継之助は、御所のなかを歩きはじめた。むろん、こういう場所に来るのはうまれてはじめてであった。

（どうも、ちがう）

江戸城などとはちがうのである。江戸城は地上の支配者のための宮殿であり、それだけにひとを威圧する美しさがある。威圧を主題に建てられている。初代将軍の家康は日光東照宮にまつられたが、ありったけの金銀で飾ったようなあの華麗さはどうであろう。やはり地上の支配者のねむる霊殿にふさわしい。

しかし京の御所はちがう。豪華よりもむしろ清浄なることが主題になっている。清らか浄《きよ》らかというのは神道の美意識であり、宗教意識であり、あるいは神道そのものというのは浄らかということかもしれない。京の御所はそうしたもので、やはり地上の支配者のすまいでなく、かたちのない、たとえば神といったような者の住いにふさわしい。


「天子は、神である」

というのが、日本人の土俗信仰である。日本語でいう神というのは「清浄なるものの極致」という意味であり、切支丹《きりしたん》の神や、讃岐《さぬき》の金比羅《こんぴら》さんのような仏教神や、天神さんのような、菅原道真《みちざね》の怨霊《おんりよう》を祀《まつ》ったような神とは、成立がちがっている。それらの神は、なんらかの力をもっている。


日本古来の原始神は、ほとんど力をもたない。人に金もうけの運をもたらしてくれないし、人の病気をなおしてくれず、長寿をもたらしてくれるわけでもない。ただ浄げに存在し、ただ人の尊崇をうけるだけである。

(そういうものだ)

と、継之助は理解している。陽明学徒であるかれは、この思想の先哲である山鹿素行《やまがそこう》の中朝事実《ちゅうちょうじじつ》を読み、神道のなにものであるかを知った。血の崇拝なのである。

氏族の先祖神を神としておがむのは、血脈に対する崇拝であろう。神道では日本人の最初の原種が天皇の先祖である。そのため、天皇は日本人という氏族連合の長《おさ》であり、その長は、日本最高の氏族神である天照大神《あまてらすおおみかみ》につかえている。天皇は、同時に神巫《かんなぎ》(神主)なのである。それゆえに神に近し、といったのであろう。

(そういうことなのだ)

継之助の天皇観は、そうであった。神であり神巫であるため、天皇に地上の支配権を持たせてはいけない。持たせることは天皇をけがすことになり、ほろぼすことになる。天皇が神であっても政権のぬしではなかったということが、この血脈をこんにちまでつづかせてきたことだと継之助はおもっている。

(薩長はけしからぬ)

とおもうのは、そのことであった。天皇を擁し、天皇に政権をもたせ、天皇に政治をおこなわせようとするのは、日本歴史をみてもあきらかなルール違反であり、薩長はかつぐべからざる存在をかついで革命をおこなおうとしている、とおもった。

御所の参与所とは、かつては、

「鶴ノ間」

とよばれた部屋で、幕府さかんなころは京都所司代がここまで参入し、公卿《くぎよう》と対面した。公卿たちは所司代にまた叱《しか》られるかとびくびくものでこの鶴ノ間にあらわれたものであったが、しかしいまは逆であった。公卿が、まるで自分が天下をとったがごとくに背をそらせている。

(われわれだけかとおもえば)

と、継之助が意外におもったのは、この控えの間に、他藩の家老級の藩士もいることであった。彦根《ひこね》藩、膳所《ぜぜ》藩など六、七藩の者で、参内した理由のひとつは新政府によびだされたということらしいが、他のひとつはかれらにとって見当のつかぬこの新政権の様子をさぐるためであるらしい。みな不安気な顔をし、目をきょときょとさせていた。

継之助は、かれら諸藩の者と一括した場所にすわらされた。

やがて上段に公卿たちがあらわれ、継之助らは平伏した。

公卿たちは、位階の順にならんだ。中山前大納言《さきのだいなごん》、正親町《おおぎまち》三条大納言、万里小路右《までのこうじう》中弁《ちゅうべん》宰相、岩倉少将、という顔ぶれである。

(なにごとがおこるか)

と継之助は期待した。継之助の建白書の写しはすでに差しだしてある。かれらが読んだとすればどうであろう。

が、なにごともおこらなかった。非蔵人《ひくろうど》を通じて、

「天皇さまに対し奉《たてまつ》り、よくよく忠勤をはげむように」

という、それだけのことであり、それだけでかれらは上段の間から消えた。なるほど謁見《えっけん》というのは意見の交換の場ではなく、儀式なのである。

(なんだ)

継之助はおさまらず、なおも控えの間ですわっていると、非蔵人があらわれ、

「あす、議定所へのぼるように」

と、申し渡した。

その翌日、継之助はさだめられた刻限にふたたび御所へゆき、議定所へ入った。

定刻、かれの前にあらわれた公卿は、長谷《はせ》三位《さんみ》と五辻《いつつじ》少納言であった。

「そのほう、牧野駿河守の代人であるか」

と、長谷三位がいった。継之助が平伏すると、非蔵人が進み出て、継之助の建白書の写しでないほうを差しだした。

「そのあらましを、申しあげまする」

と、継之助は非蔵人にいった。この非蔵人に言うかたちで建白書の要旨を弁じはじめ、次第にことばが激してきて、

「薩長の奸人輩」

と名ざしで言い、

「朝廷には薩長の武力をお恃《たの》みなさるのあまり、東国に武士はおらぬかに思うておられまする。左様なことで暴慢の政治をなされては天下の乱に立ち至りましょう」

そこまでいったが、長谷三位には別に反応はなく、継之助はむなしくひきさがった。

鳥羽伏見

——殺されるだろう。

という覚悟で、継之助はこの建白書を上呈したのだが、公卿《くぎょう》たちは意外に鈍感であり、これほど激越な文章をみてもべつに反応がなく、非蔵人《ひくろうど》をもって、

「たしかに読んだ。委細承知した」

という長谷三位の返事をきいたのみであった。

——委細承知した。

というのは、「薩長《さっちょう》を追い出し、徳川慶喜《よしのぶ》の名誉を回復すべく努力する」ということなのか。

(それならば非常な効果だ)

と継之助はおもったが、相手のことばはいかにも手軽に、それほどの決意がこめられていようともおもわれない。

ともあれ、継之助は宿所の北野林静坊にひきあげ、藩主牧野忠訓《ただのり》に復命した。

「お聴きとどけあったか」

と忠訓はよろこびの声をあげたが、継之助はなかば浮かぬ顔でいた。

(公卿など、女郎のようなものだ)

女郎の起請文《きしょうもん》をたれも信用せぬように公卿のことばなど、信ずるほうがばかをみるのではあるまいか。

「ともあれ、徳川家《とくせんけ》へのいささかの義理が立った」

と、牧野忠訓はいった。家康のころから牧野家の当主は徳川十七将のひとりであり、徳川家の興隆とともに大をなした。いま徳川家が浮沈のさかいにあるとき、他の譜代大名は右往左往するのみでわずかの力をも出そうとはしない。牧野家は微力ながらもそれをした。忠訓はそのことに満足した。

「そうではないか、継之助」

と、忠訓はいった。

(なるほど、それで満足すべきか)

とも、継之助はおもう。

もっぱらのうわさでは、先日の小御所《こごしょ》会議で土佐の山内容堂が、薩摩の島津と公卿の岩倉具視《ともみ》をむこうにまわしてすさまじい論戦をした。容堂はこの会議にのぞむにあたって大酒をのんで勇気をつけ、長広舌をふるって徳川慶喜を弁護し、薩摩の謀略を攻撃し、ついにはたれもが容堂の舌鋒《ぜっぽう》にすくめられてしまった。が、その容堂でさえ、会議の休憩後は沈黙した。

——大勢は、ひとりふたりの弁舌ではどうしようもない。

と、容堂はあきらめたのである。あきらめつつも容堂は、

「これで関ヶ原の恩は返した」

と、あとでいった。土佐の山内家は、関ヶ原以前においては遠州掛川《かけがわ》で六万石の小大名であるにすぎなかったが、関ヶ原の功により一躍土佐一国に封《ほう》ぜられ、二十四万石の太守になった。その徳川家の恩をあの弁論をもって返した、と容堂はみずからをなぐさめたのである。

あの大藩の指揮者である容堂でさえその程度の力しかふるえなかったところからみれば、わずか七万四千石の牧野家としてはこれが精一杯のところだと思うべきであろう。

継之助らが大坂にかえると、城内は破《わ》れるようなさわぎであった。

――京の薩長を討つべし。

というのである。会津藩兵と桑名藩兵の激昂《げっこう》がもっともすさまじかった。

「なにごとがおこったのです」

と、大手門のそばにいた顔見知りの会津藩士にきいた。林権助という名だった。

「江戸ではもう、いくさがおこっているのです」

と、林権助はいった。

（まさか）

継之助はおもったが、すぐ藩士たちを幕府の要人のもとに走らせてしらべさせたところなかば事実であった。

江戸で、暴徒が横行していた。白昼兵器をたずさえ、徒党を組んで富商の家などに押しこみ、捕吏がむかうと捕吏を殺傷し、とうてい町奉行所などの平時警察の力では手も足も出ない。しかもかれらはことごとく三田の薩摩藩邸にひきあげてゆくという。

――薩藩がかれらをおどらせている。

というのが、たれの目にもあきらかであり、かれらを鎮圧するにはその潜伏場所である薩摩藩邸を武力で攻撃する以外にない。

「武力で、薩州邸を攻撃すべきです」

と主張したのは、幕閣のなかでもっとも尖鋭《せんえい》的な幕府中心主義者である勘定奉行の小栗上野介忠順《おぐりこうずけのすけただまさ》であった。

「われらに必要なのは、もはや勇気のみ」

と、小栗は力説した。

しかし江戸の閣僚たちはためらった。幕藩体制にあっては、藩邸というのは国際間における外国公館に相当している。そこには治外法権がみとめられ、犯罪についての捜査権も幕府にはなかった。もしそれを武力で攻撃するとなれば、徳川家と薩摩藩とのあいだに公然たる戦争状態がおこるということになる。

「それでは、どうか」

江戸の閣僚は、迷った。

なぜならば徳川家における最高首脳はみな大坂にいるのである。慶喜をはじめ、首相の板倉勝静《かつきよ》(老中筆頭)もそうであり、それほどの重大なことを決定するのは大坂であるべきであり、江戸の留守居の官僚たちできめるべきではない。

「きめるべきである」

と、小栗は主張した。小栗は京における慶喜らの軟弱な態度にあきたらず、早くから薩長勢力の武力討伐論をとなえ、しかもかれ自身の手でフランス政府と密約し、その資金兵器の援助をうけるという確約まで得ていた。

ついに小栗は押し切り、庄内《しようない》藩に命じ、大砲まで用意し、この二十五日薩摩藩邸を包囲して焼いてしまったのである。薩人や暴徒の多くは逃げ、品川沖から薩摩汽船に乗って江戸を離れたという。

その報が、二日で大坂につたわった。大坂の会津藩士らは激昂し、

「当方も開戦し、京を攻め、薩長を追いおとすべし」

と、幕府要人にせまったのである。

城留守居の首脳が、府内三田の薩摩藩邸を砲撃し、それを全焼せしめ、薩人と悪徒数百人を駆逐した、という報をもたらしたのは、幕府の大目《おおめ》付《つけ》滝川播磨守《はりまのかみ》であった。かれは江戸から軍艦に搭乗《とうじょう》し、歩兵部隊を満載させて大坂にのぼった。

「すでに江戸ではいくさがはじまっている。上方はなにをしているのだ」

という調子の報告であった。大坂城の幕臣や佐幕藩士たちが沸き立ったのもむりはなかった。滝川は報告者であるとともに煽動者《せんどうしゃ》であり、同時に開戦を見越しての援軍の指揮官でもあった。

この滝川の報に接し、

――老中以下大目付にいたるまでほとんど半狂乱のありさまにて。

と、当時の記録にある。

河井継之助は、さらに事態を知るべく城内の御用部屋をたずねようとした。御用部屋というのは、大目付や目付の詰めている高級事務官室であり、諸藩の藩士にすぎぬ継之助は、本来ならば入れない。しかしつてをたのんで行こうとした。つてというのは、横浜で知りあった福地源一郎である。福地はこの時期幕府の外国方であり、大坂に詰めていた。

「行きゃ、いいんですよ」

と、福地は相変らずのどの障子のやぶれたような声でいった。

「たれが行ったってかまやしませんよ。あの様子じゃ、もう御用部屋じゃない」

「どうなのです」

「灰神楽《はいかぐら》が立ってまさ」

福地は継之助を連れて行ってくれた。なるほどすさまじい。

平素ならば御用部屋というのは神殿のなかのようにしずかで、ひとびとの行儀はよく、袴《はかま》にしわひとつ寄せずに正座している場所であったが、いまはちがう。おおぜいが大あぐらですわり、激論し、泡《あわ》をとばし、コブシをふりあげ、畳をたたき、まるで盗賊のよりあい場所のようになっていた。

「どうです」

と、福地は小声でいった。この明治後新聞界の惑星的存在になる人物は、このばあい、幕臣としてこの危機に昂奮するよりも、危機に混乱するひとびとのすがたを観察するほうにむしろ昂奮していた。

「あれが、松平豊前守《ぶぜんのかみ》ですよ」

と、福地は継之助のそでをひきながらいった。松平豊前守というのは大名のような印象の名だが、旗本である。幕府官僚として早くから才人の名が高く、慶喜の側近のひとりになり、奏者番《そうじゃばん》から若年寄にすすんだ。この人物の咆《ほ》えていることばが、もっともすさまじかった。

「大坂にはなお薩人がうろうろしている。かれらを斬《き》れ。斬った者には十五両ずつ褒《ほう》賞《しょう》をだす。これはどうか」

と、継之助は昂奮するよりもむしろ肌《はだ》の寒くなるおもいがした。

（その程度の男が、幕府の秀才官僚なのか）

継之助はそのあと、老中筆頭の板倉勝静に拝謁《はいえつ》を乞《こ》うた。

——越後の継之助か。

と、板倉はすぐゆるした。

板倉は、徳川政権の首相である。継之助の師匠の山田方谷《ほうこく》の藩主であり、そういう因縁からこの貴人は継之助に格別な気持をもっているらしい。

城内における板倉の執務所は二間つづきの部屋で、継之助は次室にすわらされた。

「京はどうであった」

とたずねる板倉の頬《ほお》は、ここひと月ほどの心労で肉が薄くなっている。継之助は京でのことを報告した。

「そうか」

板倉は、無感動な表情でうなずいた。本来ならばよろこぶべきところであろう。継之助の薩摩弾劾文《だんがいぶん》ともいうべき建白書に対し、長谷三位は、

——委細、承知した。

という返答をしたのである。しかし事態は継之助の長岡藩程度の奔走などは砲車の前の小石のようでしかない。

事態は、大地をゆすぶる地震のように進行していた。継之助の京都ゆき程度のことは、地震のなかで御幣を振って祈禱《きとう》をした程度のことでしかない。

「江戸のことは聞いたか」

「うかがいましてございます」

「みな、騒いでいる」

「尾州《びしゅう》侯、越前《えちぜん》侯のご調停はいかが進んでおりましょう」

この事態のなかで、尾張の殿様と越前の殿様が京都派にも親密であり、かつ徳川家に対しては尾州は御親藩、越前福井は御家門という家柄《いえがら》であるため、京大坂のあいだ

を奔走して慶喜の立場を救済しようと努力をかさねていた。

「どうも、むだにおわりそうだな」

「と申されまするのは?」

「江戸の騒ぎだ」

と、板倉はにがい顔をした。

「江戸の忠義者が、とうとう大砲をひきだして薩州邸を撃ってしまった。これで尾州と越前の御奔走も、水のあわになるだろう」

(ひとごとのような)

と、継之助は板倉のものいいかたが気になった。このひとだけが徳川家の柱石の立場に立たされており、事実、その任に堪えるだけの頭脳はある。しかしながらなにぶんのところ殿様であり、性根《しょうね》のどこかが雲に乗っているような気配がした。

「わしはこういう事態にならぬよう、ずいぶん江戸にも言っておいたのだが」

「されば、開戦でございますか」

「いや、それは得策でない。まだまだ打つべき手があろうし、上様もそのおつもりだ。

ところが、下が騒ぐ」

「非常な騒ぎでございまするな」

「ああ、焔硝蔵《えんしょうぐら》に火がついてしまったようなしまつだ。これでは戦さになるかもしれぬ」

表情が、暗い。

「御前《ごぜん》は」

と、継之助は言いかけ、あやうく口をつぐんだ。老中板倉伊賀守勝静に対する辛辣《しんらつ》なことばが出そうで、さすがにつつしんだのである。

（このひとはだめだ）

と、継之助はおもった。

先刻からきいていると、徳川政権をとりまく苛烈《かれつ》な政治情勢や事件につき、首相として身の痩《や》せるほどにはなやんでいる。その情勢のつかみかたもたしかで、分析もするどい。しかしそれだけである。

（身を捨てていない）

いや、本人はすてているつもりであろう。たしかに板倉勝静は忠誠心もつよく、憂国の情もふかく、思考も明敏で、さらに利己心がなく、おのれをかばうところがなく、自藩のことなど家老の山田方谷にまかせきりでかれ自身は国事に没頭しており、首相たるものの器質としては条件がそろっている。たった一点、勝静は勇猛心に欠けていた。水をかぶって火事場の炎のなかにとびこんでゆく不退転の気魄《きはく》に欠けているというべきであろう。百才があってもこの一事に欠けていれば一国の政治などはできるものではない。

（それゆえ）

と、継之助はおもった。板倉勝静が政局を語る語り調子は、どこか、絵巻物の絵の説明をしているような頼りなさがあり、最後には、

——こまった、こまった。

という感想しかない。そのような態度や性根でこの危難に対処できるであろうか、と継之助はおもうのである。

「継之助」

と、板倉はいった。

「ものを言いかけてやめるのはよくない。そののど奥でとめているものを、すぐ申せ」

「はて」

継之助はわざと首をかしげたが、しかしすぐ決断した。言おうとおもった。

「博徒《ばくと》などがよく命を張ると申します。事の成否はべつとして、もし継之助が御前ならば単身京にのぼり、御所に乗りこみ、徳川家のために決死の弁をふるい、聞かれざれば御門前までひきさがり、砂上を借りて腹を切ります。事というのは、そういう方法でしか解決できぬときがあるものでございます」

「残念だが」

と、板倉はいった。

「わしは大名だ。大名がどういうものか、そのほうは存じておろう」

大名には多数の家来がいる。家来たちが、殿様にそのようなまねをさせないし、第一、殿様をひとりで京の敵地にゆかせるようなこともさせない。

(だから大名を幕府の高官にするということがまちがっているのだ)

「継之助、言え」

と、板倉勝静はいった。

「いま、徳川家とすればどのようにすれば最上であるか、それを言え」

継之助はしばらく無言でいた。やがて、

「すべてが、よろしくございませぬ」

といった。いまの幕府当局者のやりかたはなっていないというのである。

「ここは大坂でござる。京へは十三里」

と、継之助はいう。

「かような近いところに大軍を駐《とど》めておいて何事もなさずに日をお過しなされば、戦士どもの気はいよいよ荒だち、京へ攻めのぼろうということに相成りましょう」

「攻めのぼれば？」

老中筆頭板倉伊賀守勝静はあごをあげた。

「御味方の負けでございます」

「継之助も、左様におもうか」

板倉もそう見ている。上様である徳川慶喜もそう見ていた。しかしこの見通しを、他の高級官僚や会津・桑名藩士は断乎《だんこ》として非であるとしていた。かれらは、

――かならず勝つ。

とみている。京の薩長軍は土佐をあわせても三、四千というところであり、大坂の徳川軍は三、四万の人数を擁している。兵の精強さからいっても日本一といわれる会津藩士が千人もおり、武器の新鋭からいっても、なるほど会津藩兵は旧式装備かもしれないが幕府歩兵の銃器は薩長が装備している元込銃《もとごめじゅう》とかわらない。

かつ、大坂湾から紀淡海峡にかけての海域には幕府海軍がその総力をあげて艦隊を集結させており、この封鎖のため京の薩長軍は兵員の補給は不可能であった。

——勝つ。

とかれら開戦派がみたのは当然であり、敗北の見通しをもっているのは、徳川慶喜と、その首相である板倉勝静のふたりきりなのである。

「なぜ、継之助はこれを負けると見る」

と、板倉がきいた。

——政治で負けるだろう。

というのが、継之助の観測であった。開戦をしても、開戦に必要な名分がない。天下を昂奮《こうふん》させ、天下をあげて徳川方を支持せしめるようなそういう名分がなかった。この点で政治的にきわめて脆弱《ぜいじゃく》である、と継之助はいう。

さらにまた、と継之助はいう。薩長に幼帝をうばわれているのである。

「これが、いかにもまずうございましたな」

と、継之助はいった。江戸末期以来、尊王論が普及し、いまや民間の読書人にまで滲《し》みわたったほどの普遍化した思想になっている。現に慶喜も尊王であり、板倉も早くから尊王であり、さらに徳川家に対してもっとも強烈な忠誠心をよせている会津藩が、遠い時代の藩祖以来、神道を信奉し、尊王という点ではもっとも伝統がふるい。その「王」を、薩長にうばわれている。いま京に攻めのぼれば一旦《いったん》は勝てるかもしれないが、薩長軍は幼帝を擁して各地を転々とし勤王の義軍を天下につのるであろう。そうなれば天下の勤王家、野心家、浮浪が立ちあがって結局は徳川軍は孤軍になり、上様は国外に亡命でもせざるをえないだろうと継之助はいうのである。

「わかっている。わしもその見方にかわりはない」

と、板倉勝静はいった。負けるということに、である。

「それで、どうすればよかろう」

「うろうろなさらずに」

継之助はいった。

「一刻も早く関東にひきあげられること、このこと以外に方法はございませぬ」

関東は幕府の根拠地である。江戸には懦弱《だじやく》な都会人になりはてているとはいえ旗本八万騎がいる。さらにその背後地の関八州は家康以来の直轄領《ちよつかつ》がほとんどであり、大名たちも外様《とざま》は一家もなく、ことごとくが親藩、譜代藩である。上様以下すみやかにその関東にもどり、そのうえで後図《こうと》を策さるべきである、という。

「後図とは?」

「それはわかりませぬ」

継之助はいった。

継之助にいわせれば、上様は関東にもどってまず内政をおさめよ、武備を精妙にせよ、外国貿易を活潑《かっぱつ》にして富をゆたかにせよ、という。

「それで、京と戦うのか」

と、板倉はおどろいた。

「べつに」

継之助は苦笑した。

「戦わなくてもよろしゅうございましょう。戦う戦わぬということでなく、戦えばかならず勝つ態勢さえととのえれば物事は諸事うまくゆくものでございます。外交は自然に好転し、天運は自然に着きましょう」

「京の政権をどうみる」

「これは尊重せねばなりませぬ。すでに上様は三百年の政権を御所の御垣《おかき》のうちにほうりこまれたのでございますから」

徳川家は、このため一大名になった。むろん大名のうちの最も大きな存在である。

ところが京の新政府は、徳川慶喜に対し、

——土地も返上せよ。官位も返上せよ。

と、いま火を噴くようないきおいで迫っている。京のいうとおりにすれば、慶喜は平民の位置に転落し、その直轄領でやしなってきた旗本八万騎はその日から扶持《ふち》をはなれて浪人になり、路頭に迷う。

「なんという暴慢さ」

ということでこの大坂城はそれがために沸き立っているのであり、継之助らはそれがために京にのぼり、新政府に陳弁した。

「これ以上は関東に」

という継之助の案はそういう状勢を背景にしており、徳川家が関東にあってみずからの富強を高めれば新政府の態度も軟化し、そういう暴慢な要求はもちだすまいということであった。

「それができぬのだ」

板倉勝静は、泣くように叫んだ。なぜならばこの城内の開戦派の沸騰《ふっとう》ぶりでは、もはやその程度のことばでは鎮静させることはできない、という。要するに一令をもって鎮静せしめるだけの権威が徳川慶喜にもなく、それだけの政治力のもちぬしが自分たち閣僚のなかにもない、と板倉はいうのである。

「結局、中途半端《はんぱ》がいけませぬ」

と、継之助は最後にいった。

——京都を攻めるなら攻めるで、それならば勝つように攻めなされ。

というのである。

京は古来、要害のわるいところだ。京をまもって勝った例が古来一度もない。であるのに薩長は京をまもり、大坂城が出動してくるのをいまや遅しと待っている。

(やり方さえ考えれば勝てるのだ)

と継之助はおもうのである。京を陥落させるには包囲の一手しかない。

京には七つの口がある。それをことごとくおさえ、とくに大津口、丹波口に大きな部隊をむかわせ、しかるのち鳥羽伏見から主力をもって攻めあげてゆく。

「さすれば」

と、継之助はいう。

「薩長はたださえすくない人数を各方面に分散せざるを得ないでありましょう。あとは子供が下知《げち》をしても勝ちます」

というのである。

しかし板倉勝静の耳にはこのことばはさほどにはひびかなかった。板倉自身が、戦争をしたくない。しかし下僚が戦争をしようとし騒ぎたてる。それを押えたり、揉《も》んだりしているのがせいいっぱいで、戦争に勝つための戦略戦術などは考えるゆとりもなく、関心もない。

「ああ、そうか、なるほど」

と、うわのそらでいうのみであった。継之助は退出してきてから自藩の営舎にもどり、三間《みま》市之進をよび、

「だめだ」

とのみいった。

「なにが、だめなのです」

「とにかく、だめだな」

にがりきっていった。徳川家の不幸はこの期《ご》にいたって強力な宰相をもっていない、だめはすべてそこから出ている、と言いたかったが、そのことは遠慮をした。

「しかし、こりゃ、やりますなあ」

と、三間市之進はいった。いくさになるというのである。なるほど上様や御老中

（板倉）は煮えきらないかもしれないが、下僚どもはどんどんいくさ支度をすすめているのだ、と三間市之進はいう。

「大目付から、どんどんお使いがきていますよ。部署についての御命令です」

「ほう、そんなことになっているのか」

「わが藩は、市内玉津橋の警備です」

「ああ、玉津橋ならいいだろう」

玉津橋は堂島川のほとりにかかっており、戦略的にもたいした意味はない。要するに、もっとも後方の部署である。

「長岡藩は戦意なしとみたのでしょうな」

「あってたまるか」

大坂など捨ててしまえ、と継之助はいいたい。京都への未練もすて、徳川家はさっさと関東にもどり、大名たるべくあたらしく発足しなおすべきである。こんなところでいくさをしてどうなるか、と叫びたかった。

大坂における徳川家の軍事官僚たちは、慶喜の意思とはべつに、大坂から伏見までのいわゆる京街道十里の間に、すでに兵力を配置していた。

「そりゃ、すさまじいものです」

と、その配置のぐあい、密度などをきいてきた三間市之進はいった。直線十里にわたる陣地というのは古来ないであろう。しかし継之助は、

「だめだ」

という。

「そうでしょうか」

と、三間は、その配置を説明した。まずこの直線陣形の根もとは西宮《にしのみや》から発している。西宮に若狭《わかさ》小浜《おばま》十万三千石の酒井家の人数五百人を置き、さらに大坂周辺のまもりとしては守口《もりぐち》に伊勢亀山《かめやま》六万石の石川家の兵二百人を置き、河堀口《こぼれぐち》には播州《ばんしゅう》姫路十五万石の酒井家の兵二百、住吉口には紀州徳川家の兵、十三《じゅうそう》口には幕府歩兵と騎兵の一隊、大坂の本営には、歩兵、砲兵、騎兵などの新徴募の洋式部隊のほかに幕臣によって編成された銃隊、奥詰銃隊、遊撃隊、新遊撃隊を置き、淀《よど》、八幡《やわた》、山崎には幕府歩兵と砲兵、さらに藤堂藩の藩兵を置いている。

最先端の伏見には、新選組と会津藩兵の一部を置き、伏見市街地において薩長側の守備とむかいあっていた。

「だめさ」

と、継之助はさらにいう。

「一本の矢にすぎない」

とかれはいうのである。矢はいかに長くても所詮《しょせん》は柄のながさである。敵に対して効力を発揮するのは先端の鏃《やじり》だけであった。

「その鏃が新選組ではどうにもならない。かれらがいかに決死の戦いをしようとも結局は刀槍《とうそう》の勇者たちである。旧式兵にすぎず、薩長の元込ミニエー銃のえじきになるだけのことだろう。ミニエー銃はゲベール銃一発をうつあいだに十発をうつことができるのだ」

と、継之助はいう。

「作戦は、根もとからまちがっている」

かれが老中板倉勝静にいったように、京を包囲する態勢をとり、しかるのち南から撃ちあげてゆけばよい。

「新選組のごときは」

と、継之助はいう。

「陣地で戦わせず、遊撃としてつかうべきだ。京の白河口か、嵯峨《さが》あたりに進出させ、南の伏見で銃砲戦をはじめると同時に市中へ斬《き》り入らせ、とくに夜間に活動させて薩長の本営を攪乱《こうらん》させれば大きな力を発揮する」

「そう献言なされば」

「だめさ」

継之助は徳川家の首脳者ではなく、たかが越後《えちご》の小藩の家老にすぎない。

そのうち、慶喜も板倉も、城内の主戦派に押しきられてしまい、いよいよ軍勢を動かし、京にむかって押しだすことになった。

押しだす部隊は右の守備陣地の人数ではなく、大坂から繰り出してゆく。その兵数は一万五千である。

——薩摩の手に乗るな。

とあれほど徳川慶喜もおもい、板倉勝静もその危険さを感じつづけたのに、結局大坂の徳川軍はこのわなのなかに躍りこんだ。

「わな」

といっても、それを仕掛けた側の京の薩藩代表者西郷吉之助らにすれば、これほど危険なばくちはなかった。

たれがみても勝てる見込みは二割か三割というきわどいものであり、西郷も大久保自身も勝利という一点には自信をもっていなかった。

「この一戦には負けるかもしれない。そうなれば幼帝をかついで丹波路から芸州広島へ逃げ、そこで天下にむかって挙兵をよびかけよう。このため薩藩がほろび、長藩がほろんでもかまわない」

とかれらは互いにこのぎりぎりのところを話しあって覚悟をきめていた。かれらはこの瞬間、自藩の滅亡を賭《か》けものにした。一方この動乱期になにものをも賭けることのなかった徳川家やそれを支援した東日本の諸藩が、維新後薩長閥に圧迫され、薩長閥が明治の日本を独占したのも、権力成立の実情としてむりはないであろう。

京都にいる西郷・大久保にすれば、たとえ滅亡を賭《と》してもこの一戦をやらねば革命は成就《じょうじゅ》しない。革命、クーデターというのはそれをやる者にとってつねに賭博《とばく》であった。

――ただ一つ、勝利の可能性がある。

とかれらが信じたのは、時勢がかれらの側にあることだった。旧式な封建政権をたおし、二元的な主権構造を廃し、天皇の名において統一政権をつくる、というのは、すでにこの時勢の意思ともいうべきものになっている。薩長は、それを代表した。時勢の意思に乗る者の強さは歴史が証明しているであろう。

京都における薩長の兵は、足軽以下の出身者が多かったが、むしろ足軽以下であればあるほどこの時勢の意思に敏感だった。かれらの闘志は、単に憤激だけでやってくる大坂の徳川勢よりも戦意の点でつよかったであろう。

それにかれらは少数とはいえ、薩摩は古来「兵するどく馬騰《あが》る」といわれた兵の精強な藩である。その上、英式による洋式調練ではもっとも練度が高かった。

さらに長州藩は、さきに幕府の第二次長州征伐にさいして戦い、それを藩境において撃退し、このため実戦経験があるだけでなく、その実戦も勝った経験であった。かれらは幕府兵に対して自信があり、この自信がおもわぬ強さを発揮するはずであった。

これに対し、淀川堤を行軍して京にのぼってくる徳川勢の指揮官たちは、すでに戦わずして驕《おご》っていた。勝利は当然とみていた。かれらは作戦をたてるよりもむしろ京を占領したあとの宿舎だけをきめていた。黒谷《くろだに》の金戒光明寺《こんかいこうみょうじ》、大仏方広寺、妙法院、二条、伏見旧奉行所、東寺《とうじ》といったぐあいで、それをきめた程度で押し出していた。

鳥羽伏見の戦いの開戦地点は、上鳥羽村の小枝橋であった。

京都の南部にあたり、旧平安京をつつむ盆地のなかでこのあたりの田園がもっともひろやかであり、川と森と池が多い。

京からながれてきている鴨川《かも》が、このあたりまでくると市中でのあの典雅さはなく、土手を枯れむぐらが覆《おお》い、瀬にどじょうが多く棲《す》み、野趣がふかい。

橋は、そのうえにかかっている。橋の東のほうすぐそばに城南宮《じょうなんぐう》の森が盛りあがっている。この森に薩藩の砲兵隊が砲をひそめ、砲を西方の街道にむかってむけていた。

街道は堤防上にあり、道は大坂から北上している。京の者はこれを鳥羽街道といい、あるいは大坂街道といい、大坂の者はこれを京街道とよんでいた。この道はいまは草におおわれて通るひともまれになっている。路幅は、いまもこの当時も、二人ならんで通れる程度であろう。

この街道を、大坂から徳川軍がすすんできた。一月三日の夕刻のことである。午後四時ごろであったであろう。

この街道をとった徳川軍の大将は、大目付滝川播磨守具挙《まさとも》であり、かれはもっとも激越な主戦論者であった。かれは、

「討薩表」

というものをもっていた。大坂の徳川慶喜が朝廷にたてまつろうとする薩摩藩排撃の文章であり、「これを持参して京にのぼる」というのが、この京都討入りの名目であった。

滝川播磨守のまわりをかためている徳川方先鋒《せんぽう》部隊は、いわば精鋭というべきものであった。刀槍部隊としてはかつて新選組とならんで京における軍事警察隊であった見廻組《みまわりぐみ》の人数二百人、歩兵七百人、それに砲四門をひいている。

服装は、指揮官および見廻組隊士は日本式であり、陣笠《じんがさ》をかぶり、陣羽織をはおり、両刀を帯びていた。歩兵の服装はおもいきった洋式で、背に背嚢《ランドセル》をせおい、背嚢に赤毛布をつけ、腰まわりには弾薬盒《だんやくごう》を帯びている。

一方、薩長軍は指揮官も洋服であった。洋服の上に白い帯をしめ、それに両刀を帯び、かつ指揮官も小銃をもっている。

かれら薩長軍前線は小枝橋から城南宮にいたるまで東西に布陣し、小枝橋には関所をもうけていた。

「通されよ」

と、徳川方の者が声をあげた。薩摩陣地から同藩の軍監椎原《しいばら》小弥太が放胆にも単騎路上をかけてきて徳川方の前方で馬から降り、通ってはならぬ、と叫んだ。

滝川播磨守も馬から降り、応対し、通ることの理由を大声でいった。双方固執するうち徳川方は面倒とみたのか、砲兵士官が砲二門を路上に出し、射撃準備をしたとき、それよりも間一髪早く薩摩陣地で砲煙があがり、この徳川方の砲二門を士官もろとも粉砕してしまった。戦いはこのときにはじまった。

この薩摩藩砲兵陣地から発射した第一弾こそ、運命の砲弾といえるであろう。

要するに、この街道上での、

――通せ、通さぬ。

という問答は、決着がつこうはずがない。しかも双方、いずれはどこかで戦争の火ぶたを切るという覚悟と気勢でやってきている。

ただし、この段階では事態は戦争ではない。双方の指揮官が、路上で話しあっているのである。薩摩藩軍監椎原小弥太は単身やってきており、徳川方の大目付滝川播磨守はわざわざ下馬の礼をとって椎原と交渉している。

それを背後でみていた徳川方の士官たちは焦《じ》れた。

――問答無用ではないか。

とし、砲兵指揮官の石川百平、大河原《おおか》鋹蔵《わらしんぞう》のふたりが、砲一門を曳《ひ》きだし、砲弾を装塡《そうてん》し前方赤地村付近の薩摩藩の歩兵陣地にねらいをつけ、まさに発射しようとした。

薩摩藩砲兵隊は、徳川方縦隊の東方城南宮の森に布陣しており、それを目ざとくみつけいそぎ照準した。本来なら、上級指揮官の命令を待つか、許可をあおぐべきであろう。なぜならばこの初一発は開戦ということになる。開戦のための初一発は、敵にうたせるか当方からうつか、これは政治がきめるべきであり、前線の下級指揮官のきめるべきことではなかった。それが原則というものであろう。が、薩摩側は、この最前線の砲兵陣地にそういう場合の独断ができると見込んだ若者を砲兵指揮官として城南宮の森に配置しておいた。野津鎮雄《しずお》、野津道貫《みちつら》の兄弟であった。ちなみに鎮雄は明治十三年に病没したが、弟の道貫はながく生き、日露役の第四軍司令官としてひとびとに記憶されている。

かれらの用いた砲は、徳川方のそれと同様四斤《ポンド》山砲《さんぽう》とよばれる野戦砲で、この当時としては新式のものであったが、しかしこの当時の砲が初弾で命中するということは奇蹟《きせき》にちかく、ほとんどまぐれあたりといってよいであろう。その運命的な砲弾が、大砲操作中の徳川方の砲兵たちの中央に落下し、炸裂《さくれつ》した。このため士官石川百平、大河原鉦蔵の五体がふっとび、二門の砲車をこなごなにくだいた。

ばくちでいえば徳川方は最初から憑《つ》いていなかったといえるであろう。この砲弾の威力にもっとも驚いたのは、徳川方主将の滝川播磨守であった。かれはもっとも過激な主戦派であったが、戦場での器ではなかったらしく血相をかえて馬にとびのり、そのまま逸散に逃げてしまった。部隊はこのために混乱し、見廻組の佐々木唯三郎《ただざぶろう》の必死の制止にもかかわらず、ほとんど潰乱《かいらん》状態のまま下鳥羽村まで退却した。

が、一方、この砲声をきいて勇奮したのは伏見方面で薩長軍と対峙《たいじ》している新選組と会津藩であった。かれらは伏見奉行所構内を陣地としていたが、鳥羽方面の砲声をきくや、奉行所の門をひらいて白兵突出し、このため鳥羽伏見の両方面においてほとんど同時に戦闘が開始された。

ものごとの敗因というのは、つねに一つではありえない。いくらかがそこにあり、それが単に個々に存在せず、それがたがいにからみあい、ときに掛け算になって勢いを崩してゆく。

が、この鳥羽伏見の戦いの第一日の敗戦の原因を一つだけあげれば、徳川方の高級指揮官たちの人としての弱さであろう。

幾人かの高級指揮官がいた。松平豊前守、滝川播磨守といった大身《たいしん》の旗本たちで、かれらは主戦論者とはいえ、所詮は口舌の徒だったのかもしれない。

滝川などは、薩摩砲兵の初弾が落下して部隊の一部を傷つけるや、逸散に逃げだし、そのさい馬蹄《ばてい》でもって味方の兵を蹴《け》ちらし、そのため数人を負傷させつつ宙をとぶように駈《か》け、はるか後方の淀の本営まで逃げこんだ。

これには味方が仰天した。滝川に後続していた洋式歩兵部隊などは、前方の戦況がわからず、滝川が血相をかえて逃げてゆくのをみて負けたと錯覚し、滝川以上のあわてぶりで逃げた。銃器、背嚢《ランドセル》などを捨てちらかして退却した。

逃げない者もいた。

幕府見廻組の二百人で、かれらは隊長佐々木唯三郎の指揮のもとに現場にふみとまり味方が捨てて行った新式銃をひろっては応戦し、薩軍の追撃をくいとめ、日没にいたった。が、指揮者の佐々木が飛弾で負傷したため夜陰にまぎれて淀までひきあげた。

伏見方面の徳川方の奮戦もすさまじく、戦闘においてはしばしば薩長軍を圧迫し、その刀槍による斬りこみは、薩長方を戦慄《せんりつ》せしめた。この方面の徳川方は会津藩と新選組であった。しかしかれらがいかに奮戦しても鳥羽方面の味方のくずれが、この伏見方面のかれらの負担になった。その苦戦は、日没後も味方の死者、負傷者を収容できぬほどであった。

このように一部の戦士たち――会津藩、新選組、見廻組など――はよく戦ったが、最高指揮官たちはほとんどなすところがなかった。かれらはたがいに連繋《れんけい》さえとれておらず、それに指揮系統が明確でなく、かれら同士の行動も命令もまちまちであった。

いずれにせよ、第一日は負けた。

——負けていない。

という見方もありうる。かれら鳥羽方面の徳川方は一時退却したものの翌第二日目は態勢をたてなおし、ふたたび攻撃に転じているからである。それに薩長軍は少数のため徳川方を追撃できず、現場付近にふみとどまった。ほぼ「互いに勝敗あり」というところが実状であったであろう。

が、政治は「薩長の勝利」として動いた。なぜならば鳥羽において大将の滝川播磨守は遁走《とんそう》しているのであり、この報が京の御所につたわったとき、それまで日和見《ひよりみ》であった御所の公卿《くぎよう》たちはどよめき、薩長をもって官軍の呼称をあたえようとする意見にかたむいた。

京の御所には百八十軒ばかりの公家《くげ》屋敷がかたまっている。かれらがみな薩長方ではなかった。むしろほとんどがそうではなかった。

——徳川方に勝てるものか。

というのが、かれらの感じ方であった。ただひとり下級公卿の岩倉具視《ともみ》だけが薩長の強力な支持者であり、その稀代《きたい》の謀才とその度胸と雄弁をもって公卿たちの顔を薩長のほうにかろうじてむけさせていたにすぎない。それに岩倉はこの開戦前、前大納言中山忠能《ただやす》という頑固《がんこ》な老人を懐柔して味方にひき入れた。中山忠能は少年帝の外祖父であり、傅人《めのと》（養育掛）であり、その御璽《ぎょじ》（帝の印鑑）をあずかっている。岩倉はこの老人さえにぎればほしいままに勅語を出せるのである。

が、その岩倉でさえ、鳥羽伏見の開戦前には勝敗の予想に自信をうしないはじめ、

――大坂の慶喜をあまり刺戟《しげき》しすぎるのはどうであろう。

と、ひそかに薩の謀士大久保一蔵に洩《も》らすようになった。岩倉も、京の薩長の人数のすくなさをみてくびをかしげはじめたにちがいない。

正月三日の夕、鳥羽方面から殷々《いんいん》たる砲声がきこえてきたときの御所の公卿たちのさわぎは類のないものであった。

――ついにやった。

というおどろきと、

――薩長は負ける。負ければどうなる。

という恐怖がかれらを狂わせてしまった。ある若手の公卿が激昂《げっこう》し、

「岩倉が、朝廷を誤らせた。かれを殺す」

とまでさわぎ、岩倉の部屋にとびこんだところ、岩倉は燈火《とうか》をひきよせ、脇息《きょうそく》にも

たれたまま仮睡をしていた。このとき砲声が一時におこり、御所の戸障子をことごとく震わせたが、岩倉は目をさまさない。

(なんという男だ)

と、若い公卿——烏丸光徳《からすまるみつのり》はこのことにどぎもをぬかれ、勢いがうせた。

しかし一策を講じた。この岩倉がどれほどの勝算があって砲声下で居眠りをしているのかと思い、ゆりおこした。うそをついた。

「鳥羽伏見においての戦いは薩長が敗れ、徳川方が京にせまっておる」

と岩倉の耳もとでいうと、岩倉は目をひらき、そうか負けたかとつぶやき、

「さればわしは事を処理したあと死のう。あとのことは卿《けい》らにまかせる」

といった。岩倉はもう勝敗を考えるよりも、死を考えていたのであろう。このふてくされたほどの度胸のよさに烏丸光徳は舌を巻き、その後岩倉の子分のようになった。

そのうち第一日の戦いで鳥羽の徳川方が崩れたという旨《むね》の戦勝の報が入り、御所の空気は一変し、薩長支持にかわった。

それだけでなく鳥羽方面での滝川播磨守の逃走は徳川加担の諸藩をも動揺させ、かれらの寝返りの一因になった。

正月四日、天寒く
風いよいよ加わる

というのは、戦闘二日目におけるこの洛南《らくなん》平野の天候である。風烈《はげ》しくときに両軍の旗を吹きとばした。

この日、早暁《そうぎよう》から砲煙があがった。徳川方は前日の敗勢をとりもどすべく猛進してきた。もっとも猛進ということばが現実にふさわしかったのは会津藩兵だけであったであろう。

この日の戦いを点描したい。

長州の一隊長の林半七（のち友幸《ともゆき》・伯爵）の語るところでは、

「この朝はひどい霧で、たださえ四方がよく見えぬうえ、砲煙と火事のけむりで自分がどこにいるかさえわからなかった。隊員（百二十人）をつれて鳥羽街道を進出すると、幕兵が戦わずに逃げてしまった」

この方面の幕兵は、讃岐《さぬき》（香川県）高松の松平家の兵であった。徳川家の譜代藩だが、徳川家のために奮戦するという情熱がもてなかったのであろう。銃や弾薬を無数に遺棄して行った。

「みなぶんどりにしたが、銃などは一発も撃っていなかった」

と、林半七は語っている。

徳川方の戦意は、藩によってまちまちであった。会津藩のごときは鬼神のような働きといってもいいであろう。

その大砲奉行の林権助などは六十いくつの高齢で、白髪に鉢巻《はちまき》を締め、大砲三門を指揮して伏見市街で戦った。それとともに戦ったのは土方歳三《ひじかたとしぞう》指揮下の新選組、会津藩で別選組と名づけられている精強部隊であった。

林権助は大砲を発射しては砲兵のくせに歩兵のごとく躍進し、敵との距離がちぢまると長槍《ながやり》をとって突撃せしめた。権助はこれをくりかえしつつ戦ううち、薩長陣地からの砲弾がそばで炸裂して顔がまっくろになり、全身に重傷を負い、立てなくなった。

権助はやむなく敵前であぐらをかき、すわりながら指揮した。ところが三門の大砲も破壊され、死傷が続出したため、人の背に負われて淀へしりぞいた。

これが、林権助における正月三日の景況である。権助は翌々日戦没した。正月四日はその子林又三郎がかわって奮戦した。五日は淀川堤で戦ったが、このころには幕軍主力は後方にあって戦わず、この方面の前線は会津兵の生き残りと新選組の生き残り三十人しかいなかった。又三郎は新選組とともに最後の突撃をおこない、銃丸にあたって戦死した。

会津藩の一将佐川官兵衛はもっとも勇猛なひとりであったであろう。

何度も長州軍にむかって突撃し、ついに白刃が敵弾のため折れるまで戦い、途中退却せざるをえなくなったとき唐傘《からかさ》をさし、ゆるゆると退いた。唐傘は、かれが目をやられていたため日光をさえぎるためであった。ひとが、それではめだつからと、注意すると、

「薩長の弾がおれにあたるかよ」

といい、わざと傘をくるくるまわしながら後退した。

諸藩の行動がおもしろい。

徳川方に属していながら、裏切ってしまった藩のことである。

まず彦根《ひこね》藩であった。この彦根の井伊家は徳川家においては譜代大名の筆頭であり、その殿さまは大老になりうる家格であり、継之助の牧野の殿さまなどからみればむこうが鷹《たか》で、こちらはすずめ程度の家格の違いがあるであろう。

家康以来、徳川家の軍制では、合戦にとってもっとも大事な先鋒《せんぽう》の役目は、この井

伊家と伊勢の藤堂家がうけもつことになっていた。

　家康は大坂ノ陣でこの編制をとり、成功して以来、それが吉例になった。事実、そのころの井伊勢は強かった。家康は、日本最強といわれた甲斐《かい》の武田家がつぶれたあと、その牢人《ろうにん》を大量にめしかかえ、井伊家に属せしめた。旧武田勢はカブトも具足も真赤である。これを赤備《あかぞな》えといった。その赤備えが井伊家にきたため、井伊家は殿さまも赤具足をもちい、全員がそのようにした。この井伊勢が戦場にあらわれると燃えるがごとくであり、そのため敵は戦わずしておびえた。

　幕末に、ここの殿さまの井伊直弼《なおすけ》が大老になり、いわゆる安政ノ大獄という弾圧事件をおこした。間諜《かんちょう》をつかって幕政の批判者を調査し、それらを投獄、斬首《ざんしゅ》、謹慎、隠居申しつけなどに処し、天下をふるえあがらせた。ひとびとはひそかに直弼のことを、

「赤鬼」

　とよんだ。右の赤備えの連想からきたものであろう。直弼の暴断は、暴断ながらも井伊家が徳川家の番頭として格別の家であるという使命感から出ているところをおもえば、その私的心情はわからぬことはない。ただその私的心情を一国の政治のなかにもちこみ、すべてそれをもって政情を裁断して行ったところに直弼の権力狂いの本質

があったのであろう。

その直弼も万延元年、桜田門外で水戸浪士に襲われ、斬《き》られた。

その後、八年経《た》ち、情勢は転々した。

このたびの戦いにあたっても、井伊家は家康いらいの軍法どおり全軍の先鋒であった。井伊勢は開戦以前から伏見の竜雲寺高地に布陣し、薩長陣地にむかいあっていた。ところが、開戦の前夜において消えてしまっている。この竜雲寺高地は伏見市街における高台であり、もしここに薩摩側が砲兵陣地をすえれば、会津藩兵と新選組がたてこもる伏見奉行所は眼下に見おろせる。つばを吐いてもとどきそうな距離であった。薩摩側は井伊勢にひそかに交渉し、立ちのいて貰《もら》った。そのあと大山弥助のひきいる薩摩砲兵隊がここから砲弾をうちだし、伏見における徳川方潰滅の最大の因をつくった。

「世の中はじつに意外なるものにて候《そうろう》」

と、井伊工作を命じた薩の大久保一蔵でさえ国もとへそのような文章で書きおくっている。井伊家としてはおくればせながら時流に乗ろうとしたのであろう。

井伊勢の寝返りよりも、徳川方にとってもっと手痛かったのは、淀《よど》藩の寝返りであったであろう。

開戦三日目の正月五日、徳川方は鳥羽伏見方面でことごとくやぶれ、後退して淀城下に集結した。

「ここで一戦しよう」

と、会津藩士はみなおもった。淀には淀城がある。この淀城にこもって防戦し、しかるのちに敗勢をたてなおし、大坂からの援軍を待ってふたたび押しだせばこんどは勝てるかもしれなかった。

淀は、稲葉家十万二千石の城下である。稲葉家は、高名な春日局《かすがのつぼね》から出た家で、徳川の譜代大名のなかでは徳川家にもっとも恩縁のある家であった。これがために徳川中期以来この家をもって淀城主とし、京都の監視にあたらせていたのである。しかもいまの殿さまの稲葉美濃守《みののかみ》は老中として江戸にあり、当然唯一《ゆいいつ》無二の忠誠をつくすはずであった。

ところが、会津の戦闘部隊の要求に対し、

——おことわりする。

と、淀藩は回答した。そればかりか、

「淀城下からも立ちのいてもらいたい」

とまで言ってきた。すでに淀藩に対し、京都側から密使が入っていたのである。淀藩は勤王藩ではなかったが、彦根と同様こうなれば思想よりも利害であった。戦況をみて徳川方の不利を知り、寝返ったにすぎない。

会津人たちは憤激したが退去を要求された以上、受けざるを得ず、八幡まで後退した。この八幡は石清水《いわしみず》八幡宮の山があり、その下は淀川である。この隘路《あいろ》に陣地をつくれば防戦しやすいとおもった。幕臣部隊もそれに賛成した。

――大いにやりましょう。

といってくれたが、しかし気がつけばかれらはひそかに退却してしまっていた。もはや前線には会津藩士しか残っていない。

「幕臣どもの卑劣さよ」

と、会津の陣将田中土佐はくやしがったが、もはや自藩が孤軍になってしまった以上、どうすることもできない。

この八幡から淀川をへだてての対岸が天王山である。この天王山が要衝であるというので、徳川方はここに藤堂藩を布陣させておいた。

「家康公以来、徳川の先鋒は井伊と藤堂」

ということになっている。伊勢の津三十二万三千石の藤堂藩は外様大名であるとはいえ、この家に対する徳川家の信頼が代々あつく、「准譜代《じゅんふだい》」という格式があたえられていた。

開戦四日目の正月六日、この藩が突如寝返ったのである。彦根や淀藩のような消極的寝返りでなく、積極的であった。かれらは山崎に砲台を築いていたが、この砲がことごとく徳川方にむかって咆哮《ほうこう》しはじめたのである。

この被害が、もっとも大きかった。徳川方は敗勢にとどめを刺され、潰乱《かいらん》して大坂にむかって逃げざるをえなかった。藤堂藩は思想として勤王ではなかった。しかし時流と利害に敏感すぎたのであろう。

この期間、河井継之助は、大坂玉津橋の蔵屋敷に陣所を置いている。

日中は橋のたもとに床几《しょうぎ》をもちだし、飽きもせず堂島川の流れをみていた。これが日課であった。

「君子は水を好む」

義兄の梛野《なぎの》嘉兵衛が、この日、道路を横切ってきて、背後から声をかけた。

「いったい、水のなにを見ている。水の相か」

水の相を、たとえば流転《るてん》などという哲学的な概念におきかえて人生や歴史をみようとするのは、東洋古来の考えかたである。

「水はかたときも休むことなく、沈々とながれてゆく。しかし川はかわらず、山は変らず、天は変らない」

棚野がいつになく多弁になっているのは、伏見方面の戦況がわからず、わからぬながらもその勝敗が歴史を左右するかもしれぬということを感じ、その居ても立っても居られぬあせりがそうさせているのであろう。

「昨夜の砲声もひどかったなあ」

と、棚野はいった。

たしかにひどかった。大坂は北方の伏見からいえば十里とすこしの川下だが、伏見の砲声は真上の天からふってくる。雲が鳴りはためいているようである。

「北の空が、真赤だった。いったい、どちらが勝ち、どちらが負けているのか」

「お城（大坂城）ではどうでした」

「いまもひと駈《か》け行ってきたが、お城でもわからない。みな蒼《あお》い顔で吉凶いずれかの報《しら》せを待っている」

「侍の腰もぬけましたなあ」

継之助はいった。

かれにいわせれば、徳川方の将領たちはいくさの仕方も知らないらしい。京へ押し出してゆけば押し出しっぱなしで、本来ならば一戦ごとに報告者を後方へ送らねばならないのに、それすらしない。おどろくべき無智《むち》というか、手ぬかりというか、疎漏《そろう》さというか。

（その一事でもかれらは勝てない）

継之助はそうおもっていた。

棚野嘉兵衛によると、上様や板倉老中でさえ戦況をごぞんじない、というのである。

「大坂のほうから、使いが行っているのでしょう？」

「二、三行っているらしいが、一人は枚方《ひらかた》まで行って帰ってきた。お味方の勝ちです、と報告したらしい。あとの一人は帰って来ず、いま一人はお味方の負けと言っていた」

「それで城中は？」

「ただ混乱している」

正月五日になった。

この日の午後、大坂はひどい風だったが、北方の砲声がばかに近くきこえた。風むきのせいかとくびをひねる者が多かったが、継之助は負けた、とおもった。砲声が近づくというのは、敵が前進している証拠であろう。

「お味方の形勢よろしからず。山崎・八幡のあたりから大坂にむかって潰走」

という報が、大坂城の徳川慶喜のもとにつたわったのは、正月六日の夕刻のことである。

慶喜のおどろきは大きかった。それよりもかれをおどろかせたのは、この交戦中に京の朝廷が薩長土に対して官軍の称をあたえたことであった。これによって正月五日、錦の御旗《にしきのみはた》が淀川畔にあがった。この報も、あわせて六日慶喜のもとに入った。慶喜は朝敵になった。京の革命派の謀略は成功した。

——賊軍になった。

ということほど、慶喜の心を萎《な》えさせたものはない。

この点が、この時代が戦国時代とちがうところであった。戦国の世なら、カラリとしている。強キガ弱キヲ食ウというそれだけが世の法則であった。もし戦国の世ならば慶喜とその徳川方はかならずしも負けはしなかったであろう。しかしこの時代は思想の時代であった。

つまり尊王である。それも特殊な観念ではなく、たとえば後世の民主主義という観念ほどに普及されており、もし尊王でなければ世の支持をうしない、時代から転落する。であるのに慶喜は朝敵にさせられた。しかも慶喜は尊王思想の総本山ともいうべき水戸家の出身なのである。

（逃げよう）

と慶喜がおもったのはこのときであろう。慶喜は後世をおそれた。キリスト教ではユダが最大の悪人であるごとく、尊王思想では足利尊氏《たかうじ》が最大の悪人であった。慶喜は後世尊氏とならべられることをもっともおそれた。

——慶喜の胆略は始祖徳川家康にも比すべし。

と、一時長州の桂《かつら》小五郎あたりからおそれられたこの機略のもちぬしも、結局は家康ではなかった。家康であるにはあまりにも教養と観念がありすぎた。

（逃げよう）

と決意したとき、この男は逃げる以上はなりふりかまわずに逃げようとおもった。なぜならば城内の主戦派はかれを逃げさせないであろう。

——上様に戦意がなければ、上様を殺してでも抗戦しよう。

とさわいでいる者さえある。この騒然たる城内から逃げるには姿をくらまして逃げる以外にない。大坂港（天保山《てんぽうざん》沖）には徳川家の軍艦が待機している。そこまで逃げれば一路江戸へ帰れるであろう。

ともかく慶喜はいま身一つで逃げ、逃げて天下に尊王家である自分の可愛《かわい》らしさを示す以外にないとおもった。

が、この城内を脱出できるか。

「戦え」

というのが、城内激派の声である。事実徳川方は余力をのこしている。

「いま上様ご自身が戦場にお馬をおすすめなされば将士は大いに勇み、薩長などはこっぱみじんに粉砕できるであろう」

と、かれらはいう。

この大坂城内には徳川将軍家の第一祖家康の金扇の大馬印《おおうまじるし》がおさめられている。さきに病死した十四代将軍家茂《いえもち》が長州征伐のために江戸からもってきたものである。家康はこの大馬印を陣頭にかかげて長久手で勝ち、関ヶ原で勝ち、大坂ノ陣で勝った。

これを京に進めよ、と激派はいう。

その沸騰《ふっとう》は、もはや老中などの手ではおさえきれなくなった。

「では、わし自身がおさえよう」

と、この夜、慶喜が言い、諸隊長以上を城内大広間にあつめさせた。しかしいざ慶

喜が出てみると、とても軟弱なことばの通る空気ではなく、みな口々に、

――上様、御出馬を。

と叫び、殺気立っていた。慶喜はこの空気に押しまくられ、ついに、

「よし、いまから出陣しよう。みな持ち場持ち場にもどって用意をせよ」

と叫ばざるをえなくなった。それをきくと大広間が破《わ》れるほどの歓声に満ち、みな持ち場にもどるべくさきをあらそって退出した。

(この機会だ)

と、慶喜はおもった。

城を脱出するのである。慶喜は奥へ入るとすぐ最高幹部数人を召し、

「いまからひそかに城を出て江戸へ帰る。わしと行動をともにせよ」

と命じた。このなかに会津藩主松平容保《かたもり》がいる。容保はおどろいた。慶喜に従うとすれば自分の藩士を置きすてねばならない。

「非常の場合である。置きすてになされよ」

と、慶喜は命じた。容保を大坂に残せば会津藩士は容保を擁してこの大坂城に籠城《ろうじょう》し、薩長と戦いつづけるにちがいない。慶喜にすれば容保を人質のようにして連れ去らねばならなかった。

「あなたは私から離れてはなりませぬ」

と、慶喜はかたく命じた。

慶喜の脱出と行をともにしたのは、容保のほかに老中板倉勝静、同酒井忠惇《ただとし》、桑名藩主松平越中守《えっちゅうのかみ》、それに外国総奉行が一人、大目付が一人、目付が一人、医師が一人、その他をふくめて十人内外であった。

夜十時ごろ城内をぬけ出た。途中城門をぬけるとき衛兵に誰何《すいか》された。

「御小姓の交代である」

とごまかし、城のそばの天満《てんま》八軒家の船着場から川舟に乗り、夜にまぎれて川をくだり、海へ出た。が、暗夜のことでどこに御召艦開陽がいるかわからず、たまたまそこにいたアメリカ軍艦に事情を話し、同艦内で一泊した。七日朝、開陽に移り、すぐ江戸へむけ出帆した。

「珍妙といえば、これほど珍妙なはなしはない」

と、明治になってから桜痴居士《おうちこじ》福地源一郎は、しばしば語った。

六日夜十時には、かんじんの上様がこの大坂城にいないのである。それをすこしも知らず徳川方は城内城外で夜をすごしていた。そのなかにはむろん、玉津橋警備の河井継之助もいる。

城内には福地源一郎もいた。

かれは外国方の事務官として文書の翻訳や通訳に任じていた。

「お奉行のお姿が、どこにも見えぬ」

と、同室の同僚西吉十郎という者が廊下からもどってきて首をかしげたのは、夜の十時すぎである。かれらの上司である外国方の高官は、三人いた。後日わかったことだが、そのうちの一人は慶喜のおともをして脱出した。他の二人はその直後に事態を知り、あわててあとを追った。

福地らは、置きざりにされた。

が、自分らのその運命を知らない。

「どうせまた例のご相談だろうぜ」

と、福地はいった。例のご相談というのは高官たちが日に何度もあつまっては人払いの会議をする。

――どうしよう、どうしよう。

のいわば無能会議であった。普通の公用会議なら福地ら事務官も当然入れるのだが、ここ数日の会議には入れてもらえない。またまたそれがはじまったのだろうと福地はいうのである。かれらは高官たちの機密会議なるものを冷笑していた。

「この負けいくさの最中に、なにがご相談かよ。いくさは矢弾でするものだ。口でするものじゃない」

福地は、へらず口をたたいた。同僚の西も、

「もっとも、もっとも」

といって煙草盆《たばこぼん》をひきよせた。かれら権力筋のそばにいる者は、その無能ぶり、臆病《おくびょう》ぶり、滑稽《こっけい》さを知りぬいているだけにこの敗戦の悲愴《ひそう》感が、中枢《ちゅうすう》から遠い会津藩のようには湧《わ》いてこないのである。

あとは一時間ばかり雑談をし、夜もふけたので、寝ようということになった。かれらは城中のこの事務室に泊りきりの生活なのである。とくに寝具というほどのものはなかった。幕府がフランスから輸入した軍用毛布をかぶり、そのあたりの木箱をひきよせて枕《まくら》にした。

あけ方近くなって、この部屋のふすまが突如ひらき、福地らは目をさました。そこにフランス陸軍式軍服に身をかためた幕府歩兵の士官である松平太郎が立っていた。

「なにをのんきに居眠りなさっている。もはや、これが」

と、親指を立てた。慶喜のことである。

「大坂をお立ちのき遊ばしたぞ」

松平太郎は、親切心から教えにきてくれたのである。福地は、冗談だとおもった。

「うそと思うなら、御座の間へでも行って上様をおさがしすることだ。早く落ちろ」

松平太郎はいそがしげに去った。福地と西は互いに顔を見合って茫然《ぼうぜん》とした。

（まさか）

ともおもいつつ、福地源一郎はそれをたしかめるべく廊下へ出た。外国奉行の御用部屋へ行ってみると、人の気配がない。

「やはり、逃げた」

と、福地は同僚の西をかえりみていった。しもじもでいう、ずらかった、というやつだ、と福地は口さがなく言う。

「それも整理もせずに」

それでも武士かと言ってやりたいほどにそのあたりは公用書類で散らかっている。

「われわれも逃げるとなれば、これは下僚に命じて焼かさねばなるまい」

と、福地は大手をひろげてそれらをかきあつめだした。そのとき大きな風呂《ふろ》敷《しき》包みが出てきた。

「なんだろう」

とひろげてみると、鴨鍋《かもなべ》の材料だった。鴨の切身、青菜、切餅《きりもち》など三、四人ぶんくらいの鍋の材料が入っている。おそらく奉行連中が鴨鍋をすべく料理屋からとどけさせたのであろう。それすら捨てて逃げて行った。

「家来も捨て、下僚もすて、鴨まですてたるいたわしさよ」

「江戸には妻子がいる。想《おも》うは妻子のみ」

と、西は和した。徳川武士道もここまで堕《お》ちては薩長にしてやられるのもむりはない。

「こいつを食おう」

と、福地は突如いった。

「しかし間もなく夜が明けるぜ。上様以下偉方が逃げたというのに、われらのみが城中にふみとどまって鍋料理を食うというのはどうであろう」

「薩長はすぐには来まい。鴨鍋を食うだけのゆとりはあるだろう」

「鍋はあるかね」

「同心にさがさせろよ」

ということになり、二人は部屋にもどり、同心をよんだ。一人でいいといったのに九人ぜんぶがやってきた。かれらもすでに上様と高官が逃げたことを知り、とほうに暮れてさわいでいたのである。

「西というのは大した男だったよ」

「と、福地は後年になってもいったが、西は居ずまいをただし、同心らを鎮《しず》めた。

「上様は深き思召《おぼしめし》あって関東へもどられ、江戸において後図《こうと》を策されることになった。お奉行がたも、上様お供のために参られたが、御出発にさいし、あとの始末をわれらに言いのこされた」

と、うそをつき、今後は自分の指図をきいてもらいたい、といった。

そこで外国方の御用金をとりだしてみると四百六十両あった。それを福地、西、それに九人の同心が平等に分配して江戸までの旅費にあてることにした。

そのあと鍋をさがさせ、右の鴨を十一人で食った。

食っている途中、

「長州の兵隊が守口まで迫った」

という声が廊下を走って行ったが、福地はあざわらい、「そんなに早く来れるものか」と箸《はし》も止めなかった。

継之助は、玉津橋の警備所にいる。

この正月六日夜、徳川慶喜がすでに大坂から消えてしまっていたことをむろん知るよしもない。

明けて七日の朝、

「どうも御城の様子がおかしいのです」

と、城からもどってきた連絡者がいった。継之助は棚野嘉兵衛に行ってもらった。

棚野は馬でもどってきて、

「冗談じゃないよ、継《つぎ》サ」

と、飛びおりるなりいった。

上様はいない、御老中もいない、会津中将さま（松平容保）もいない、あとに残された連中がうろうろしているよ、という。

継之助は、おどろかなかった。

（そういうことだろう）

とおもった。慶喜としてはそれしか策がなかったにちがいない。

「継サ、どうする」

「逃げる」

継之助は、一瞬で決断した。

「こんなところで長岡藩の百にも足らぬ人数がぐずぐずしていては薩長勢の怒濤《どとう》のなかに呑《の》まれてしまう」

「どこへ逃げる」

「江戸へ」

「いったい、どこをどう逃げるのだ」

棚野は、せきこんだ。日ごろわが家の火事のなかでも居ねむりできるといわれているほどに落ちついた棚野嘉兵衛だが、さすがにこのときばかりは泡《あわ》を食っていた。

「その逃げる経路は、義兄《あに》サと三間市之進でよくしらべて決めてもらいたい。私はちょっと御城へ」

「御城には、もうなにもないぞ」

「いや、史書では落城ということをよく見るが、棄城《きじょう》ということははじめてだ。この目で見たい」

継之助は棚野の馬の腹帯をしめなおし、それをもって堂島川の河畔を駈《か》けた。なにごとも自分の目で見ねば気のすまぬおとこであった。城へゆけばたとえそこに混乱だけがあるとはいえ、せめて逃げる方法の智恵《ちえ》のたねでもころがっているかもしれない。

大手門に達すると、平装の武士や武装兵士がまだうろうろしていたが、それでもよほど人数がすくなくなっていた。

城内に入った。

お庭にまで書類が散乱し、行李《こうり》がほうりだされ、槍《やり》や鉄砲までころがっている。御玄関から、大きなまとい、、、のようなものをかついで飛びだしてきた老人がある。町人体であった。なんだ、と継之助が問うたが、男はものもいわずに駈け去った。

あとで知ったことだが、この男は江戸の人足の大親分で新門辰五郎《しんもんたつごろう》と言い、慶喜がとくべつに目をかけていた男だった。

かついでいたのは、家康以来の将軍家大馬印の「金扇」であったという。辰五郎はこれが置きすてられていることを知り、あわてて取り出し、慶喜のあとを追ったが軍艦はすでに沖へ出たあとであり、やむなくこれをかついで東海道を江戸まで駈けくだったという。

継之助は自藩の陣屋にもどり、大坂脱出の方法について会議をした。

「結論が出ませぬ」

と、三間市之進はいった。

最良の方法は、まだ大坂湾に残っているはずの幕府艦隊にのせてもらうことであったがこれは断わられたらしい。

——せめて藩主だけでも。

と交渉したが、それもことわられた。将軍脱出後、幕府艦隊は高級幕臣や負傷兵を収容するだけで手いっぱいであるという。

「会津藩士や幕臣の一部は、紀州路（和歌山県）へ落ちるらしい」

と、継之助は大坂城できいたことをいった。

なにしろ京都と大津、それに京坂《けいはん》の街道は、薩長でおさえられているのである。どこかを大まわりしなければ江戸へ帰れない。

紀州へ落ちる、という意見が大部分なのは紀州藩が徳川の御三家であるからであった。

「まさか」

と、たれかがつぶやいた。

「紀州藩まで寝返っておりますまいな」

「わからん」

継之助は、おもしろそうに笑った。こうなればこの現状を面白がるしか手がない。

「しかし紀州家は、御三家の筆頭でございますぞ。それにご先代の大樹公（将軍家茂）は紀州家から出ておられます」

「この乱世に、血の濃さなどあてになるものか。関ヶ原において大坂方をうらぎったのは豊臣家の養子であり、かつまた太閤のおいでもあった小早川《こばやかわ》秀秋だ」

「紀州家が、小早川秀秋だと申されるのでござるか」

つい、議論は殺気立ってくる。

「たれがそうだといった。乱世にあっては由緒《ゆいしょ》や縁起はあてにならんといったまでだ。徳川家の譜代筆頭の井伊家はいますでに裏切っており、徳川家ともっとも因縁のふかかった藤堂家は味方の旗色がわるいとみると、にわかに砲門の方角を変え、味方の頭上に砲弾の雨をふらせたではないか。あの藤堂の砲弾がとんできたとき、最初はどこから飛んでくるのかわからなかったそうだ。まさか、藤堂藩がうらぎるとはおもわなかったのだろう」

「では大夫《たいふ》（家老）はどうするというお肚《はら》なのです」

「ひとに頼らず、おのれのみを恃《たの》めということさ。紀州は大まわりだ。大和《やまと》から伊勢松坂に出て松坂から船にのればいい」

「それも考えたのです。しかし」

あぶない。京から奈良は近いから薩長はすでに奈良に兵を出し、退路を遮《さえぎ》っているのではないか。

「そのときは戦えばいい。とにかく近いほうがいい。それでゆく」

この七日の夕刻、継之助は藩主を擁し、藩兵をひきいて大坂を去った。

江　戸

継之助らは、奈良をとおり、笠置《かさぎ》へ出、伊賀に入った。伊賀の国は、伊勢の藤堂藩の属領であり、その主城である伊賀上野城は、代々藤堂家の城代がまもっている。

「伊賀上野城下を通りますか」

と、三間市之進がきいた。

「なぜきく」

「あれは藤堂家の城下です」

藤堂家は、鳥羽伏見での後半における裏切り以来、官軍になっている。かれら新官軍が忠義顔をしてこっちへ押し寄せられてはたまらない。

「しかし上野城下を通るのが、松坂への近道だろう」

「そりゃ、近うはございますが」

「通ろう」

と、継之助はいった。

「さればいそいで通りましょう」

「なぜいそがねばならぬ」

「藤堂家の魂胆がわかりませぬ」

「なあに、裏切るような藩に攻めてくるほどの度胸があるものか。いっそ、今夜の宿は上野城下にとろう」

「宿を」

「ちょっと存念があるのだ」

と継之助がいったのは、今後の大名の動向を観望するためのなにかの足しになるかもしれぬとおもったのである。

宿割りのための者を先発させた。

やがて上野城下に近づくと、その先発させたうちの一人が道で待っていた。

「なんだ、宿をことわられたのか」

継之助はそうおもった。藤堂家が薩長《さっちょう》に加担した以上、当然徳川方とみられる長岡藩の藩主と藩兵が城下にとまることを拒否するだろうとおもったのである。

「それが」

まだ決らぬのです、という。長岡勢を城下に泊めるか泊めないか、城で評定《ひょうじょう》をしているという。うっかり長岡勢を泊めたがために、藤堂家はあたらしい主人である薩長の機嫌《きげん》を損ずることをおそれているのであろう。

「厄介《やっかい》なことだな」

継之助は、行列を停止させた。

「城に泊めてくれといっているわけではない。こっちは旅籠《はたご》に泊るのだ。それをお城で評定するなどとはよほど小心にできている。大体、裏切るという心根はよっぽどずぶといか、よっぽど小心かのどちらかだが、藤堂家はその後者であるようだ」

継之助は一策を講じ、三間市之進を城への使者に立てた。その口上は、

「長岡藩は、薩長とともに王事につくそうがため帰国をする。であるのに長思案はなにごとでござる。この旨《むね》、京へ報告しますが、それでおよろしいか」

といううそであった。

「うんと凄《すご》んでやれ」

と継之助は言いふくめた。はたして藤堂家は大いに驚き、陳謝し、長岡勢が城下に泊ることをゆるした。

うその効果があったらしい。藤堂藩はてのひらをかえしたように親切になり、役人がやってきて宿割りの世話まで焼いてくれた。

そのうえ、継之助の旅籠に家老の代理という者がやってきてあいさつまでした。

「やはりあの、なんでございますか、長岡藩におかれても、このたび天朝方に」

「左様」

継之助は、みじかくうなずいた。それ以上はむこうがなにを話してもこの程度の返事しかせず、あとはだまりこくっていた。不愉快であった。継之助にとってなにが醜悪といってもこういう藤堂藩的な行動ほどそうであることはない。

最後に、藤堂藩の使者がきいた。

「今後、貴藩にあってはどのような方針をもってうごいてゆかれます」

この点は、藤堂藩とすればもっともききたいところであろう。

藤堂藩だけでなく日本中の藩が、その点で迷っている。迷っていないのは薩長両藩だけであろう。土佐藩ですら、徳川家への情義を捨てがたくてまだ迷いの色が残っていた。

継之助がだまっていると、使者が、

「まだお迷いでございますか」

ときいた。継之助は即座に答えた。

「迷ってはおりませぬ。越後《えちご》長岡藩のゆく道は一つでござる」

「とは？」

「天道でござる。左様、天地正大の道をゆきます」

「ほほう、天地……」

使者はくびをひねった。どうも話が抽象的でそれだけではつかみようがない。

「いますこし、おくわしく」

「詳しくと申されるならお話し申しましょうが、しかし一晩や二晩では語り尽せませぬ」

「ははあ」

使者はおそれをなしたのか、こそこそとひきあげて行った。

「藤堂家も迷っているようですな」

と、あとで三間市之進がいった。継之助ははげしくかぶりをふった。

「迷ってはおらぬよ」

「藤堂藩が、でございますよ」

「迷ってはおらぬ。迷うというのは、もっと高邁《こうまい》な心のことだ。天下のどの藩が迷おうとも藤堂藩だけは迷わぬ」

「しかし、あのように」

「あれは、他人《ひと》の藩の様子をしらべているだけさ。赤が多ければ赤につく、それだけのことだ。藤堂家が鳥羽伏見において裏切りをしたのも深い理想の煩悶《はんもん》から出た結果ではなく、薩長が優勢だと見たからどっとそのほうについただけだ。そういう種類の動きをなす者には古来、迷いはない。しかしなにがおそろしいといっても古来その種類の連中ほどおそろしいものはない。強者に気に入られるためにはなにをするかわからないのだ」

翌朝、伊勢の松坂にむかった。

継之助らの長岡勢は、伊賀をぬけて伊勢路に入り、伊勢海沿岸をめざした。

——伊勢松坂へ。

というのが、かれらの行軍目標であった。その予定は松坂で一泊し、松坂から船に乗る。

「なかなか、不自由なことだ」

と、棚野《なぎの》嘉兵衛は行軍中、つぶやいた。本来ならば伊勢の津から乗船するのが常識であった。しかし津は藤堂藩の主城下であり、その三十二万三千石の城下町である。とても入れたものではない。

松坂は、津から十五キロの南方にある。ここは伊勢にありながら紀州徳川家の飛地《とびち》領《りょう》であり、その点で安全であった。

夕刻、松坂に入った。市中は大坂から落ちてきた東国諸藩の士でごったがえしており、とても宿がみつかりそうになかった。

「殿さまだけでも、なんとかしろ。あとは軒下にでも寝るのだ」

と、継之助はいった。

日が暮れてから、やっと全員の宿がきまった。旅籠三十軒ばかりに二人、三人とちりぢりに分宿するといったさわぎで、殿さまといえども一室とるというわけにはいかない。

「わしは、相宿《あいやど》でいいぞ」

と、牧野忠訓《ただのり》がいった。相宿ということばを殿さまが知っているというので、側近たちは顔を見合せた。

「知っている。草紙で読んだ」

と、忠訓はいった。草紙というのは十返舎一九《じっぺんしゃいっく》の「東海道中膝栗毛《ひざくりげ》」のことであろう。

「弥次郎兵衛《やじろべえ》、喜多八は、この松坂に夜ふけについた。旅籠賃を節約して町の入口にある木賃宿にとまっている」

しかしいくらなんでも殿様に相宿をさせるわけにいかないから、五人ばかりが物干し台に寝、殿様のために一室を都合した。

階下には、若侍が寝た。寝る前に、酒がひとわたり出た。これがわるかった。酒がまわったためにこの正月以来の鬱屈《うっくつ》が一時におもてに出たのであろう。

「どうせ落ちるなら、会津・桑名とともにわが藩もいくさをすべきであった」

という議論が出はじめ、

「河井どのは、いくさがきらいなのではないか」

とまで言いだす者があった。なかには箸《はし》を太鼓のばちのようにして膳《ぜん》をたたき、
薩摩長州を

　　俎《まないた》にのせて
　　大根切るようにチョキチョキと

と唄《うた》いだす者があり、その唄声が他の部屋にまできこえた。継之助は二階から降りてきてその部屋のふすまをひらき、部屋の中央に進んでその男から箸をとりあげ、ぴしっと二つに折った。

まわりは、埃《ほこり》までがしずみこむように静かになった。継之助はだまってその部屋を去った。みないっせいに膳を片づけて寝てしまった。

かれらは松坂から和船に乗り、伊勢海を東へつききり、渥美《あつみ》湾に入り、三河の吉田に上陸した。

「もはや、東国である」

と、若い侍たちはくちぐちにいった。

吉田というのは、明治後豊橋と改名された町である。城は市中の川ぞいの丘陵にあり、松平家七万石の城下になっている。町は海岸にはなく、一里ばかり浜から入らねばならない。

かれらは日没後、河口の港につき、そこで下船し、そのあと草ぶかい田園のなかの道を東へ歩いた。やがて吉田の町の灯《ひ》がみえてきたとき、たれの唇からも嘆声が落ちた。

——もはや東国である。

という安堵《あんど》感であった。日本を二つに割ってこの三河あたりから東が徳川政権の勢力下とみていいであろう。外様《とざま》大名はほとんどいない。

人情気風の点でも、このあたりから東国圏になるであろう。この三河の西隣りの尾《お》張《わり》名古屋となると、上方の影響をうけやすい。むしろ上方風であった。尾張名古屋は徳川御三家のひとつの城下であるが、げんにこの尾張徳川家はいま京にあって親薩長派ともいうべき政治色をとっていた。かれら長岡勢が名古屋を通過することを避けて海路いきなり三河に入ったのは、その点も理由のひとつになっていた。

「今夜は、やすらかにねむれる」

と、口の重い梛野嘉兵衛までが少年のようにかろやかな声を出した。この嘉兵衛にいわせれば、

「吉田から江戸へは七十三里。もはや徳川《とくせん》の御家の庭も同然である」

ということであった。

継之助は、終始無口であった。かれは内心あせっていた。

（これではどうにもならない）

というあせりである。

西国の雄藩は、国もとと京大坂との交通はすべて蒸気船を用いるようになっている。鹿児島から大坂までかれらは三日でやってくるし、長州下関からは二日足らず、芸州広島からは一日、土佐浦戸からは一日とすこしである。西国のどの大藩も藩海軍と藩の運輸船をもっている。藩の要人の往来もすべて蒸気船であり、藩兵を京に送るのもすべて蒸気船であった。このため、時勢急迫のテンポが数年前よりもすさまじく早くなった。ところが、継之助の長岡藩はどうであろう。

藩主以下、東海道をあるいて江戸までゆかねばならない。そのながながと日数をかけて歩いているうちに京の情勢はどんどんかわってゆくにちがいない。

「義兄《あに》サ、わしだけは馬を駆ってひとあしさきに江戸へゆく」

と、継之助が言いだしたのは、その翌日のことである。行列の遅さに堪えきれなくなったのである。

掛川宿で一行が宿泊したとき、深夜花木善次郎という藩の上士が継之助のやどをたずねてきた。

「なんだ、花木が?」

継之助はすぐ起き、寝巻のままのすがたで枕《まくら》もとに花木善次郎を迎えた。

「なんだ、おみしゃんは」

と、継之助の語気は荒かった。花木は越後の国もとにいるはずなのである。それが、肌《はだ》に鎖の着込みをつけた戦闘服でこんなところにあらわれている。

「のっけからお叱《しか》りになられてはものがいえませぬ。あとを追ってきたのです」

「どこから」

「はじめから申します」

というのは、継之助らが藩主を擁して京坂《けいはん》に行ったあと、藩では京坂の容易ならぬ風雲に気を揉《も》み、出動兵力がすくなすぎるのを心配して花木に百人の銃隊をひきいさせて出発させたのだという。ところが花木隊が近江《おうみ》の琵琶《びわ》湖西岸まできたとき、京の方角にあたって砲声が殷々《いんいん》とひびくのを聞き、すぐ偵察《ていさつ》させたところ、伏見において徳川方が敗北し、徳川慶喜《よしのぶ》以下が大坂城をすてて退散し、長岡藩も大坂から掻《か》き消えてしまった。おそらく東海道をとって江戸にくだったのであろうと思い、このようにして隊長ただ一人があとを追ってきたのだというのである。

「ばか者」

　と、継之助がひくく叫んだ。

　継之助のからだがふるえていた。世の中にはなんとばかが多いことか。「わしは」

と、継之助は言葉をつづけた。

「ものごとを考えれば夜もねむれぬ。今後、藩はどうなるか、日本はどうなるか、藩はどうすべきか、どのように考えどのように行えばこの国の歴史に意義のある姿を長岡藩はとどめうるか、ということを身のほそるおもいで考えている。しかるにおみしゃんらはなにごとだ」

　継之助が小人数で藩主とともに京坂に行ったのは、ひとつは徳川家への形式的義理だてであり、ひとつは風雲のなかにとびこんで風雲の実体を偵察するためであった。そのために小人数で出発し、現地の戦争にも巻きこまれぬようにした。じつにきわどい芸であった、と継之助はいう。

「それをなにごとぞ、うろうろと」

　と、継之助はいう。花木隊は百人である。

「百やそこらの小人数で、この天下の動きがどうなるものでもないのだ。そのために京都の新政府の印象をわるくするだけだ」

その配慮が、継之助には大きい。継之助にすれば今後、風雲のなかで中立をまもろうとしており、中立をまもるためには徳川方からも京都方からも印象をよくしておかねばならない。そのむずかしさは綱わたりか手品のようである、と継之助はいった。

「しかし、わたくしどもだけではございませぬよ。他にも幾隊かが国もとをすでに出発しているはずです」

事情をきくと、このたび京大坂でおこった事変は、継之助らの国もとを大きくゆさぶった。

「そこで老公がご心配なされ」

と、花木はいう。老公とは隠居をした前藩主忠恭《ただゆき》である。

「徳川家救援のためすぐ上方へ兵を出せ」

ということになった。そこで花木らが出発したあと、それだけの人数では心もとないとして、重役の稲垣主税《ちから》が大将となって遠征隊を編成し、すでに長岡を出発したという。

「冗談ではない」

継之助は、それをきくなり叫んだ。しかし長岡における事態は、この花木が知っている以上にすすんでいた。

じつは継之助が大坂から発した急使が長岡についたのは八日目である。この変報に接して藩庁では大いに騒動し、上方派遣軍をさらに増員することにした。

そのことは、東海道掛川の宿《しゅく》にいる継之助が知るよしもない。が、想像はついた。

「国もとでは、さらに遠征隊を増派するにちがいない」

と、かれは見た。そうなればなにも知らぬ長岡藩は上方にあらわれ、薩長軍と孤軍で戦わねばならない。

(なんとばかなことを)

継之助はいそいで、袴《はかま》をつけた。藩主忠訓に拝謁《はいえつ》せねばならぬ。

「これは捨てておけませぬ」

「それはそうだ」

忠訓は若いながらも、国もとの軽率さがわかった。徳川慶喜さえ江戸に帰ったというのに長岡勢だけが大汗かいて京にのぼり、薩長と戦わざるをえない。戦うのはいいにしても、この「怪行動」が薩長からすれば、

——慶喜のさしがねである。

と見るであろう。それを理由に慶喜討伐軍をおこすであろう。

「拙者はいまから江戸へ参ります」

「いまから」

忠訓はおどろいた。

継之助にすれば江戸へ一刻も早くついて江戸の情勢もつかみ、江戸藩邸から早飛脚を出して国もとを鎮静させねばならない。それには一刻をもあらそう。このような行列を組んで東海道の宿場々々をくだっているようでは、なにもかも手遅れになってしまうのである。

「使いの者を先行させればいいではないか」

「いいえ、拙者自身が参ります」

これが、継之助のやりかたであった。他の者では断じて間にあわない。継之助は、自分の目と頭脳と度胸だけを信頼した。そういう男であった。

「しかし、そのほうは家老だぞ」

「家老であろうとなんであろうと」

と、継之助はつぶやき、つぶやきつつ御前からしりぞいてすぐ早打ちの用意をさせた。

「この夜分に、早打ちの支度をするのでございますか」

と、宿場役人はいやがったが、それに金をつかませて承知をさせた。

東海道の里程では、遠州掛川から江戸まで五十六里二十丁ということになっている。ふつうに歩けば六日はかかる距離であろう。

それを継之助は早駕籠《はやかご》でゆくという。かれは装束をあらためて土間のすみに腰をおろし、早駕籠のくるのを待った。

「継サ、むりではないか」

と、義兄の梛野嘉兵衛がそばに寄ってきてささやいた。からだが心配であった。

早駕籠とか早馬というのは、いろんな意味で特別なものである。

まずこれを用いることは、町人や百姓にはゆるされていない。武家でも私用はいけない。幕府か藩の公用だけにかぎられるのである。早駕籠については元禄《げんろく》十四年の赤穂《あこう》事件をおもうべきであろう。この年の春に播州《ばんしゅう》(兵庫県)赤穂の城主浅野内匠頭《たくみのかみ》長矩《ながのり》は江戸城において刃傷沙汰《にんじようざた》をおこし、切腹を命ぜられ、家は断絶になった。この変事を国もとの赤穂に急報すべく、原惣右衛門《そうえもん》と大石瀬左衛門が江戸を早駕籠で発《た》った。江戸から赤穂まで百五十五里である。ふつうならば半月以上はかかるところを、かれらは四日半で乗り切った。しかし着いたときは両人とも半死半生であった。

「継サも、もはや若くない。早駕籠など、はたち前後の者がやっとできるというものだ」

と、棚野嘉兵衛がいった。

「義兄《あに》サ、人間の迷信のうちでもっとも大きなものは齢《とし》ということだ。わしには齢などはない」

やがて早駕籠がきた。

継之助は、うしろ鉢巻《はちまき》を締めて駕籠のなかに身を入れた。駕籠の天井からひもがぶらさがっている。それを両手でつかまえ、中腰になる。その姿勢のまま突っ走るのである。

駕籠かきは、十人いた。駕籠がかるがるとあがるや、かれらは空《から》すねをまわしてすっ飛びはじめた。駈《か》けに駈けてつぎの宿《しゅく》の問屋場《といやば》までたどりつくと、かれらは路上に倒れる。新手が待っていて駕籠をリレーしてゆく。昼夜やすみなく駈ける。

駕籠のなかの体がはげしく揺れつづけている。腹には晒《さらし》を巻きあげて内臓の動揺をふせいでいるが、それでも胃のなかのものを吐く。吐き飛ばしつつゆく。血がさがり顔は土色になり力という力はなくなってしまうが、気力だけでひもにしがみついている。ひもによって体を持ちあげ、中腰をつづけておらねばならない。

江戸には二日でついた。

すぐ愛宕下《あたごした》の藩邸に入り、駕籠を玄関の式台までかつぎこませた。

継之助はころび出てきたが、起きあがれない。みながおこそうとした。

「さわるな」

継之助が顔をしかめたのは、抱きおこされるだけで骨がはずれてしまいそうだったからであった。しばらく天井を見ていた。

継之助は式台の上にころがったまま、

「おれのいうことをいそぎ手紙にせよ。それを早飛脚で国もとへすぐ発たせよ」

といった。一同うろたえたが、とにかくも筆と紙をもってきた。

継之助は、口述しはじめた。

上方での敗戦、京の変動、藩主と藩兵の江戸帰着について口述したあと、

「兵備は厳にする必要あれども、兵は一兵もうごかすべからず。もし軽々に兵をうごかせば長岡藩の滅亡と知るべし」

と、もっとも重要な部分に入ったとき、急に口をつぐみ、沈黙した。

筆記者が、筆さきをあげて待ったがあまりに沈黙がながいため紙ごしにのぞきこむ

と、継之助は天井を見あげたまま泣いていた。その眼裂《きれ》のするどい両眼から涙があふれては落ち、床をぬらした。

たれかが濡《ぬ》れ手拭《てぬぐい》をもってきて継之助の顔をぬぐった。

「これは疲れている証拠だ」

と、継之助は弁解した。

「ただそれだけのことだ」

「疲れていると、涙がでるのでござるか」

「涙なんてものはな」

と、継之助はいった。

「いつもおれの腹の底いっぱいに溜《た》まっているのだ。しかし心という締め紐《ひも》があってそれが一滴もこぼれぬようにできている。いまは体が疲れ、心の締め紐がゆるんだ。ただそれだけでだらしもなくこのようにこぼれている。平素はもうすこしましな男だ」

「わかっております」

「書いてもらおう」

と、継之助は口述をつづけた。

「自分はしばらく江戸にいる。江戸から日に一度は飛脚を送る。江戸で情勢を見、情報をあつめ、それによって藩のとるべき道を判断してゆくから、自分の指示からはずれぬようにしてもらいたい」

国もとには前藩主や門閥家老たちがいることでもあり、この申しぶんは強引であったが、しかしこのような混乱期には命令が一途から出なければ藩はいよいよ混乱してしまう。

「このお言葉、このまま書いていいのでしょうか」

「いいのだ」

と、継之助はいった。

やがて、藩出入りの飛脚問屋から人がやってきた。それが右の手紙を受けとるや、その足で越後にむかって走り出した。越後長岡まで三百キロであり、途中積雪地も多いため、死にものぐるいで走っても七日はかかるであろう。

継之助はその日はさすがに起きあがれず、床をとってもらって寝た。藩邸の中間《ちゆうげん》であんまの上手なのが、ずっと介抱した。

「おれが寝ているあいだも、天下がうごいているのだ」

と、継之助はうわごとを言いつづけた。事実、鳥羽伏見の京方の戦勝は世界中の主要新聞に掲載され、列強は今後日本はどのようになっていくかを見守っている。京の新政府はその列強環視のなかにあってやすみもなくあたらしい手をうちはじめていた。

継之助は、本隊が到着すると、かれらのうち気のきいた者を四方に走らせて情報をあつめさせた。

「事をおこなうとき、なによりも知るということが大事だ」

と、かれはいった。

知りたいことは、四つである。徳川慶喜の真意、幕臣のうごき、諸藩の動向、それに外国はこの政変をどうみているか、ということであった。

かれにはいまたれよりも会いたい人物がいる。徳川家の外国方福地源一郎であった。

「もう江戸に帰っているだろう」

とおもい、使いを福地の屋敷にやらせた。福地はこの当時下谷《したや》の二長町《にちようまち》に屋敷をたまわって住んでいた。身分もあの横浜運上所《うんじようしよ》当時のように卑《ひく》いものではなく、通弁御用頭取で百五十俵三人扶持《ぶち》であり、まがりなりにもお目見得以上のお旗本である。

(福地ならばいろんなことを知っているにちがいない)

そうであろう。

福地は外国方の役人だから上層部との接触が多く、その動向もよく知っている。それにかれはオランダ語、フランス語、英語に堪能《たんのう》で、横浜あたりの外国公館がこの日本の事態をどう観測しているかについてもくわしいはずであった。それにいろんなうわさをその二つの耳に入れるという点でも異能といっていいほどにふしぎな能力がある。

(かれに会うことは、千人に会うことにもひとしい)

継之助はこの年若い友人についてそうおもっていた。やがて使いが帰ってきて、福地のことばを伝えた。

「私もぜひ会いたいから、あす、朝早くきてくれ。自分はこのところ毎日御城へ詰めている。なんなら御城へ連れて行ってあげてもいい」

というのである。

継之助は翌朝、福地の屋敷へ行った。その門前に立つと、古屋敷ながら堂々たる旗本の構えである。

(たいしたものだ)

と、継之助はおもった。長崎の町医のせがれが、ただ語学ができるだけで幕府に召しかかえられ、ここ八、九年のうちにここまで立身したのである。

福地は幸運児でもあった。かれは継之助とはじめて知りあったあと、文久元年に渡欧する機会をえたが、慶応元年にも幕命によって洋行した。幕府が横須賀《よこすか》製鉄所をつくるため外国奉行柴田日向守《しばたひゆうがのかみ》をフランスに派遣したが、福地もその随員として行った。ゆきはフランス軍艦に乗り、帰りはフランス郵船で帰った。かれはパリ滞在中、国際法の勉強をしたかったが、法律の勉強はこの男の才子肌《はだ》の気質にむかず、結局語学をみっちりやった。妙なことにこのとき福地は東洋人種学会の会員になったりしている。かれの滞欧はわずか半年前後であったが、ロンドンでシェークスピアの戯曲集を買い、「こんなおもしろい本はない」とそれに熱中した。幕府の長州征伐中のことであった。

「やあ、一別以来」

と、福地源一郎はひどくなつかしげな声をだして、継之助をむかえた。

「どうぞ」

と、自分で立って行って座ぶとんをとり出してきた。

「あれから女房というものをもらったのですがね、今日はどこへ行きゃがったか、居やしない」

「どこへ行きゃがったかはないでしょう」

継之助は、ひさしぶりで笑った。福地源一郎は長崎のうまれだが、うまれついての江戸っ子よりも身ごなしがいきで、物事の判断に歯ぎれがよく、わざと軽薄ぶったり、本気で義に勇み、そのくせ尻腰《しっこし》がなさそうで、尻腰のないところがむしろさわやかな感じをひとにあたえる。

「これでも、もうお旗本ですぜ」

といったのは自慢したわけではない。旗本のくせに、客の座ぶとんをもってくる若党も中間も置いていないという意味らしい。どこまでも書生っぽくて、いかにも洋学生あがりのにわか旗本というところである。

「どうぞ。その座ぶとんをおあてください」

「ありがとう。しかし私は越後長岡の田舎侍で、座ぶとんの上にすわったことがない」

「ああ、常在戦場」

と、福地は物知りぶりを発揮した。常在戦場というのは長岡藩がふるくから伝承してきた藩是《はんぜ》で、藩士に生活文化というものを楽しませない。座ぶとんひとつでも、そういうものは戦場にはないということで、武家の家庭では用いないことになっている。

「会津藩も、そうらしいですな」

「ああ、あそこも頑固《がんこ》な藩だ」

「ひょっとすると、日常座ぶとんを用いるのは江戸の旗本御家人（将軍直参）だけかもしれませんよ。座ぶとんを日常用いるなんてのは、町人の風習が伝染《うつ》ったのだ。なにしろ、三百年の江戸ぐらしで、尻《しり》が滅法やわらかくなっている」

「なるほど」

継之助はまた笑った。絵にかいたような江戸っ子風の福地が江戸侍の悪口をいうのだから、どこかおかしい。

「学問も、ありゃしない。日本中の侍のなかでいちばん無学なのは江戸の直参でしょう。無学も無学、ひどいものだ」

と、福地はいう。

その点は、継之助も同感だった。どの藩でも藩士のための教育機関をもっているが、幕府だけは旗本のための教育機関をながいあいだもっていなかった。

たまに学問をしようという旗本の子弟があっても、長つづきがしない。とくに洋学などは語学中心で根気ものだから、ほとんど江戸出身者は成功せず、田舎者が頭角をあらわしてしまう。幕府も、洋式陸海軍その他の必要から大量に洋学出身を幕臣として召しかかえたが、その九割九分までが生《き》っ粋《すい》の直参出身ではなく、田舎の藩の出身者だった。

「薩長の田舎っぺえにやられるはずですよ」

と、福地は、本題に入った。

「福地さん。この大変事についてあなたはどうおもわれる」

と継之助はきいた。福地源一郎は、ぴんとはねた利《き》かん気な眉《まゆ》さきをあげて、

「むろん、決戦も決戦、大の決戦屋でさ。将軍《うえ》さまは恭順だの不戦だのとおっしゃるが、そんなばかなことはない。官軍だとむこうはいっているが、ありゃ、実体は薩長でさ。その薩長のなかでもほんの一部の討幕論者が藩をまるめこんでこんどのような途方もねえことをやってのけたのだ。こんな没義道《もぎどう》なことを天が許しますか。たとえ天がゆるしても人はゆるさず、人はゆるしてもこの福地源一郎はゆるさない」

(やっぱり、この男はおかしい)

福地のいうところは正論だし、継之助も同意見なのだが、その正論も福地の舌先にかかると日蓮宗《にちれんしゅう》の髭題目《ひげだいもく》みたいにぴんぴん先がはねて、どうにも妙な気持になる。

「徳川方は勝てるんですよ」

と、福地はいった。

福地という男は徹頭徹尾才子であり、この才子という多分に侮蔑《ぶべつ》的なことばを福地自身が自嘲《じちよう》的に甘受している。かれは自分で自分のことを、

——江戸風流第一才子
ということばで評していた。風流というのはここ数年来、かれはありっ金をはたいては吉原に通いづめ、ちょっとした通人になってしまっているということである。才子というのは、頭の回転が早すぎて人が小馬鹿《こばか》にみえてしようがない。学問はあるどころか、ありあまっていた。かれは漢学だけでもめしが食えるほどであり、漢詩がうまく、書の巧みさもたれにもまけない。そのうえ英仏蘭《えいふつらん》という三カ国語に通じ、国際法にあかるく、西洋の演劇や小説にまで通じ、しかもナポレオンがすきでナポレオン戦術の講釈にかけてはたれにもまけないという、どうにもならぬ頭のよさである。そのくせ齢はまだ二十八歳であった。才子ということばがこれほどぴったりする男はなく、日本史上の才子をとらえて才子伝を書くとすればこの福地源一郎こそまっさきにとりあげられるべきであろう。

しかし、幕閣では、

「あいつは能力がありすぎるが、しかし口が軽くて機密がまかせられない」

とし、翻訳方以上のしごとをかれにあたえないようにしていた。

大政奉還のときも、福地は幕閣に意見を出し、「大政奉還をされたことはやむをえないが、しかしその後も徳川家が政治の中心であるべきである。それには将軍が西洋の大統領の位置につくべきだ」といった。

鳥羽伏見の開戦の前も戦法を意見具申し、

「ナポレオン戦法でやるとすれば」

といって三つの作戦案を出した。幕府要人はみな感心したが、しかし採用しなかった。

「福地の案はおもしろいが、それを採用すればあれはおしゃべりだから、みな洩《も》れてしまう」

というのが、理由であった。

こう、継之助が見ていると、福地の顔は、いくらみても大人の顔ではなく、腕白小僧の顔である。そのくせ口から出ることは、いちいち新鮮なのである。

「それがじつにもう」

というのが口ぐせだった。

「それがじつにもう」

言いつつ、かれは、列強の日本観を話した。さらに幕府の高官の思案、気持などを、いちいち臓腑《ぞうふ》をとってきてならべるように話した。

「幕府はみな、抗戦派ですよ。みな薩長討つべし、とこぶしをあげ、まなじりを裂き、口から泡《あわ》をとばして激論している。口だけはね」

「口だけですか」

「いや、口だけでないのもいます。口だけのやつは家柄《いえがら》の古さを誇る由緒《ゆいしょ》正しき旗本連中でさ。やる気のあるのはにわか旗本連中でしてね」

「あなたも、にわか旗本ですな」

「左様、拙者もそう。妙なものさ」

福地のいうところでは、先祖代々からの旗本というのは、先祖の武功のおかげで数百年為《な》すところもなく都会でくらしつづけた連中で、これは徳川家の崩壊を憂《うれ》えるよりもこのさき世の中がどう変るか、変れば食ってゆけるか、「どうしよう、どうしよう」とそのことばかり心配している。つまり「どうしよう連中です」と、福地はいう。

「その点、にわか旗本は、てめえの腕一つで召しかかえられた連中でさ。人間の出来がちがう。ちがう上に」

と、福地はいう。

「ちがう上に、自分自身が召しかかえられたという感激がある。この感激は、徳川の御家大事という忠誠心にむすびついてゆく。先祖の遺産でぞろっぺえに食ってきた連中とは気持がちがいますよ」

「どういう連中です」

「洋学連中ですよ」

と、福地はいってから、あっはははとわらい、「これはわが仏尊《ほとけとうと》しかな。しかしてめえの仲間のことをいうようであれだが、本当ですよ」という。いや、本当だろう。

「たとえば榎本釜次郎《えのもとかまじろう》(武揚《たけあき》)」

「かれは江戸っ子でしょう」

「左様、しかも幕臣の子です。しかし父親は卑役の者で、かれは家督をつげぬ次男のうまれです。本来ならばどうにもならない境涯《きょうがい》だが、洋学と秀才の必要なご時勢にうまれたために親の筋目とは関係なしに取りたてられ、オランダ人に海軍を学び、欧州へも留学し、いまや海軍副総裁というとほうもない出世をした。いわばにわか旗本にちがいないが、かれは軍艦をにぎっている。たれが恭順してもこの男だけは恭順はしませんよ」

洋学でにわか旗本になった連中は、洋式海軍と洋式陸軍をにぎっており、かれらは徳川方の装備のほうが薩長よりはるかに上だと知っている。

「その連中はかならず兵を動かしましょう。なあに、上様は上様、上様がどんなお芝居をなさろうとも、かれらはかまっちゃいませんよ。きっとやる」

福地源一郎は、スイス製の懐中時計をもっている。それを懐《ふとこ》ろからとりだして、

——こいつはいけない。

という顔をした。表情の多い男だ。

「お城へのぼらなくちゃならない。いかがです、御一緒に」

「私は、陪臣ですよ」

と、継之助がいった。旗本なら将軍の直臣である。大名も将軍の直臣といえる。継之助は長岡藩の家老であっても将軍からみればまたもの、陪臣のぶんざいだから、お城にはのぼれない。が、福地はいった。

「かまやしませんよ、もう。お城の中はむちゃくちゃで、たれがたれを連れてきたってかまっている者なんざ、いやしない」

「いや、遠慮しましょう」

といったが、しかし継之助にすれば江戸城内の様子を見たり、幕臣の様子をこの目で見確かめておくことは今後の自分の藩の方針をきめてゆく上で重要であった。このため結局は、ゆくことにした。

「失礼ながら、御門を入るときは私の従者ということにしておきましょう。越後長岡七万四千石の譜代藩のご家老を従者にもつのはいい気持なものだ」

「どうぞ」

継之助はいった。途中も、福地源一郎はしゃべりづめである。武士は路上をあるきながら喋《しゃべ》らぬというのがその節度になっているのだが、この洋学書生あがりのお旗本は、そういう武士の伝統などは身につけていないらしい。

「瓦解《がかい》でね、柳営《りゅうえい》（江戸城）のお役人は上も下も仕事が手につかず、手につかぬのがあたりまえで、仕事などもうありゃしませんのさ。だから大ていの連中はお城に登っても来ない。登城してもあちこちに屯《たむ》ろして一日中議論している。議論の勢いだけきいていると、まるで自分ひとりが勇者で他はみな無能で馬鹿で枯れ尾花をみても腰をぬかすような臆病者《おくびょうもの》ぞろいだという調子ですよ」

「なるほど」

継之助は、あるいてゆく。

「貧乏くじは、われわれでさ」

福地はいう。われわれとは、福地ら外国方の役人たちを指している。これだけは外国が相手の外交上の仕事だから、ほっぽらかすわけにゆかず、きちんと整理して新政府にひき渡さないといけない。でなければ幕府も朝廷もひっくるめて日本全体が国際社会から馬鹿にされてしまう。

「だから、毎日お城にのぼっている。書類の整理がおもですが、結構いそがしい。いそがしい上にこれほど甲斐《かい》のない仕事はありませんよ。つまり薩長の連中のために整理してやっているようなものですからな。いっそ、ほっぽらかしてしまえばいい気味なんだが」

「それはちゃんとやったほうがいい。徳川家がたとえほろびても、この島に日本人とその子孫はずっと生きつづけてゆくのだから。福地さんの多忙は、後世のための多忙なのだ」

と、継之助はいった。

継之助などの陪臣が江戸城内を見るなどということは、とほうもないことである。子供のころ、稽古《けいこ》町の伯父がよくいっていた。

「三百諸侯というがね。なるほどお大名は江戸城に登城なさって、将軍《くぼう》さまに拝謁《はいえつ》をなさる。しかし将軍さまのお顔をおがんだというお大名は何人もいなさらぬのだぜ」

将軍拝謁というのはそういうものらしい。大名は平伏している。将軍は上段の間にすわっている。大名は顔をあげることをゆるされない。拝謁がおわると顔を伏せたまままひきさがり、それっきりである。尊貴のひとの顔をみてはいけないというのが、室町幕府が制定した礼法なのである。織田、豊臣のころは、大名といっても戦場の硝煙のしみついた連中ばかりだったから行儀はわるかったが、徳川体制に入ってから、この室町式の礼法がすみずみにまでおこなわれるようになり、将軍とは礼式上神のような存在になった。だから大名なども生涯のうち何度も拝謁をたまわっていながら、将軍の目鼻だちをついに知らないというのがふつうなのである。

「その点、おれらの殿サンはちがわあ」

と、稽古町の伯父はそれをいうのが目的だった。牧野家は徳川譜代の名門だから、外様《とざま》大名とちがって江戸城のお役につく。だから将軍さまのお顔のお道具はちゃんとその目で見ていなさる、というのである。

それほどに将軍は神格化され、その居城は神殿のようにあつかわれてきた。

ところが継之助が御門からながい道をとおって御殿に入ってみると、かれの目でみた殿中というのはすさまじいものだった。

ふだんなら大名や旗本の高位の者が、息をころして詰めているはずの溜《たまり》ノ間《ま》、帝鑑ノ間、柳ノ間、大広間などといった話でのみきいているそれらの神聖な場所には小役人が大あぐらをかいて議論している。

寝ころんで議論をきいている者もあり、袖《そで》をまくりあげてわめいている者もあり、礼儀も秩序もあったものではなく、まるで盗賊の巣のようになっていた。

「あの仁《じん》らは、なにものでしょう」

と継之助がきくと、福地源一郎が、

「むろん幕臣でさ。お役についている者もあれば、無役の身ながらご時勢が心配でお城へかけのぼってきた連中もいる。あの議論をきいているとおもしろいですよ」

みな戦術論だそうである。薩長をどうやっつけるか、という議論で、駿河《するが》（静岡県）の富士川まで押しだしてゆけ、という者もあれば、いいや、箱根の嶮《けん》で切りふせぐのがもっともいいという者もあり、それよりいっそ、軍艦に乗って長駆鹿児島を攻めるのはどうだ、といっているのもいる。

「みな絵草紙からぬけだしてきたような忠臣義士ばかりですよ。しかし本音はああやって不安をまぎらわしているだけで、いざとなれば腰が立たない」

「さあ、こちらへ」

と、福地源一郎は長廊下を通って外国方の大部屋へ案内してくれた。

ここだけは事務はとっているが、書類も人もじつに乱雑で、大あぐらで煙管《きせる》のやにをとっている者もあれば、となりの者と議論をして声を嗄《か》らしてしまっているのもいる。

（これが、江戸城か）

これではとうてい徳川家というものをあてにして藩を保つことはできない。継之助は自分の方針である「世がかたまるまで独立自尊の方針でゆく」というゆきかたの正しさを、まざまざと見たようにおもわれた。

「まあ、おすわり」

と、福地は、自分の机のそばに継之助をすわらせた。たれもこの見たことのない顔つきの男を見とがめる者すらいないのである。

（亡国のおそろしさだ）

とおもった。人間社会の秩序などじつにむなしいもので、大政奉還と鳥羽伏見におけるたった一度の敗戦が三百年の城内の秩序を一朝にしてくずしてしまったのである。

敵が崩したのではなく、幕臣みずからがくずしてしまった。

「城中は流言蜚語《ひご》の渦《うず》ですよ。平素は温厚な、位も相当の役人までが流言を飛ばしながら駈《か》けずりまわっている。その流言をきいては、こんどは屯ろ屯ろでまた血相をかえての大議論がはじまる。群雀《ぐんじゃく》のあつまりですな。ひとりの英雄がここにいればこれらをまとめ、これをひっさげていま一度徳川家の信を天下に問うことができるのだが、老中も若年寄もうろうろするばかりでどうにもならない」

——これは流言かもしれないが。

と、福地はさらにいった。

「この城に籠《こも》って薩長と戦おうという籠城《ろうじょう》説もありますよ。たれか、歴《れっき》とした要人が流していいるらしい」

「福地さんは、いかがです。籠城となれば籠城しますか」

「そりゃ、やりまさ。江戸を火にするつもりなら薩長も手を焼くでしょう。しかし籠城軍をしめくくっていけるだけの大将らしい人間がどこにもいませんぜ。みな豆鉄砲を食らえば飛んで散りそうな連中ばかりだのに、いくさができるかどうか」

「福地さんは、豆鉄砲のほうですか」

「へっへっ、どうですかな」

といっているうちに、この籠城の流言がなかば本物かもしれない証拠に、小役人がもっともらしい顔でやってきて、

「福地さん。上から命ぜられたことなのですが、もし籠城の場合、何人ほどご家来をお召しつれになります。人数をうかがっておきます。賄《まかな》いの都合がありますので」

と、帳面をひろげた。

福地は、目をまるくした。

「ほんとうに、やるのかね」

福地源一郎という男は、どこからどこまでが本性だか、ちょっとわからないところがある。

「籠城のための家来かね、ああ、私の従者は一人だよ」

と、小役人にいった。

「なるほど、この仁《じん》がそうですね」

小役人は、継之助の顔を、筆のさきで指した。福地は、「そう」とうなずき、

「与市兵衛というのさ、無愛想者でね」

と、笑った。継之助は、ばかばかしくもあり、そっぽをむいていた。

小役人は福地の机をはなれ、むこうのほうへひざを擦《す》って行って、やはり外国方の役人に話しかけた。

「なんだと？」

その男がわざとらしい素《す》っ頓狂《とんきょう》な声をあげたために、一座がみなそちらをみた。

「あれはね」

福地は声をひそめて継之助に教えた。

「福沢諭吉というやつさ」

継之助はその名を知っていた。この幕末、ひとびとに外国事情をもっともよく知らしめた書物に、「西洋事情」がある。一昨年の慶応二年十月に刊行され、日本出版史上最大といっていい売れゆきを示し、十五万部ともいわれ、二十五万部ともいわれた。およそ世に志のある者でこの書物の書名を知らない者はないであろう。継之助もよんだが、その著者がいまむこうにいる福沢諭吉なのである。

福沢も福地や他の外国方官僚と同様、根っからの幕臣ではない。豊前《ぶぜん》（大分県）中津藩士の家のうまれであった。少年のころペリーの来航さわぎをきいて洋学を志し、二十一歳で長崎へゆき、オランダ通辞の某について蘭語《らんご》をまなんだ。そのあと大坂へゆき、緒方洪庵塾《おがたこうあんじゅく》に入り、のち塾頭にあげられた。つづいて江戸の鉄砲洲《てっぽうず》に洋学塾を設け、のちの慶応義塾の基礎となしたが、万延元年、幕府が軍艦咸臨《かんりん》丸をアメリカに派遣するにあたり、運動して軍艦奉行木村摂津守の従者というかたちにしてもらって渡航した。帰国後、幕府の外国方翻訳掛という、福地とおなじような職につき、文久元年には幕府の外交使節に随行してヨーロッパ諸国を見てまわった。かれが幕末の世論にはかり知れぬ影響をあたえた「西洋事情」はこの見聞の結果であった。

去年——慶応三年——には軍艦購入のことでふたたび米国に派遣され、帰国後半年目に鳥羽伏見の変があり、このさわぎになった。

「家来とはなんだ」

と、福沢は小役人にむかって問い返した。小役人が籠城の一件をいうと、福沢は、

「冗談じゃないよ。おれには家来なんぞはないよ。賄いはいっさい無用だ。おれ自身の賄いも要らない」

といった。

小役人はふしぎな顔をした。

「おれ自身の賄いも要らない」とはどういうわけだろう。

この大部屋じゅうの幕臣たちが、福沢諭吉を見ている。継之助も当然ながら福沢の

つぎの言葉を待った。

こまったのは、帳面をもっている小役人であった。

「解《げ》せぬことを申されます。いざ籠城というとき、ご自身の賄いも要らぬというのはどういうわけでございます。福沢さまだけは食べずにいくさをなさるおつもりでございますか」

「おつもりもなにも、この福沢がいくさをすると思いますか。賄い、賄いというが、いくさがはじまるというときに、悠々《ゆうゆう》と弁当など食っていられるものか」

「へーえ」

小役人は、おどろいてしまった。

「つまり、福沢さまはこの城からお逃げになるわけで」

「逃げますよ。始まろうという気ぶりになればおれに教えてもらおう。とにかくわしはどこかへ逃げだしてしまう」

一座は、妙にしずかになった。

（えらい男だ）

と、継之助は、生涯《しょうがい》でこれほど人間というものに感心したことはない。ここは江戸城の城内なのである。まわりにも、廊下にも、他の詰め間にも、この情勢に殺気だっているはずの幕臣が無数に詰めているのだ。こんな暴言を吐けば福沢はおそらく殺されるのではないか。

小役人は、さすがに鼻白んだ。

薄手な、ひらめのような顔をした黄色い顔の男だが、福沢のこの大胆すぎることばにさすがに色をなし、

「福沢さま。それはどうもお言葉がすぎるようにおもわれますが。福沢さまも徳川家の臣ではございませぬか」

「将軍《くぼう》さまにうかがってごらん、この外国翻訳掛の福沢諭吉がはたして家来でございますか、と。さあどうかな、とおっしゃるにちがいありませんよ」

「そんな」

「そんなもくそもない。わたしの先祖というのはずっと信州福沢村というところに住んでいたのさ。百姓をしていたのかなにをしていたのか、とにかくこの御殿中にいるお歴々のようなりっぱなご先祖じゃない。いつのほどか九州に流れてきて、豊前中津の浜辺に住みついていたのさ。私からかぞえて三代前の友米《ともべい》というひとが、お城下に出てきて足軽になった。それ以来は中津藩奥平家のお禄《ろく》は食《は》んだが、徳川家のお禄はひと粒もいただいていない。私にいたって多少の洋学をやった。私は役人になるのが

大きらいな人間だが、ひとに説得されてこのように翻訳方になり、お扶持《ふち》はいただいている。そういうお扶持を頂いているのは、私が多少の語学というものを切り売っているからで、つまり買い手と売り手ということです。ですから私の家は徳川家の世臣《せいしん》でもなく、私自身も御家来でもありません」

「言やあがるなあ」

と、福地源一郎は、継之助だけにきこえる声で、ささやいた。

「あの福沢諭吉とあたしとはね、齢はむこうのほうが上で三十五だし、こっちは七つ下の若僧だが、経歴は瓜《うり》ふたつといっていいほど似ている」

どちらも、九州人である。福地は長崎の町医の子だが、福沢は豊前中津の侍の子であるという点はちょっとちがっている。福沢の父は大坂の蔵屋敷の役人で、いわば経済官吏であった。ただし福沢が物心つくかつかぬかというちに死んだから、父からうけている影響はすくない。

福沢は、安政元年、長崎に出てオランダ語をまなんだ。福地はその翌年に長崎でおなじようなかたちで語学をまなんだが、福沢はその年には大坂に移って緒方洪庵塾に入っている。福地は、この蘭学の名門とされた洪庵塾にはまなんでいない。

福沢は咸臨丸で渡米したが、福地にはその経歴がない。しかしほぼ同時期に西洋語をもって幕府につかえている。

ふたりとも文久元年に幕府の使節とともに渡欧し、このとき両人は親しくなった。どちらも西洋文明のなかで新聞に興味をもった点で共通しており、

「新聞を興すことによって時勢を変えることができるのではないか」

と、両人ともおもい、語りあった。福地が明治七年東京日日新聞の主筆になり、福沢が明治十五年時事新報をおこした志は、すでに文久元年の渡欧のときにきざしているといっていいであろう。

「しかしどうもね、私とは肌《はだ》がちがうな」

と、福地はいう。

「どうちがう」

「度胸かな」

と、福地源一郎はいった。

「私は軽薄才子ですがね、むこうはどうも、あれだな、凄味《すごみ》といっちゃ違うが、とにかく日本のどういう英雄豪傑にもなかった種類の勇気というものがありますよ」

勇気という言葉を、福地はフランス語でいった。継之助が問いかえすと、福地は適

当な日本語をさがすべくしばらくくびをひねった。

「左伝に、ソレ戦ハ勇気ナリ、ということばがありますな、あれではない。義ヲミテナサザルハ勇ナキナリ、のあの勇です。それが福沢にはある。匹夫《ひっぷ》の勇ではない」

(それはそうだろう)

継之助が福沢に感心した点もそこだが、しかし福沢のあの勇敢すぎることばをきいてまわりの幕臣がひとこともいわないのにはおどろいた。聞えぬふりをして机の書類に目をおとしている者もあり、げらげら笑っているのもいる。

福沢諭吉自身、後年「ああいう放語漫言ができたのも、まわりの徳川のひとがとても本式に戦う気がなかったからだ。でなければ私の首は一刀のもとでなくなってしまう」と語っている。

ともあれ、継之助は福沢諭吉という人物に興味をもった。

「私はね」

と、継之助は福地源一郎にいった。継之助がいった意味は、

――私は、自分の藩の今後の方針《ゆきかた》をきめるのにあれこれと考えている。方針というのは進むにしろ退くにしろ、砥《と》いだ刃《やいば》のごとく切り味のいいものでなければならない

とおもっているが、そのためにできるだけ多くの人の考えを知りたい。このため、あの福沢諭吉さんさえよければ、一夕《いっせき》、酒を置いて語りたいのだがその仲介の労をとってくれまいか。

ということであった。

「お安いことだが」

と、福地はいった。

「相手が応ずるかどうか。あの男はなかなかの難物ですからね」

「難物でなければ、会いたいとは思わない」

「そりゃそうだろう」

と、福地は、腰もかるがると立って福沢の机のそばへ行った。

「福沢さん、あなたは越後長岡藩の家老河井継之助という人物をご存じかね」

と、福地はいった。

「よくきく名だ。古賀謹一郎先生なども、しばしば話題に出していたような記憶がある」

「どういう記憶かね」

「それはおぼえていない」

と、福沢はいったが、じつはよくおぼえている。古賀先生が、

——河井という男は、妙だ。

と、しきりにいったのである。書物というのはわずかの数量しか読まない。王陽明全集と宋明《そうみん》二代の語録、明清《みんしん》二代の奏議類ぐらいのものである。それを、彫るように読む。気に入ったところは書写する。あとはしきりと物事を考えている。

「陽明学では、当節第一の男だということは古賀先生がいっていたな」

「あなたに会いたいといっているのだ」

「ご免だな」

と、福沢はにべもなくいった。

「かんべんしてもらいたいものだ。どうせ漢学で凝りかたまったような男だろうから、攘夷屋《じょうい》にきまっている。攘夷屋というきちがいに出会った日にゃ、これ」

と、福沢はわが首を手刀で打ち、

「だよ」

といった。とくに京都でうろうろしている攘夷屋は洋臭のある者とみれば天誅《てんちゅう》と称して斬《き》る。福沢はその意味で京都の志士がきらいであり、薩長二藩というのはその卸し問屋のようなものだとおもっていた。さらに福沢のきらいなのは幕臣の攘夷屋であ

り、この手合は上下に満ちみち、年中わけのわからぬことをいっている。

「いや、河井はそうではない」

と、福地は、継之助のその点について語りはじめた。西洋語学は一字も知らないが、西洋事情をよく知り、世界情勢を見ぬくこと、凡百の洋学者にくらべてけたちがいにすぐれている、というのである。

「わしは、いそがしいのだよ」

と、福沢諭吉は、遠まわしにこの福地の提案に対し、気乗りがせぬ、という意味のことをいった。

「わかっている。あなたはいそがしい」

と、福地はうなずいた。福地にもそのことはわかる。福沢諭吉は、幕臣として高百五十俵の扶持取りであったが一方中津藩からも八人扶持の俸禄《ほうろく》をうけ、双方の用事をつとめている一方鉄砲洲の奥平藩邸お長屋で私塾をひらいていた。

「いそがしくはあろうが、めしぐらいは食うだろう。そのめしを、一夕ともに食おうというだけのことだ」

「いったい、河井はどこにいる。愛宕下（長岡藩邸）か」

「いや、そこにいる」

と、福地は、自分の席の方角へ顔を振った。言われて福沢はちょっとくびをのばした。

「――あの仁か」

福沢は、継之助の横顔をじっと見ていたがやがて福地にむかい、

「会おう」

といった。気持がかわった理由は、福沢にもよくわからない。

場所は、神田橋のそばの播佐《はりさ》という小料理屋ということにし、継之助が一足さきに行って待っていることにした。

継之助は、待った。

ほどなく福地が福沢諭吉をつれてやってきた。席は二階である。

二階であいさつをおわると、福沢はいった。

「お見かけしたことがありますよ」

むかし古賀塾に用があって訪ねたとき、勝手口から入った。台所の板敷をみると、そこで一人の男がめしを食っている。

盛りきりの丼《どんぶり》めしに沢庵《たくあん》をのせ、それだけでめしを食っていた男の顔が、ふしぎと

わすれられず、先刻城内の御部屋で継之助をみたとき、漠然《ばくぜん》とそれをおもいだした。いまあいさつをすると、ありありと記憶がよみがえった、と福沢はいった。言ってから、

「失礼」

と立ちあがり、窓をあけてそとを見たり、押入れをあけたり閉めたりした。

「ぶっそうな世の中ですからな」

と、福沢はいった。攘夷熱心の刺客などが飛びこんできたとき、逃げみちをあらかじめきめておかねばならぬ、そのためです、というのである。

「ああ、そのことなら」

と、継之助はいった。継之助も客をするにあたってそのくらいの配慮はしてある。さっき御城を出るときすぐ使いを藩邸に走らせ、腕の立つ者を三人、ここへよびよせ、階下で見はらせている、といった。

「あっははは、それがなによりの馳走《ちそう》です」

と、福沢がいって、すわった。

福沢諭吉は、このとき三十五歳である。酒がよほど好きらしく、首筋に赤味がさし

たころになると、継之助がひそかにおどろいたほど多弁になった。

「どうも、いけない」

と、福沢はわれながら自分の多弁が気になるらしく、ときどき陽気な顔でつぶやいた。福沢は生涯自分の酒好きをこのましくおもっていなかったが、しかしこれほど意志的な男でもこれだけはどうにもならなかった。福沢は物心つかぬころからの酒好きで、母親が幼童の福沢の月代《さかやき》を剃《そ》るとき、その痛さにがまんがなりかねて福沢が泣くと、母親は、

――あとで酒をたべさせるから、もうすこしのがまん。

となだめなだめして剃った。

福沢の多弁は、ひとつには目の前の継之助の無愛想面《ぶあいそうづら》が、ひどく気に入ったからでもあろう。

「お城にね、にわかに忠臣烈士がふえましてね、この連中のこわいこと」

という。きのうも、加藤弘之《ひろゆき》という福沢の知人が登城してきた。

加藤弘之は幕府の洋学教官で、最初はオランダ語をやり、ついでドイツ語にあかくなった。旧幕府時代は語学といえば最初はオランダ語であったが、ついで幕府がフランスから多くの文物をとり入れるにいたってフランス語がもっとも勢力のある外国

語になり、幕末にいたって福沢や福地もそうであるように英語が勢力をもちはじめた。しかしドイツ語学者というのは加藤弘之が最初であった。かれはのちドイツ哲学研究の草分けになり、明治政府につかえ、東京大学総長などを歴任し、福沢が私学の巨頭になったのに対し、官学派の総帥《そうすい》になった。

その加藤が、裃《かみしも》をつけている。裃というのは、上様に拝謁《はいえつ》しようという服装なのである。

「おや、拝謁かね」

と、福沢はきいた。かんのいい福沢は、この加藤がなにをしようとしているかがわかった。徳川慶喜に拝謁して薩長との決戦を決意させようとしているのに相違なく、そうでなければいまごろ御用もないのに裃をつけて出てくるはずがない。

しかし、

(まさか)

とおもった。加藤は純粋の学者であり、武人ではない。ついでながら、この加藤ももともとの幕臣でなく、但馬《たじま》(兵庫県)の出石《いずし》藩の出身であり、その洋学知識をもって幕臣にとりたてられた。

わけをきくと、はたして主戦論を主張するために登城してきたという。

「そうか、それならば加藤さん」

と、福沢はからかうようにいった。

「戦さがはじまるようならいちはやくおれに知らせておくれ。おれは尻《しり》をからげて逃げてしまうから」

というと、加藤は大いに怒ったが、福沢は笑いとばしてその場を離れた。

それをきき、継之助はいよいよこの福沢の胆気が気に入った。


「あなたは」

と、継之助はふと興味をおこして福沢諭吉にたずねた。福沢が去年米国から帰ってから幕命によってしばらく閉門謹慎を命ぜられていた、そのことについてである。

「罪科《つみ》は、なんでありましたろう」

「ああ、あのこと」

と、福沢はかるくうなずいた。

「たいしたことではありませぬ。米国から帰りの船のなかで、米国派遣の責任者である小野友五郎にさんざん毒づいたためです」

小野というのは官僚肌の人間で、福沢ら下僚に長官風を吹かせていやがられていた。

帰路、船のなかで食事をしているとき、福沢は幕府の攘夷方針を攻撃し、

「品川の海になまこのようなお台場（砲台）をきずいてあれで攘夷をするなどとは笑わせる。こんどもこんどで、勝麟太郎《りんたろう》（海舟）が兵庫まで行って七厘《しちりん》のようなまるい台場を築きゃがった。あんなもので外国と戦おうという料簡《りょうけん》がまちがっている。攘夷々々などと幕府の高官《えらがた》はいうが、そういうような固陋《ころう》なことをいう連中に日本のことはまかしておけぬ。幕府など、すぐさまにつぶしてしまえ」

といった。さすがに小野の前ではそれをいわなかったが、福沢の声が大きいために小野の部屋までひびいてゆく。同席の同僚がさすがに見かねて、

「あなたも幕臣ではないか。幕臣が幕府をつぶすつぶさぬなどとはどうもおだやかではありません」

とたしなめると、福沢はすこし酒が入っていたせいで、一段と声をはげました。

「なるほど幕府の御用はしている。幕府も私に衣食の料をあたえている。このようにめしを食っているのも幕府の金だし、このようにきれいな紋服を着ているのも幕府からさげくだされたお扶持《ふち》のおかげだ」

「それごらん」

「しかし、ただでは貰《もら》ってないぜ」

と、福沢はいった。たとえば革細工の職人がお得意に注文の品物をおさめて金をもらうようなものだ。私は横文字を知っていて、それが幕府に必要である。そのため私は御用をし、幕府は私の働きによってお扶持をくだされる。革細工の職人とすこしもかわらない、というのである。

「幕臣々々などと大げさなことをいうから話がまちがってくるのだ」

と、福沢はいう。たれかが反問して、

「すると、君は京で策動している薩長の士と同意見か。討幕か」

というと、福沢はかぶりをふった。

「あいつらも、攘夷の気ちがいで、あの連中が政府をつくれば幕府以上の攘夷政府をつくるのだろう。その点からみれば幕府はまだましだが、しかし早晩倒さねばならぬ。倒さねば日本がつぶれる」

という。その言動のことごとくを帰国後その筋に報告され、譴慎をくらったというのである。

やがて刻《とき》が移り、かれらは散会することになった。席上、継之助はほとんど喋《しゃべ》らなかったが、福沢はこの男のどこが気に入ったのか、

「私がおごられては、片手落ちになります。あすは貴殿を招待したいが」

と、継之助にいった。継之助は福沢とそのものの考え方についてなおも知りたかったため、そのまねきに応じ、あすの昼を約束した。

その夜は愛宕下の藩邸へもどって寝た。朝、藩邸の廊下をあるいていると、藤野善蔵という若者にすれちがった。

「善蔵」

継之助は、声をかけた。藤野善蔵はこの当時藩から派遣されて「開成所」という幕府の大学にまなび、英語を専攻している。

「きのう、福沢諭吉という人に会った。おみしゃん、かの人を知っておいでかえ」

というと、藤野は知っているどころか、去年から福沢家に出入りしている。福沢塾《じゅく》は私塾で開成所は官立だが、福沢塾のほうがずっとおもしろい、という旨《むね》のことをいった。ついでながらこの藤野という若者は、維新後開成所の解散とともに慶応義塾に入っている。

「どういうお人かえ」

と、継之助は、福沢のことをさらに知りたくなり、自室に藤野をよび、きいた。

藤野は、おそれた。

「福沢先生のお考えはあまりに奇で、御家老の前で申しあげる勇気がありません」

といったが、継之助はそれをなだめ、菓子などを出してやってやっと気持を楽にしてやった。

藤野が語ったところによると、福沢という男にはいよいよ凄味《すごみ》がありそうである。先年の長州征伐のとき、幕命によって越後長岡藩なども動員されたが、福沢がそこに臣籍をもつ豊前中津藩に対しても、出兵の命令がくだった。

この当時、江戸鉄砲洲の福沢塾には中津藩士がもっとも多かったが、かれらに対し、藩から召還命令がきた。

——冗談じゃありませんよ。

と、福沢は怒った。

「なんのいくさだか知りませんが、大事な留学生に鉄砲をもたせて戦争をさせるとはなにごとです。流れ弾《だま》にでもあたって死ねばどうするのです。私の門下たる者、一人として国もとに帰るのはゆるしません」

といい、藩命を蹴《け》ってしまった。門下のひとりが、

——武士はいくさをするためのものではないでしょうか。

というと、福沢は色をなし、

「何百年昔の話をしているのです」

といってきかず、「先生それでは藩から処罰を食いましょう」とひとがいうと、「左様。しかしまさか殺しに来はしますまい」といって平然としていた。このときも福沢は閉門謹慎を命ぜられた。


継之助は、鉄砲洲まで出かけた。鉄砲洲の中津藩邸のちかくにちょっとした料理屋があり、福沢がよく来るらしい。

二階へあがると、福沢と福地がすでにきていた。

「やあ、きのうの今日というのに、百年の知己のような思いがしますな」

といって、福沢が腰がるに立ち、継之助のためにざぶとんを直してくれた。福沢の様子をみると、町人のような服装である。

武士のくせに袴《はかま》はつけていない。もっとも袴をつけたがらぬのは幕臣の風で、その点はめずらしくないが、すそをみると妙なものがはみ出ている。

ももひきである。

(変った男だ)

その上、脇差《わきざし》も帯びていない。さらにそのうえまげが細くて町人風であった。これはきのうから気づいていた。

「そういう御風儀は、いつごろからです」

と継之助は、福沢にじかにきくのは失礼だから、福地源一郎の顔をみていった。

「もうずいぶん前からですよ。このひとはいまから八年前、咸臨丸で渡米したときもこういう町人まがいのまげだったそうだ。ああ、ももひきですか。いやさすが千代田の御城に登るときははかないようだが、これでどこの冠婚葬祭にも出かけてゆく」

「ご本旨は?」

「ご本旨なんてものはありませんよ」

と、福沢は照れもせずにわが服装のことをいった。

「侍という身分を無くしてしまわなければ日本はほろびると私は思っている。ただそれだけでこのかっこうだ。河井さんは、どう思います」

「侍のことですか」

「そう」

「賛成ですよ。薩長が勝とうが徳川が勝とうが、いずれが勝っても侍はほろびますな」

継之助の持論である。さらに、

「町人の世が来るでしょう。身分はおそらく一つになってしまうにちがいない」

「私と同意見だ。して、河井さんはその町人の世に賛成ですか」

「賛成ですな。げんに私も、長岡の御城下では無腰であるいてます」

「こりゃ、天下の珍奇が二人そろった」

と、福地源一郎は卓を打って笑った。

「なにしろあなた」

といったのは、福沢諭吉である。

「江戸、諸国をまぜあわせ、足軽までふくめると十人に一人が武士ですぜ。九人が、米や銭を出しあって一人を養っているのだ。十人のうち一人は、何もしない。旧弊な、ごたくばかりならべて暮している。こういう遊民がこうもたくさん居ちゃ、それだけで西洋に負けますよ。この福沢の敵は、薩長でも朝廷でも徳川でもない、侍というものさ。封建というものかね。こいつはこの福沢諭吉にとっちゃ親のかたきも同然です」

継之助は、福沢諭吉という、この奇妙な幕臣を理解しようとした。話してゆくうちにすこしずつこの男がわかりはじめたが、まだ霧のむこうに福沢の影がいるような気がする。その影をもっと手もとにひきよせねばならない。ひきよせて、ありありと福沢の正体を見なければならない。

「私は、あなたをさらに知りたい」

「知ってどうするのです」

と、福沢はいった。

継之助はいう。いままでずいぶん人に会ってきたが、あなたのようなひとははじめてである、というと、福沢は邪気のない笑顔を（この笑顔が福沢の特徴だったが）大きくひらいて、

「奇人にみえますか」

といった。継之助のみるところ、奇人どころではなく真実を露呈しきっている人間なのである。福沢の場合、思想と人間がべつべつなのではなく、思想が人間のかたちをとって呼吸し、行動している。そういう人間であるには、ときには命をもうしなうほどの覚悟と勇気が要ることは、継之助は自分の日常の内的な体験でよく知っていた。

「河井さん、あなたには私が奇人に見えぬはずです。あなたには、私のことがよくわかっていただけるはずだ」

と福沢がいったが、継之助にはもっともかんじんな一点がまだわかっていないよう

な気がしてならない。

（この男をわかりたい）

という継之助の欲求は、この男をわかることによってつぎの時代を、肉眼をもって見ることが出来るような気がしているからであった。継之助は、わからねばならなかった。

「あなたは、幕臣でありながら倒幕論者であるようですな」

「運動はしませんよ。この福沢諭吉ごとき瘦腕《やせかいな》の男がそんな怖ったらしい運動をしたところでどうにもならないし、第一、命がいくつあっても足りやしない。ただひたすらに幕府よ倒れよかしと祈りつづけてきただけです」

「すると、薩長への同調者」

「ではありませんよ。あんな連中ときたら、幕府に上塗りしたような固陋さだ」

「いつごろから、幕府よ倒れよかしと思われたのです」

「八年ばかり前からかな。咸臨丸でアメリカへゆく前後だから、古いや。倒幕論にかけてはあたしは薩長のどういう連中よりもふるいですぜ」

「ほう」

「文久元年に渡欧するときにはもっと明確なものになっていた」

「それでもなお幕府の粟《ぞく》を食《は》んでおられた。それはどういうことだろう」

「河井さん、あなたのように将来《さき》の世界にあかるい目をもったひとがそんなことをいってはいけない。私は外国語を幕府に売り、幕府はそれでもって扶持をくれる。それだけのことで、忠義なんぞは余分なことだ」

福沢が、最初にヨーロッパへ行ったのは文久元年のことである。

文久元年、一八六一年といえば幕末の騒乱もようやく沸騰《ふっとう》点に達しようとしているときだが、しかし薩長はまだ倒幕的性格をみせておらず、長州藩のみが尖鋭《せんえい》的で、しかしそれでもまだこの藩(長州)の暴走的性格ははっきりとは出ていなかった。京には自称勤王浪士というのがさわぎにさわいでいたが、それでもこの鎮圧機関である会津藩はまだ京に駐屯《ちゅうとん》しておらず、自然、高名な新選組も出現していない。

そういう時期である。

福沢はこの欧州からの帰りの船中で、同僚の洋学者たちと時勢のゆくすえについて語りあっていた。

同僚のひとりは、箕作秋坪《みつくりしゅうへい》である。箕作は作州津山のひとで、大坂の緒方洪庵塾では福沢と同窓であり、のち幕府にめしかかえられ、福沢とおなじく外国方になっている。維新後、新政府に仕え、官立学校や図書館、博物館の設立に力をつくした。

「やはり、幕府の力一つではこれからの日本はどうにもなるまい」

というのが、欧米をその目で見た若い洋学者たちの一致した観測であった。しかし幕府に代るべき新権力が出現しようともおもわれないから、

「結局、ドイツ風にすることだな」

ということになった。ドイツは歴史的に統一への悩みをかかえつつも大小のいくつかの藩国にわかれて連邦のかたちをとり、連邦とはいえそれぞれが独立国家としての機能をもち、便宜上、同盟を結んだり、解散したりしていた。そのうちでプロシャが最大の力をもち、日本の文久元年、プロシャ王として即位したウィルヘルム一世がいま連邦を統一して一帝国をつくりあげるべく活潑《かっぱつ》な伸長活動をはじめている。ここでかれらが「ドイツ風」といったのは、

「日本も、ドイツ連邦のようになったほうがいい」

という意味であった。徳川氏が幕府を廃止して連邦政府をつくる。連邦とは三百諸侯のことであり、そのうちの雄藩が代表を送って政治に参加する、というものであった。

ところが福沢がひとりあざ笑い、

「私はこんどの欧州ゆきでドイツのことをしらべた。ドイツ自身が連邦の不合理になやんでいるときに、日本があらためて連邦をつくるなどはおかしい。つくればいまの幕藩体制と同様、世界の進運から大いにおくれてしまうだろう。西洋でいう貴族合議政体《アリストクラシー》などは文明を吸いあげる力をもっていないよ。日本では共和政体《レパブリック》はむりとしても、立君政体《モナルキー》でなければならんよ」

といった。

「立君の君とは、将軍のことか」

と他のひとりがいうと、

「将軍では他の大名がおさまるまい。京都の天子をもってくればいい」

と、言いきった。この意味では福沢は勤王家であったといえるであろう。

さまざまに話をきいたが、継之助はこの福沢という男が、まだわかりにくい。

(この男の心《しん》ノ臓《ぞう》がどこにあるのか)

それをさぐりあてれば、福沢とその思想、情熱、志向についてのすべてがあきらかになるはずであった。

単なる蘭癖《らんぺき》家ではない。

ペリーが来航するまでにこの国では蘭癖家ということばがすでにあった。オランダの医術や学問の専攻者の一部で、西洋心酔の傾向がうまれた。それが、知識階級のあいだで蘭癖家ということばになって流行し、その後、フランス学や英学が出はじめてからも西洋心酔者のことを蘭癖家という。

しかし、福沢は蘭癖家ではなく、どこからみても福沢は福沢なのである。

「ドイツ風の大名同盟《アリストクラシー》というのは、こいつは迷信ですよ。旦那《だんな》（慶喜）が大坂から逃げもどってこのかた、江戸城ではどうやら諸侯をもう一度あつめてみるという気配が濃くなっている。徳川家がプロシャ王となり、その領地行政をととのえる一方、徳川家に同情的な東国大名をあつめてやってゆく。外国方の連中から出た意見だ」

「なるほど」

継之助にとっては、重要な情報である。

「河井さん、あなたはどう思います」

「私は、幕臣ではありませんからね。越後長岡藩の家老です。天下のことをどうするこうすると考えたところで仕方がない。私にとって大事なのは長岡藩なのだ」

「そんなに長岡藩が大事ですか」

「私は、その運命をゆだねられている家老ですからね。人にはそれぞれ立場があるのだ。私は立場を重んじている」

「立場でゆけば」

と福沢がいった。

「この福沢諭吉だって幕臣ですぜ。幕府など消えてしまえなどとは言えた義理じゃないのだが、日本のため、大きくいえば世界の進運のためにそれをいっているのだ」

「むずかしいところだ。失礼ながら福沢さんは徳川家の老中ではない。ところがこの河井継之助は地球上からみれば笑うべくあざけるべく、それほどちっぽけな地域かもしれぬが、とにかくも日本の越後の長岡という所の家老なのだ。立場といっても福沢さんとは、一緒にならない」

「これは議論かな」

議論ならやるぜ、といったふうの気負いこみを福沢はみせたが、継之助はゆっくりと手をふった。

「議論じゃありませんよ。いまの私は、地球のなかの長岡藩をどうしようかといろいろ苦心惨憺《さんたん》の思案を練っているところだ。その思案のたすけをほうぼうにもとめている」

「どうもあれだな、河井さんをこのようにお見掛けするところ地球の宰相でもつとまりそうな面構《つらがま》えだが、心掛けているところがどうも蚤《のみ》のように小さい」

「それが私のいいところだと思っている」

「とにかく福沢さんは、京都中心の日本が出来あがることに賛成ですな」

と、継之助がいった。福沢諭吉はキセルに莨《たばこ》をつめながら、

「かついでいるやつ（薩長）が」

といった。

「気に食わないが、しかし私はあくまでも立君制度《モナルキー》がいいと思っているから、本筋は賛成だ。モナルキーならば文明を吸収する力をもつ」

「私はドイツ連邦というのをすこしも知らないが、徳川家中心の大名同盟、ということではどうにもなりませんか」

「なりませんな。貴族というものが国の舵《かじ》をとることができた時代は日本でもヨーロッパでも遠い昔になりましたよ。大名同盟《アリストクラシー》では貿易上大いにわずらわしくなり、万国公法という立場からも列国が相手にしなくなるでしょう。結局は、経済上の必要から統一というところへゆく。統一するほうはいいが、統一されるほうは黙っちゃいないから、雄藩同士の大喧嘩《おおげんか》になる。戦争でさ。内乱が大いにおこり、日本の独立はあぶ

なくなり、とてものこと、世界の進運についてゆけない」

「なるほど」

継之助は、おだやかに相槌《あいづち》を打った。おだやかにきかねば福沢の意見がひきだせないからである。

「それに、大名同盟というのは要するに封建制だ。こいつはこんにちでは正気の制度じゃありませんぜ」

「そうでしょうな」

この点は、継之助はそう思う。なにしろこの男も天下の藩にさきがけて長岡藩の藩士の俸禄《ほうろく》を給料制にしようと考えているほど、封建制の病害はわかりすぎているのである。

「こんにち西洋の力は東洋を月とスッポンほどにひきはなしてしまったが、何百年か前はこうではなかった。なぜ西洋は東洋をひきはなしたか」

と、福沢はいう。

「それはいわゆる産業革命の力でしょう。蒸気の動力でもって物をつくる、物を運ぶ。これではこっちはどうにもならない。しかしそれだけではなく、もっと大きな原動力が西洋を興らせた。それがなにかということを私は考えた」

福沢は、八年前、咸臨丸でアメリカへゆくときもすでにこのことを考えぬき、ついにこれだとおもうものをさぐりあてた。

「この国内にいて西洋の書物を読むに、リバーティという言葉とライトという言葉がよく出てくる。これにちがいないと思ったが、その意味がどういうものか、まったくわからない。河井さん、わかりますか」

「自由と通義（権利）ですな」

「ほう」

福沢は、目をむいた。

「あなたは、なぜそれがわかっています」

「冗談じゃない。あなたの著書の西洋事情にそれが書いてある」

「そうだった」

福沢は、くすくす笑った。どうやら酔ってきたらしい。

自由と権利というものが西洋の先進文明を成り立たせている基礎であり、政治、法律、社会をはじめ、人間のくらしのうえでの小さなことがらにいたるまでの基礎思想であり、さらには人間を人間たらしめている大本《おおもと》であることに、日本人のたれよりも早く気づいたのは福沢諭吉であろう。

——それが、先進文明を解くかぎであるらしい。

と福沢はたれよりも早く着眼した。かれは咸臨丸のときと慶応三年の場合と二度にわたって渡米したが、ゆくさきざきで米国人たちは日本人たちに工場を見学させた。

「この機械は蒸気の力でうごいている」

と案内者たちは説明したり、電気の説明をしたりした。日本人はみなこれほど退屈なことはなかったという。なぜならばかれらはみなその程度の物理学知識ならば文献によって百も承知していた。

福沢は、そういう工場見学のあいまあいまに、案内の技師たちに、

「リバーティおよびライトという言葉はどういう意味か、説明してくれ」

ときいてまわったが、みなにがい顔をして答えなかった。なかには犬でも追うような手つきをするのもいた。

かれら米国人は、この日本政府の下っぱ役人を低能だとおもったであろう。かれらにすれば東洋の未開人に文明のおどろくべき機械の原理を説明してやっているのに、それにすこしも関心を示さず、自由とはなにか権利とはなにかとばかり質問してくるのである。

福沢は、かれら工場案内人よりも聡明《そうめい》だったから、工場案内人どもがなぜ怒ったり黙殺したりするかということを知っていた。

(それほど、普通の概念なのだ)

ということであった。ことあらためて説明せねばならぬ特殊な概念ではなく、西洋にあってはたとえばめしとかフォークとかナイフとかいったようなありふれた言葉であるのにちがいない。福沢は、黙殺されたがため、そのためいよいよこのことばの重大さを悟った。

このように聞きまわってやっとかれはこの言葉の概念を知った。

福沢は「西洋事情」を書くにあたってリバーティという言葉を、

「自由」

と訳した。はじめは「御免」と訳そうとした。「殺生《せつしょう》御免の場所」といえば、魚つりなどしてよろしき場所ということだからほぼあたらずとも遠からずだが、それではなんだか権力者から御慈悲でゆるされているようで語感がおもしろくない。福沢はこれを仏教語からとって自由とし、自由は万人にそなわった天性であると説明した。さらに政治の自由、開版(出版)の自由、宗旨の自由などを説いた。

権理《ライト》は、福沢は最初「通義」といっていたがどうもちがうと思い、この訳を用いるようになった。「人間の自由はその権理である。人間はうまれながら独立して束縛をうけるような理由はなく、自由自在なるべきものである」というように福沢はその幕末における著述で説明している。

宴なかばで、継之助は、

——なるほど、そういう次第か。

と、福沢についてのすべてを理解することができた。その一点がわかったために、福沢がいままで言ってきたすべてをその一点によってすらすらと解きあかすことができた。

「ああ、ふむ」

と、継之助は杯を宙にたもちつつしきりとうなずき、やがて笑いだした。声をたてて笑った。無邪気な、嬰児《えいじ》のような笑い声だった。

「わかりましたよ、あなたというお人が。しかし、これは、どういうか、あなたは」

と、継之助はちょっと考え、

「めずらしいお人だな」

といった。継之助が理解した福沢の理想と情熱というのは、この国に文明を持ちこむこと、それだけである。欧州で成熟した文明をこの日本という異風土に持ちこんで植えつけるためには、植えつけられるだけの土壌《どじょう》ごしらえが必要である。その土壌をつくるためにはまず自由と権利の思想を肥料とせねばならず、その肥料で土壌からそっくり変えてしまわねばならない。

福沢がひそかに理想としているのは、たとえば項目風にいえば、身分制の撤廃、言論の自由、信仰の自由、職業選択の自由、商工業を営むばあいの自由といったものであろう。自由は権利に裏打ちされている。その権利は国家によって保護されている。それを保障し保護するような国家をつくることがこの幕府外国方翻訳掛福沢諭吉の理想なのである。

(だから、討幕も佐幕もない。福沢の眼中、徳川家も薩長もない。そういう国家をつくる政権であればよいのだ)

とおもい、

「そうでしょう」

と継之助がたしかめると、福沢は、

「そのとおりでさ。国家というのは文明の保護をすればいいのですからね。それだけのものであり、それ以上のものではない」

といった。

こう理解すると、福沢が、「敵が江戸へくればおれはどんどん逃げてしまう。矢弾が飛んでくるというのに弁当なんか食っていられませんよ」ときのう御城で賄《まかな》い方の小役人にいった意味がわかるのである。

「いや、これは酒を飲んだ甲斐《かい》があった。私はね、この考えを植えつけるには教育がもっともいいと思い、今後は書生を育てることに専念するつもりだ。書生はどうせ田舎から出てきたわからず屋だからこれがわかるまでに三年も五年もかかるだろうと思っていたが、河井さんはおどろいたことに、昨夜と今日、酒を飲んだだけでわかってしまった」

「わかったが、同調できませんよ」

「そうだろう、あんたの面構えをみると、そうそうすらすらと物事がゆく顔ではない」

福沢の前の銚子《ちようし》がからになった。福地源一郎が手をたたいて女中をよんだ。

「河井さん、こんどは」

と、福沢は継之助に杯を渡しながら、こんどはあなたのお話をききたい、といった。

「まずうかがいたいが、あなたは徳川家中心の立君政治論《モナルキー》ですか。それとも京都中心の立君政治論ですか」

と、福沢はきいた。

継之助はかぶりを振った。

「そういう議論に、できるだけ興味をもたぬように自分をいましめています」

「そういう議論に」

「左様、この一天下をどうするかという議論は、他の志士にまかせたい。私には越後長岡藩の家老であることのほうが重く、それがこの河井継之助のすべてなのです。それ以外にこの地上に河井は存在せぬ」

「おどろいたな。わざと自分の窓を締めきっているのだ」

「締めきっている。私は越後長岡藩の家老であるというだけで人の世に存在している。そう思っている」

「立場論ですな」

「人は立場で生きている。立場以外の方面に、私はこの河井継之助という自分をゆかせぬようにしている。それが私の動かぬ一点だ」

「こまるな」

と、福沢は、そのことばに河井継之助という男の印象を集約させた。

「こまったお人だ。日本の世の中がひっくりかえってしまおうというこの時期に、あなたのようなことをいっては。あなたほどの世界感覚をもち、思慮と胆略をもったひとが中央におどり出て日本のゆくべき方角を指ささねばどうにもならぬ」

福沢は、継之助において自分と同志というにちかいところを見出《みいだ》したにちがいなく、できれば同志にし、文明思想をともどもに啓発してゆきたい、とまでおもったのかもしれなかった。

「宇内《うだい》(世界)はひろいのだ」

と、福沢はいう。

「そのひろい宇内が、いまや駸々乎《しんしんこ》として自由をもとめ、権利をもとめてすすんでいる。それが宇内の大道なのだ。日本としては国を開き、貿易をさかんにし、欧米と交際してゆくことこそ宇内の大道にもとらぬことであり、それをいまこそ声を大きくして叫ばねばならぬ」

「そう、異存はない」

「薩長が攘夷《じょうい》の旗じるしをかかげて徳川を京都から追い、政権をうばったが、しかしこの攘夷なるものは宇内の大道ではない」

「わかっている」

「われわれは薩長に対しても宇内の大道が何であるかを教えねばならぬ」

「それは福沢さんにまかせよう」

「まかせて?」

「私は長岡藩に閉じこもる」

「わからん」

と、福沢は首をふり、やがて大声で笑いだした。さじを投げた顔だった。

「わからぬお人だ」

帰路、継之助は歩きながら考えた。人間における悲劇性ということについてである。

——どうもおれは、そういうことらしい。

と、継之助はおもった。

福沢のいうことはわかる。

わかるどころか、完全開国主義という点では福沢諭吉と同意見であり、先覚ということでは福沢も継之助もかわらない。

「ひとを貴《き》賤《せん》の身分で区別する国家社会は繁栄しない」

という点でも、継之助は同意見であった。ただ福沢は思想家であり、継之助は政治家である以上、その表現は言語によってではなく実際においてやらねばならず、その点ではおそらく将来の課題になるであろうが、遅くなるにしてもそれを藩内において実施するつもりであった。

ただ継之助は、それを人民の幸福という立場から考えたわけではない。貴賤の身分制をくずすことによって下層から人材を吸いあげ藩国家の繁栄に役立たせようとするところであり、この点、福沢と似ていつつも、わずかに匂《にお》いがちがうようにおもえる。継之助は、儒教の徒である。儒教は王を輔《たす》けて人民の幸福をはかるという政治思想であり、あくまでも人民は上から撫育《ぶいく》すべきものという、あたまがある。それが継之助の「人民」だが、福沢の「人民」は人民そのものの富と教養を増大し、その力を大きくすることによって結果として国家や社会が栄えるという、そういう「人民」であろう。福沢はルソーの自由の権利の思想をその原典においては読んだことがなかったにちがいないが、その本質はみごとにつかみ、自分の血肉にしていた。いずれにせよ、その点がちがうだけであろう。

他はおなじといっていい。

であるのに継之助は福沢とおなじ結論に到達できなかった。

「おなじ結論」というのは、「徳川家や藩の崩壊などどうでもよいではないか」ということであった。

福沢にすれば、どうでもよい。

「旧勢力が、世の中を保てなくてひっくりかえるのは歴史の道理であり、ひっくりかえってくれてこそ社会の幸福になるのだ。こんど国をたてるのは薩長であり、これはずいぶんいかがわしい連中（公卿やいわゆる攘夷志士といったふうの過激な西洋ぎらい）も入っている、期待できるものかどうかわからぬが、とにかく世の中は裸の人間一人々々の世の中にむかいつつあり、それへむかわせなければならないのだ。そのときにあたって、徳川家がどうの藩がどうのと世迷《よま》いごとをいっているのは、どうにもおかしいよ」

ということなのである。しかしこの点になると、継之助は福沢とまったくちがってしまう。

「私は世迷いごとのほうですよ」

と、継之助も福沢にいった。

継之助にとってもっとも大事なのはその世迷いごとであった。福沢は乾ききった理性で世の進運をとらえているが、継之助には情緒性がつよい。情緒を、この継之助は士たる者の美しさとして見、人としてもっとも大事なものとしている。

横浜往来

継之助は、金がほしい。あくる朝、愛宕下《あたごした》の藩邸で起きると、藩邸にいる会計方の役人のすべてをあつめ、

「江戸の諸藩邸には、まだ金目のものが残っているだろう」

と、質問し、口頭でそれらの物品を報告させた。それらの雑品は売り値にしてざっと五、六千両はあるだろうとおもわれた。

それらの調べや始末などで数日かかった、ある夜、義兄の椥野《なぎの》嘉兵衛が継之助の部屋にやってきて、

「継サ、まるで金貸しの因業爺《いんごうじじい》のようだな」

と、それとなく非難した。

「そうさ」

継之助も、この夜も帳簿をみていたが、数字から目も離さずにいった。

「義兄《あに》サ、妙なことを知ったよ。銭《ぜに》にも相場があるということをだ」

「銭に」

棚野は興がなさそうであった。

「銭が、どうかしたかね」

「越後《えちご》と江戸とは銭の相場がずいぶんちがう。これはおどろいたな」

このところ継之助が人をその方面にやって調べさせたところによると、北部日本海岸地方の銭相場は、新潟が代表している。その新潟相場と江戸相場とは、金一両にして銭三貫文ちかくもちがうということがあきらかになった。

「おなじ金一両でもって江戸で銭を買いあつめると、もうそれだけで新潟へゆけば大変なもうけになる」

と、継之助がいうのだが、棚野嘉兵衛はそれをきくだけでも腹だたしいらしく、酢をふくんでいるような、奇妙な顔をしつづけている。

「さっそく手を打った。きのう国もとへその旨《むね》の飛脚を走らせたが、とにかく二万両の小判を国もとからとりよせて江戸で銭を買いあつめるつもりだ」

「わしにはよくわからぬ」

「米もそうさ」

と、継之助はいう。

「米は、江戸ではさがっているのだ」

継之助がいうとおり、江戸では米の値が日ごとにさがってゆく。

「なぜさがるのだ」

「いくさだよ。江戸で日ならずいくさがはじまるだろうというのでさがるのだ」

「わからぬな」

継之助にも、最初その下落の意味がわからなかった。戦争という声をきけばむしろ米価はあがるのではないか。げんに鳥羽伏見の戦いのとき、京の米価は急騰《きゅうとう》した。

しかし、江戸の場合は逆であった。京は市中に米の保有量はつねにすくないが、江戸は大名屋敷があるため、それらの倉庫に米がびっちり詰っている。大名たちは江戸に見きりをつけ、それを市中に放出しつつあるために際限もなく下落しているのであった。

「江戸は、米価という点だけからみてももはや世間から見すてられつつあるようだ」

と、継之助はいった。

この米価について、継之助は巨利をおさめる工夫をめぐらしていた。下落する一方の米を大いに買い占めて米価の高い地方にもって行き、そこで売りさばけば巨利を得られるではないか。

「どこが、高いのだ」

と、棚野嘉兵衛が気のなさそうな声できいた。

「どこだ、京大坂かね」

「そうさな、京大坂ならなるほど高かろう。しかし残念なことに京大坂は薩長《さつちょう》の根拠地だ」

「では、どこが」

と、棚野がきく。

「函館《はこだて》だな」

と、継之助はいった。函館は継之助のこのころは「箱館」の文字をもってあてられ、幕府が安政条約によってひらいた開港場のひとつである。

継之助が函館といったのは、その地の米相場の数字を知ったうえではなかった。この当時、日本中のどの地域の米相場も、それを知るための通報機関が皆無で、すべて想像するしか手がなかった。北海道には、米がとれず、すべて本土からの移入に待っており、つねに米価が高い。本土に内乱がはじまれば北海道の米は高騰するにちがいなく、本土に内乱がおこるといううわさだけでも函館の米相場は大いにあがるだろう。

「江戸の安い米をもってゆくだけでも、大いに利があるのだ」

継之助は、すでに江戸米買いつけのための現金を用意しはじめていた。

「他の大名が売りすてた米を、大いにひろうのだ。江戸の米はまだまださがる。その底値で買う」

と、継之助はいう。

「それを函館へ？」

「そう、函館へ」

「どういう手段で北海道《えぞち》までもってゆくというのだ。一俵ごとかついでゆくのか」

「蒸気船さ」

と、継之助はしずかに言う。その蒸気船についての構想もできていた。

「われわれはいつまでも江戸に居るわけにはいかない。いずれ、藩公を奉じて国もとに帰らねばならないが、そのとき陸路をとらずに海路でゆく」

「海路」

というだけでも、気の遠くなるほどの経路である。江戸から越後長岡までは陸路ならば北上するだけでそれでいいのだが、海路ならはるかに長州下関まわりで日本海に出るか、それとも北海道函館を経て日本海に出なければならない。この場合、西日本は薩長に制せられているため、函館まわりの航路をとらざるを得ず、そのとき、函館で江戸米を積みおろせばよい。

そのための蒸気船の手くばりは、継之助は例のスネルにたのむつもりであった。

そのために、あすにでも横浜にゆかねばならぬとおもっている。


「どうも、継サのはなしには、そこらあたりからついてゆけぬ」

と、義兄の棚野嘉兵衛がいう。そこらあたりというのは、金のことである。

「義兄《あに》サ、ついてきてくれぬとこまる。国家にとって第一番に大事なのは、議論よりも金だ」

経済ということだろう。

継之助が諸国をあるいて学者をたずねまわった目的のひとつも、藩国経済のたてかたを研究するためであり、ついに備中《びっちゅう》松山の山田方谷《ほうこく》によってなにごとかを会得《えとく》した。

継之助が山田方谷の才腕をひとにほめるについても、

「方谷先生ほどなら、三井の番頭がつとまる」

ということばをもってした。堂々たる一藩の家老を評するのに、「三井の番頭がつとまる」ということをもって規準にしたのは、継之助の経済主義がいかに強烈なものかがわかるであろう。この点、福沢諭吉も徹底した経済主義者であり、継之助の思想と割印《わりいん》をあわせたように符合している。ただ福沢は経済主義こそ人間を幸福にさせる道であると信じ、その経済主義を正義とするたてまえから封建制を否定し、徳川家や諸大名の存在を無意味であるとし、資本主義こそ文明をひらく原動力であるとし、資本主義の前提として自由と権利を強調している。

継之助は、そこまでゆかない。かれは藩という荷物を背負っているがために、福沢のようにひろがりのある思想の広野に出ようとはせず、出たいともおもわなかった。継之助にとって藩という封建の遺物そのものの大荷物は、けっしてにがにがしいものではない。

——藩、すべてが藩。

というのが、継之助の思想であった。ただかれの経済思想（それは資本主義そのものとさえいえるのだが）からみれば、藩はそれと矛盾する封建的生理をもつものであり、かれの課題はそのふるい封建的生理に、どのようにしてあたらしい資本主義の血液を入れるかということであった。

だから継之助は、投機をする。

「射利《しゃり》」

ということばで、この時代のひとびとは投機のことをいった。継之助にすれば、西洋の会社のごとく藩そのものが投機事業を営もうとするのである。

「義兄サ、藩というものを経営してゆくには第一に金だ。金の実力なくして、開国論も攘夷《じょうい》論もなく、朝廷も徳川もない。藩が天下のために正義をおこなうことができるのも金あればこそであり、金がなければ正義をおこなおうとしても一人の兵隊をうごかすこともできぬ」

「いや、むずかしいことだ」

棚野は、くびを振ってこの議論から逃げだした。どうも、継之助のそのあたりの思想は棚野のような伝統的儒教思想家からみればどうも気分があいにくい。

継之助は芝愛宕下の藩邸を出て、横浜へむかおうとしている。

途中、さまざまなものをみた。乱世ともなれば、治世の百年ぶんでおこることがらが、ときには一日でおこるのであろう。

金杉橋《かなすぎばし》をわたったのは朝の八時ごろだが、ふとふりかえると、かれの背を照らしている太陽がいかにも異様であり、おもわず足をとどめた。

（めずらしい日輪《にちりん》だ）

とおもううち、町をゆく町人どもも、

――なんだえ、あのお日さまは。

と、くちぐちにさわぎながら、それをみた。

太陽の色が、みどり色なのである。見つめていてもまぶしくはなく、外輪のひかりが右へくるくるとまわり、その疾《はや》さは風車のようである。この奇現象は、このあと三月二日の夕刻にもあらわれたが、その二度目のときは継之助は実見しなかった。

「なんでアンしょう、あれは」

と、職人ふうの男がおびえたような表情で継之助にきいた。なにか、わるいことがおこる兆《きざし》じゃござんせんでしょうか、というのだが、継之助にはわからない。

「旦那《だんな》。……」

と、職人は言い、後《あと》しざりし、こんどは太陽よりも継之助におびえたようにしていそぎ行ってしまった。継之助は問いに答えもせず、この男のくせで職人の顔をじっとみつめつづけて無言でおわったのである。気味のわるい侍だとおもったであろう。

継之助は、歩きだした。

と、継之助はおもった。古来、天象は異変を示すことによって帝王の運命につき凶か吉かの予告をすると言う。帝威おとろえるときには天変地異があらわれると信ぜられているが、この往来でさわいでいる町人も、そういう不吉を予感してのことであろう。帝王というのはこの場合、三百年間、日本の現実の皇帝であった将軍家のことである。

（キザシなものか）

（そういう馬鹿《ばか》なことはない）

と継之助は職人に言いたかったのだが、口が重く、言いそびれた。継之助はこういう点では儒教のもつ浪漫《ロマン》性から脱却していた。かれは西洋の天文学に興味をもち、上海《シャンハイ》版の中国語訳の書物を二、三読んでいたが、儒教がいうように天象が地上の政治を支配するとはおもっていない。太陽は太陽そのものの事情があってみどり色になったのであろう。

しばらく行ってふりかえったときには、もう太陽はもとの光彩にもどっていた。

芝四丁目までくると、薩摩藩の蔵屋敷が海岸に尻《しり》をむけて建っている。というよりほんの去年の暮までたっていたが、幕府が三田の薩摩藩邸を焼いたときにここも焼き、いまなおむざんな焼けあとになっている。

芝九丁目の成覚寺《じょうかくじ》の門前で、幕府歩兵の服装をした男が死んでいた。かれらは素姓が素姓だけに乱暴者が多く、市中の鼻つまみになっていたが、この死骸《しがい》も、生前乱暴をはたらき、市中のやくざ者にでも殺されたのだろう。

横浜は、想像していたよりはるかに急速な成長ぶりで都会化していた。

道をあるきながら、

(あのスイス人の商館はどこか)

と、ふととまどうほどのかわりかたであった。継之助が最初に横浜にきたころは道路などもまるであぜ道のようにせまく、居留地の建築も二階だてというのは十軒内外だったように記憶しているが、そのころからくらべれば道路もひろくなり、植民地風の洋館のかずも大いにふえている。

異人の数もふえた。かれらは騎馬がすきらしく、馬にのって継之助を追いこしてゆく。おどろいたことに、馬車まで出現していた。

(これはめずらしいものだ)

と、継之助はそれを見送った。以前は上海や香港《ホンコン》や本国からながれてきた一旗組が、わずかな資本をきりまわして内情もよほど窮屈そうであり、馬車などをもっている者はなかったようであった。

ところが、いま、継之助の横をかけすぎて行った馬車は、継之助の目からみてもみごとな彫刻でかざられたもので、御者のシナ人にも黒ラシャ地に金のモールの縫いとりをした、まるで王侯のお小姓のような服を着せている。

（おかしなものだ）

とおもった。一旗組の素姓もあやしげな商人たちが、この極東の、ほんの数年前に港をひらいたばかりの国にやってきてまたたくまに荒かせぎをし、金ができるとさっそく本国ではかなえられぬ貴族のまねをして鬱《うつ》を晴らしているのであろう。

（それにしても）

とおもうことは、この横浜という土地がかれら外国人にとってはまるで金の鉱脈が盛大に露頭しているようなところであるということであった。貿易というものがこれほど大きな利益を得るものであるとは、継之助にとっても想像以上のことであった。

（いまに日本中が横浜のようになる）

と、継之助はおもった。攘夷家にとってはこういう想像は戦慄《せんりつ》と恐怖と憤怒をともなわずにはいられないであろう。しかし福沢などと同様文明の進運を信ずる側の継之助にとっては、この想像はけっして不愉快なものではない。

意外にも、馬車がとまった。継之助の前方半丁ばかりのところでにわかにとまり、御者がむちをあげて反転するための運動を開始しはじめた。馬車が路上で反転できるというのは、とにかくもそれだけ道路がひろくなったということであろう。やがて馬車がこちらにやってきて、それを避けた継之助の前でとまった。

「やあ、やはりあなたでしたか」

と、窓から顔がのぞき、口ひげが動き、相好《そうごう》をくずしている。ドアがひらき、壮漢がおりてきた。エドワルド・スネルであった。

(この男か、成金は)

と、継之助は胸のすみで小さなおどろきを覚えた。

——ぜひ、これへ乗ってください。

と、エドワルド・スネルは鄭重《ていちょう》な身ぶりですすめたが、継之助はことわった。妙な感情であった。これほどあたらしい文明に対して理解のある男でありながら、武士たるもの、夷人が提供する乗りものにそうやすやすと身を託せるかという肚《はら》がある。このあたりは攘夷家に似ている。

「とにかく、話ができる場所にゆこう。どこがよいか」

と、継之助はいった。

スネルは、口ひげを上機嫌《じょうきげん》そうにまげた。こんどできたホテルはなかなか腕のいいコックを使っています、そこへ参りましょう、という。継之助に、異存はなかった。徒歩で、そこへ行った。

南側の窓ぎわに席をとると、窓いっぱいが港の風景であった。英国の東洋艦隊が二隻《せき》いる。汽罐《かま》に火が入っているらしく、三本の煙突から茶色っぽい煙があがっている。

「いよいよ、内乱ですね」

と、スネルは声をひそめた。この男の日本語はしばらく会わなかったあいだにおどろくほどの進歩をとげていた。語尾がすこし女くさいのは、ひょっとすると女ができたのかもしれない。

「内乱ですよね」

と、スネルはもう一度いった。継之助はとりあわなかったが、エドワルド・スネルという冒険商人にとってはそれが最大の関心事であるらしい。未開国の内乱は、一旗組の商人にとっては最大のかせぎものであった。

「横浜の英字新聞は、毎日そのような観測記事で詰っています」

「どことどこがやるのだ」

「しらばっくれちゃいけませんよ。京のミカドと江戸の大君陛下《たいくんへいか》じゃありませんか」

将軍のことを、スネルは幕府びいきのフランス外交官と同様、陛下といった。フランス以外の、たとえば薩長びいきのイギリスの外交官などはあくまでも殿下とよんでいるのだが、スネルはもともと徹底したイギリスぎらいであり、かつ徳川びいきを自称しているから、どうあっても将軍は陛下なのであろう。

「あのイギリス軍艦は」

と、窓のそとを指さした。

「もうすぐ出航します。イギリス公使館の館員をのせているのです。かれらは山に入った猟犬のようにいそがしく、西国や東国の情報あつめに躍起です」

「イギリス人は、内乱を望んでいるのかね」

「かれらは、そうではありますまい」

内乱を望んでいるのは、スネルのような一騎駈《が》けの武器商人どもだが、イギリスはそれを望んでいない。イギリスの議会も、何度か日本で内乱の挑発《ちょうはつ》をできるだけ避ける、というふうに申しあわせているという。イギリス人にすればどさくさの火事場で儲《もう》けるよりも日本の秩序が回復したあと、これを恒久的な市場にしようとしている。そのほうが結局は大きくもうかるのである。

「ところで」

と、エドワルド・スネルはいった。

「われわれの長岡公国はいかがです」

（われわれの）

と、継之助は内心、スネルの調子よさにおどろいた。「まあな」と意味のないことばで返事をすると、

「殿下（藩主）のご健康はいかがでしょう。大坂ではご病気をなさったとうかがっておりますが」

「よく知っている」

「そりゃ、私にとっては自分の国と同様ですからね。殿下は、私の君主です。お風邪でしたか」

「まあそのようなものだろう。江戸に帰られてからは、すこしご様子がいい」

「それは、なによりでした」

といったとき、清国《しんこく》人のボーイが、二人のグラスに葡萄酒《ぶどうしゅ》をついだ。スネルはそのグラスを目の高さまで持ちあげ、

「殿下のご健康のために。それと、ミスター・カワイが長岡公国の首相になったこと

を祝って」

と、いった。このことも意外であった。継之助が家老になったことを、スネルはどうして知っているのだろう。

「いや、おどろいたな。どうしてそのようなことまで知っている」

「新聞を読んでいますからね」

「まさか私のことまで新聞にのっていまい」

「左様、そのことは、新聞による知識ではありません。私自身の情報です。横浜に来る日本人の書生などからできるだけの情報をあつめます」

「それだけかね」

「さらにいえば、私の長岡公国への忠誠心のあらわれというべきでしょう。忠誠心さえあれば、知ろうとすることは風にのってきこえてきます」

「いやな男だな」

「なんとおっしゃいました」

「油断のならぬ男だというのさ」

「どうぞ、お気になさらずに。私は、河井さんにとってはもっともよき下僕《しもべ》です。なにごとでも、ご命令さえあればします。たとえばあす薩長を討つ、大砲を百門あつめよ、とおっしゃるなら、この腕でなんとかあつめてみせます。ただし、十日の猶予《ゆうよ》だけはいただきたいのです。上海からひいてくる往復の日数のために」

「いつか、頼むときがあるだろう」

「敵は、薩長ですか。薩長は私にとっても敵ですが」

「なぜ敵だ」

「イギリスがあと押しをしているからです」

「薩長は」

継之助は、用心ぶかくいった。

「私どもの敵ではない。長岡藩が武器を必要としているのは敵を想定したうえでのことではなく、長岡藩の自主独立の態勢をととのえ発言権を保持するためだ。それだけだ」

むろん、それが継之助の本心でもある。

食事がおわると、夜になった。窓外の海に船の灯《ひ》が映えている。

「スネル氏、なぜそのように儲けた」

と、継之助は、先刻からもっともききたかったところをきいた。

スネルは、だまって笑っている。継之助も、それっきり口をひらかず、だまったきりである。スネルがやがて、

「商売は、軍事とおなじですからね。機密を重んじます」

といった。

「では、きくまい」

「いいえ、ほかならぬお人の質問ですから答えます。兵器ではありませんよ」

「兵器が専門ではないのか」

「そりゃ、兵器がいちばん儲かりますが。なにしろ小銃一挺《ちょう》を売ってもそれだけではありませんからね。弾がつく、帯《ベルト》がつく、弾薬盒《だんやくごう》がつく。大きいです」

しかし、とスネルがいう。

「そのほうでは、やはり英国商人がもっとも儲けています。西国の諸藩はこのところ英国ずきで、横浜へ兵器買いつけにくるとなると、かならず英国人の商館に入る」

「西国とは、薩摩かね」

「薩摩が、めだつようです。とくに鳥羽伏見の前というのはどうも」

薩人の横浜入りの頻度《ひんど》が高かったらしい。スネルは、その男の顔まで見覚えてしまっていた。二十七、八歳の小ぶとりの武士で、顔に薄あばたがある。

（たれだろう）

と継之助はちょっと考えたが、おもいうかばない。後年、世間に知られたことだが、西郷隆盛の配下の大山弥助（巌《いわお》）だった。かれは薩摩汽船で横浜へあらわれては小銃を買ってゆく。むろん現金である。

「そうか」

と、継之助のその独特のするどい視線が、ほんのしばらく宙にただよった。薩摩の京都クーデターというのは周到な用意のうえでなされたものなのであろう。

「薩摩公国の殿下は、将軍になるつもりなのでしょうか」

「わからない。一時は、薩摩は大坂以西の探題たろうとしているといううわさがあった」

「長州の毛利侯も」

「そう。長州侯は将軍になりたがっているといううわさが以前あり、薩摩がその野望をきらい、両藩たがいに疑いあって仲が極端にわるかった。しかし、実際の本音はどうなのかしばらく事態を見てみねばわからない」

「河井さんの主観はいかがです」

「案外、両藩を動かしている頭株《かしらかぶ》どもは淡泊かもしれない。本気で、朝廷中心の国家をつくることのみを考えているようでもある。ところで、あなたのことだ」

「私は、かれらにはなじみがありません。やはり私の顧客は日本の北部、東部の徳川びいきの諸藩です。会津からも引きあいがきていますが、量はすくない。だから私がもうけているのは、いまのところ兵器ではありません」

はなしも、尽きた。あすもう一度、ファブルブランドの商館で会おうとスネルに言い、継之助はホテルを出た。

「いまから、どこへゆきます」

と、ホテルの玄関でスネルがいった。継之助は面倒だからだまっていた。

(どこへゆこうと、勝手さ)

とおもいつつ、暗い路上をあるいてゆく。遊里へいくつもりであった。かれは、かれの唯一《ゆいいつ》の道楽といっていいこのあそびを、上洛《じょうらく》いらい絶えてやっていないのである。

港崎町《みよざきちょう》にゆく。

この遊里は吉原を小規模にしたような遊里で、やはり大門《おおもん》があり、それを入ると仲之町の通りがあってその右側に四軒の茶屋がある。青楼《せいろう》は岩亀楼《がんきろう》、神風楼《じんぷうろう》をはじめとして大まがきが十二軒あり、ほか、局《つぼね》、見世《みせ》、長屋と称する小さな店が八十六軒ある。

このほか異人専門の店もあり、そのにぎやかさは吉原にまさるともおとらない。

が、継之助がその場所へ行ってみると、意外にも枯れ草の野になっていた。ところどころに柳がゆれており、あちこちに卒塔婆《そとば》なども立っている。

(なんだ)

と、狐《きつね》につままれたような思いであった。近くの卒塔婆のかげに動くものがいたので近づいてみると、乞食《こじき》が巣をつくっていた。

「おい、このあたりはどこだ」

と、継之助は道をまちがえたかとおもってその乞食にきいてみた。

「港崎町でございますよ」

という。やはり、まちがいはない。継之助はことばもなくあたりの闇《やみ》を見まわしてたたずんでいると、乞食が、

「旦那《だんな》も、遊びにいらしたんで」

と、いった。くすくす笑っているらしい。乞食の手もとが、ぼっと明るくなった。たき火をしはじめたらしい。

「旦那、あたってもよろしゅうござんすよ」

と乞食はいう。銭がほしいのだろう。継之助は一文呉《く》れてやった。

「三日に一度ほどは、旦那のようなお方がいらっしゃいます」

「焼けたのか」

「もう、だいぶまえでございますがね。慶応二年十月二十日、朝の四つ（十時）檜山《ひやま》から火がでましてね」

と、乞食はいった。なるほどそう言われればそんな話をきいたことがある。継之助がさらにくわしくきこうとすると、乞食が手を出した。語り賃をくれというのである。

継之助は、質のいい青銭《あおせん》を二枚乞食の手にのせてやった。

「たった二枚でございますか。あっしはこれでも、それをお話するのを稼業《かぎょう》にしておりますので」

「乞食ではないのか」

「焼けあと番でございます」

「語ってみろ」

と、継之助は、銭五枚を乞食の手にのせてやった。

この大火は港崎町遊郭を全焼させただけでなく、よほどの規模で、死者だけで四百何人だったという。そのうち遊女が四十何人まじっている。

「神風楼の亀菊という女はぶじだったか」

と、継之助はそれをききたいために乞食に銭をやったらしい。神風楼というのはかつて継之助が福地源一郎といっしょに登楼したうちで、その日の敵娼《あいかた》が亀菊であった。どういう女だったかはすっかりわすれたが、名前だけはおぼえている。

「たしか」

と、乞食は考えたあげく、「焼け死にやした」といったが、それ以上くわしいことは知らない様子だった。

火元は、末吉町の豚屋だったという。横浜では豚屋という稼業が、あたらしく商売往来のなかに入ってきている。火を出した末吉町の豚屋というのは、あるじが金五郎という男で、屋号は「豚鉄」といった。金五郎は江戸の講釈場で走り使いをしていた男だというが、元治元年かにこの横浜に流れてきて豚屋をひらいたところ、西洋人や清国人の需要が多く、またたくまに産をなしたという。それがこの大火で灰になり、当の金五郎も捕縛され、獄中で病死したという。

「横浜の栄華はめまぐるしゅうござんすな」

と、乞食は漢語をつかって述懐した。この男も、上州から出てきたという。横浜で生糸《きいと》相場をやって一時は大金をつかみ、二十日も岩亀楼で流連《いつづけ》たこともあるという。

「その当時をおもいますと、まるで夢のようで」

と、火影《ほかげ》でなにを思いだしているのか、じっと目をほそめている。

継之助はばかばかしくなり、乞食を置きすてて焼けあとを出た。通りへ出て辻駕籠《つじかご》をひろい、そう命じてしばらくゆられていると、大門の前へ出た。ここがあたらしい郭《くるわ》だという。

南吉田新田《しんでん》の沼地を埋めたてたという土地で、町名は吉原町と名づけられた。

継之助は茶屋の上総屋《かずさや》に入り、亀菊は死んだか、ときくと、意外にも生きていた。死んだといったのは乞食の思いちがいか、いいかげんな法螺《ほら》だったのだろう。

とにかく登楼し、亀菊に会った。

「おれを覚えているか」

というと、なんと亀菊はすぐ、越後長岡の河井継之助さま、といった。惚《ほ》れていたわけじゃありませんけど、めったにないお顔だから忘れっこありません、と笑いもせずにいった。無愛想なおんなである。

継之助は、おもいだした。この妓《おんな》の無愛想さをである。

——以前も、こうだったな。

とおもった。以前、この楼にのぼったとき亀菊はほとんどものをいわなかった。そのとき継之助は、こういう郭の太夫《たゆう》にありがちな権高さだとおもっていた。権高ければ権高いほどありがたがる客が多く、そういう客のための営業的な権高さかとおもっていたが、どうやらこのおんなの地のものらしい。

「ずいぶん、昔ですね」

と、亀菊は、もう郭《さと》ことばもつかわなくなっている。そういう粉飾が、なにかもうめんどうくさげであった。

「昔ではあるまい。まだ二年か、いや三年前かな」

「郭のおんなにとっては二百年でございますよ。このしわ」

と、顔を突きだした。

「もう、六十にもなったか」

「まさか」

と、亀菊ははじいるように笑った。まだ二十五、六だろう。

「でも、六十の気持かもしれない」

最初は、自分の位相応の威福をまもるために客を選《え》ったり、媚《こ》びたり、手管《てくだ》をつくしたりしたが、生来そういうことがきらいなたちか、もうどうでもいいという心境になっているという。境地としては老境である。正直なもので、客も減った。位も、そろそろひきさげられるころだと亀菊はいう。

「火事からかね」

「よくご存じ。そういう河井さまのするどさが、わすれられなかったのです」

と、亀菊はいった。この豚屋火事で死にかけた。大きな梁《はり》が落ちて下敷きになり、その上を火が這《は》い、あつさを感ずる前に気をうしなってしまったという。あとでたすけられてからわかったのだが、一緒に下敷きになった禿《かむろ》は黒こげになって死んでいたが、彼女だけはどういうわけか、わずかに髪をこがしただけでかすり傷も負っていなかったという。

「そういうことが一度あると」

と、亀菊はいう。人間は変ってしまう、といいたいのだろう。

「それはもう」

ちょっと微笑《わら》った。

「嫗《おうな》でありんす」

亀菊のいうには、来月あたりには位をさげられるだろう。それがいやならば異人揚《あげ》屋《や》へゆけ、と楼主はいうらしい。

異人揚屋ならば、齢《とし》をとっても十分張ってゆけるし、みいりもわるくない。一カ月仕切って勘定は、ドルである。異人が払う一夜ゆきの値段が五ドルであった。一カ月仕切ってくれるという約束ならば五十ドルである。異人にはそういう仕切り客が多い。

「異人は、ふところぐあいがいいか」

「そりゃ、もう」

みなにわか大名のようだ、という。

亀菊のはなしは、継之助にとってものを考えさせる多くのものをふくんでいる。

「異人がみなにわか大名になってしまったのは、日本の金《きん》がやすいからだそうですね」

と、いった。

日本の金の安さについては継之助も知っていたし、幕府も瓦解《がかい》までそのことであたまをいためつづけてきた。

日本は、国際相場からみて銀が異常に貴いのである。豊臣政権以来大坂はずっと銀本位制をとってこんにちにいたっており、江戸の金本位制と両立し、金銀の差はさほど大きくない。ところが、欧米はちがう。金は銀にくらべて格段の差で貴いのである。

その欧米の連中が、日本にきた。かれらは貿易よりもなによりも、むしろ金買いをすれば大いにもうかることに気づいた。欧米相場のやすい銀を持ちこんできて日本の金貨を買ってゆけば、もうそれだけで巨利を得る。

「スネルというやつなんざ」

と、亀菊は、位不相応なきたないことばでいった。継之助は、聞き耳を立てた。

「スネルが、どうしたえ」

「あいつなんざ、それですよ。いつも居留地の路上で指をあげたり、口笛を鳴らしたりしている」

金銀相場は、路上で立つらしい。清国人や日本人なども まじって口々に数字をとなえて喧騒《けんそう》し、やがて散ってゆく。

(スネルは、それか)

と、継之助はおもった。あの男の機敏にうごく二つの目と、どこかえたいの知れぬ狡猾《こうかつ》さがそういう相場の覇者《はしゃ》たらしめているらしい。

(ああいう男からみれば、日本人などはあかごのようなものだろう)

と、おもった。なにしろこの国は歴史はじまって以来、他の国とろくに商売もせず、ずっと自給自足でやってきたのである。早くから国際間の商売というものに馴《な》れきっている欧米人の経済感覚は、劫《こう》をへたむじなのようなものであるらしい。

(スネルがわるいのではない。かれらはそういう人種なのだ)

と、継之助はおもった。継之助はヨーロッパといういま日本の前に立ちはだかっているこの巨大な文明圏を見たことがないが、漢訳の書物や福沢の本を読んだり、福地の話をきいたり、また長崎や横浜で西洋の事物や事情を見聞したりしたところでは、あの一つ大陸の上で多くの民族が棲息《せいそく》し、たがいに抗争し、提携し、刺戟《しげき》しあい、それによって軍事、経済、思想、科学を発展させてきたようにおもわれる。ヨーロッパの一民族がもし日本のように極東の孤島で孤立していたとすればその運命は日本と同様であったであろう。

いわば擦《す》れあってできた文明であろうが、それだけに人間も初心《うぶ》ではなく擦れっからしになっているのであろうと継之助はおもった。

亀菊は、自分の話に酔いはじめている。

「どうにも、いや」

と、話のあいまあいまにつぶやく。齢のことである。稼《かせ》ぎがすくなくなれば異人揚屋のほうに転売させられて洋娼《ようしょう》にされてしまうということを言うのである。

「無理にか」

と継之助が問うと、べつに楼主が強制するというわけではないらしいが、とにかく足を洗うにはそのほうがてっとりばやいのだと亀菊はいうのである。借金が残っている。身を異人揚屋に売ってここの借金をかえしてしまい、むこうで稼ぐ。むこうの年期はみじかいから早く娑婆《しゃば》に出られる、という。

「それほどに金が入るのか」

「それが」

と、亀菊が言い淀《よど》んでから、じつは異人揚屋の景気もさほどではなくなってきているらしいといった。

開港早々のころは、異人相手にこういう稼業をするというような志願者はなく、幕府も困惑したようであった。娼妓《しょうぎ》のなかには自殺者まで出た。ところが開港地としての横浜の気分がすこしずつ世に知れてゆくにつれ、そういうことを厭《いと》わずに異人揚屋に入ってくるおんながふえ、いまでは洋娼といっても珍妙な風俗ではなくなった。

「それどころか」

と、亀菊はいうのである。娼妓ではなくふつうの娘がどんどん居留地の異人館に入りはじめ、異人それぞれと個人の契約をして子までなす者があらわれ、それが、こういうさとの玄人《くろうと》を圧倒しはじめているという。

「すると、異人揚屋はさびれはじめたのか」

継之助は、日本人というものの意外な面を見せられる思いで、亀菊の口もとを見た。

そうなんです、ひところからみればたいそうなさびれようです、と亀菊はいった。

「いま、異人揚屋には二、三百人の洋娼がいますけど、客といえば――」

入国したばかりの金なし商人か船員ぐらいのもので、居留地に商館をもつ堂々とした商人は来ないという。

「素人娘《しろうとむすめ》にまけたのです」

「そうかえ」

継之助は、うなった。

亀菊のいうところでは異人揚屋の洋娼たちは結束して素人娘――洋妾《ラシャメン》――の存在に対しずいぶんといやがらせをしてきた。町に住むごろつきに金を出して洋妾を罵倒《ばとう》させたり、つきまとって石などを投げさせたりしたが、幕府がそれに気づき、しばしばごろつきの検束をしたため効がなくなった。

ついには最近では、異人揚屋の洋娼たちは攘夷《じょうい》浪士に金を出し、かれらをそそのかせ、そういう洋妾の通行中を襲わせ、ときには殺害させたりしているという。

「攘夷の志士も、品《しな》がおちたものだ」

継之助は、ため息をついた。横浜できくこと見ることは、このように意外なことが多い。

まだ梅はほころびないらしい。

旧暦二月といえばもっと暖かくてもいいのだが、継之助がその翌日、江戸にもどった夕《ゆうべ》はひどく寒い。

街をゆくひとびとが、寒の入りかなんぞのように肩をちぢめ、風に追い散らされるようにして歩いてゆく。

街も、さびれている。

(江戸も、しまいだな)

と、継之助はおもった。官軍というものが(江戸では薩長といっているが)、京で編成されつつあるといううわさがしきりと飛んでいる。事実だろう。

江戸は、つぶされるらしい。かんじんの徳川慶喜《よしのぶ》は、恭順に恭順をかさねている。旗本の九割までは戦意がなかった。

継之助は芝増上寺の学寮の塀《へい》に沿って歩いた。やがてその塀をはなれて北へゆくと、そのあたりにそれぞれの旗本屋敷がならんでいる。たれでも気づくことだが、路上に紙くずや木ぎれなどが散乱し、ここ十日以上も掃かれていないことを証拠だてていた。

(これが、江戸をほろぼしたのだ)

と、継之助は、江戸の旗本がここまで腰がぬけてしまったことを、ひとごとならず腹だたしくおもった。掃除をしていないというのは人手がないということなのである。まえの月の正月十二日、慶喜が京から逃げ帰って以来というもの、旗本屋敷では奉公人の整理をしはじめた。若党、中間《ちゅうげん》、その他雑役の下僕を解雇した。いざいくさとなれば人手は何人あっても足りるということはなく、そういう奉公人も弾はこびや兵《ひょう》糧《ろう》はこびに大いに役だつであろう。またそういう有事に役立たせるために人数を養い、それを養うために禄《ろく》というものを世襲してきている。ところがいざ徳川家の危難というこのときになってかれらがどんどん人減らしをしてゆくというのはどういうことであろう。

戦意がないからである。

(これが、江戸を滅亡させた)

ともいえぬことはない。継之助は非戦論者であったが、かといって武士の腰がぬけてはならず、ぬけることについては憎悪《ぞうお》以上のものを感じている。

継之助がきいたところでは、逃げもどった徳川慶喜に対し、江戸の幕僚の一部が決戦をすすめた。慶喜は乗らなかった。乗らぬ理由のひとつとして、

「いまの旗本八万騎をひきいていくさができるとおもうか。馬を進めてふと背後をみればたれもついてきていないであろう」

という意味のことをいった。

さらに、京の薩長方が、罪もない慶喜を追い詰めて討つと呼号している。そこまで理不尽な態度に出ているのも、かれら薩長の眼中には旗本八万騎がないからであった。かれらほど徳川武士の弱さというものを見ぬいている連中はいないであろう。継之助の思想では、政治は力である。戦わずとも徳川八万騎の武威が天下を圧しておれば薩長は、まるでこどもをおどすような、そういう没義道《もぎどう》な態度には出ぬはずであった。

帰邸すると、三間《みま》市之進らが灯《ともしび》をあかるくして待っていた。継之助はその部屋に食膳《しょくぜん》をはこばせ、めしを食いながら横浜のことなどを話した。

「妙なことに気づいたな」

と、継之助はいった。品川から芝までのあいだ、質屋という質屋はほとんどがのれ

んをはずして休業していた、という。

「どういうわけでしょう」

と、三間市之進はきいた。継之助はだまって箸《はし》をうごかしている。

めしを食いおわり、箸を置き、茶を喫してから、

「いくさだよ」

と、いった。質屋どもは早晩江戸攻撃戦がはじまって江戸が戦火に焼かれることを予想し、質草をとらないのだ、と継之助はいうのである。質草をとっても焼けてしまうだけであろう。それより金銀で持っていればまちがいないと思うのであろう。

「へーえ」

と、鈴木総次郎という若者が声をあげた。総次郎は代々江戸定府《じょうふ》で、ねっからの江戸びいきなのである。

「そうでございましょうか。私はそうはおもいませぬが」

という。江戸っ子がそんなきたないことをするはずがないという。げんに自分の知っている江戸の町人たちは旗本衆以上に沸き立ってさかんに薩長を攻撃し、いざというときには町人ながらも竹槍《たけやり》をとって公方《くぼう》さまをおまもりするのだといっているという。

「なるほど」

継之介は、うなずいてやった。

「そういう気概は尊い。おそらくその町人どものことばは本心から出たものだろう。しかし世の中というのはそんな泡《あわ》のような気概でどうなるものでもない」

「そうでしょうか。民衆の気分というものは大切なものだとおもいますが」

「そのとおりだ。しかしいかに江戸っ子が口角泡をとばしても薩長はおどろかないよ。その江戸っ子が、施条銃《ライフル》を一万挺《ちょう》用意し、四斤山砲《ポンドさんぽう》の五十門もそろえて六郷ノ渡《わたし》の手前で勢ぞろいしたときはじめて薩長は問題にするだろう。世の中のことは口のあわだけではどうにもならない」

「しかし質屋が」

「そう。質屋といえども江戸っ子であるはずだが、そのまえに人間だ。女房も子もあるだろうし、とにかく生きて生活している。かれらが蔵止めをして金銀をひとに渡さないのは生きるがためだ。世の中はそういうことで動いていることを知らねばならない」

質屋の一件については継之助は推測をいっているわけではなかった。金杉橋のあたりで念のため休業中の質屋に入り、

「塗りの長持があるが、あずかってくれるだろうか」

と虚言《そらごと》ながら頼んでみて、質屋側の事情を聞きたしかめた。質屋の休業ということもそのひとつだが、江戸中で金銀の動きがいまおそろしく緩慢になっている。継之助の関心はそこにあった。


ほどなく義兄の梛野嘉兵衛が外出さきから戻ってきて、

「やあ、おおぜい、おそろいだな」

と、顔を出した。継之助は自分の席をすべらせてこの義兄のために上席をあたえようとした。私的なあつまりなのである。公的な会合ならば家老である河井継之助は上席にすわらねばならないが、一座が私的である以上、先方が義兄であるという、そういう順序を尊ばねばならない。

武士社会は、礼にやかましい。梛野は大きな背をまるめて、

「ちがうのだ。私は下座につく。なぜならば雑談ながら私は公務を語りたい」

と、継之助をさえぎって下座についた。

梛野嘉兵衛は、きょう一日、多忙だった。江戸城に行って老中に会ったり、諸藩の代表と会ったり、そのあと藩邸出入りの商人の店まで行った。

「混乱だな。名状しがたい混乱だな」

と、きょう一日の報告をしてから、ちょっと膝《ひざ》をゆるめ、そのようにいった。

「百川一時にとどろき落ちるような、そういう混乱だ。ところが奇妙なことに、上様が江戸へお帰りになったときのようなああいう喧騒《けんそう》はない」

江戸城へのぼって御用ノ間などをのぞいても、ひとびとは、あの時期の日々のように叫びあっていない。変に静かなのである。百川が一時に落ちるような混乱であっても、水声がきこえなくなった、というのである。

「みな、疲れたのだろう」

と、継之助はそっぽをむき、苦笑した。無用に騒ぐやつは数日でつかれる。あとは毒気が抜けおちてしまったようにきょとんとしている。人事一般そういうものだ、と継之助はいう。

「なるほど」

三間市之進はいった。

「そういう連中のさわぎに乗って調子をあげてしまうととんでもないことになりますな」

継之助はかねて、

——長岡藩はよろしく無言たるべし。

と、藩士一同に指示している。藩士それぞれが志士気取りになって諸方に奔走し諸方でさまざまなことを言いだせば藩は混乱しついにはドホウしてしまう、と継之助はいう。ドホウとは土のごとく崩れさるということらしい。

——越後は越後らしく謙信の軍法でゆく。諸士はすべからく沈黙の軍法をまもるべし。

と、継之助はいっていた。

継之助のつもりでは藩の頭脳は継之助ひとりでいい。あとは手足になればよい。手足がほうぼうで時勢を論じてはものごとが土崩してしまう。

午後九字(時)ごろ、この連中はそれぞれの部屋にひきとって行ったが、入れかわって意外な客がこの藩邸に訪ねてきた。

——この夜ふけに。

と、継之助は不審におもった。夜九時といえば江戸中の町木戸の締る一時間前で、ひとのうろつく時間ではない。

「どなたかね」

「公儀外国方の福地源一郎と申されるお方でありますそうで」

と、取次ぎがいった。継之助はおどろきみずから立って玄関で迎えた。

「やあ」

源一郎は相変らずの陽気さでそこに立っていたが、用をいわない。

「どうなされた」

「いやさ、ここで」

と、提灯《ちょうちん》を見せた。増上寺の塔頭《たっちゅう》の定紋と寺の名がそこに入っていた。

この定紋の寺でつい先刻まで会合があったのだという。外国方有志数人をふくめた旗本のあつまりで、その相談というのは、

「まことにもって物騒なものでね」

と福地は言い、とにかくその寄りあいがおわってそとに出ると人影がつけてくる。ひたひたとつけてくる。

「こっちが足を早めると、むこうも足を早める。あまりしつこいからめちゃめちゃに走ってふと気がつくとこの長岡藩邸の門前に出ていた。そこであなたを思いだした」

「門番は起きていましたか」

「起きていましたよ、内職の手間仕事をしていた。楊枝《ようじ》けずりの」

「それは結構だった。まずあがられよ」

と、継之助は自分の中間をよび、福地のために一室をあけるよう指示した。継之助の察するところ、福地は刺客を避けるためこの長岡藩邸で夜をあかしたいのであろう。

「泊ってゆきなさい」

というと、案の定、福地はこっくりうなずいた。ときどき少年のような表情をする男だった。

とりあえず継之助は自分の部屋に福地を招じ入れ、酒の支度をした。

「冷や酒でよろしかろう」

と継之助は言い、みずから干しいかを盆にのせてきて、福地の前に置いた。

「で、刺客とは？」

「左様、どうにも見当がつきませんな」

と、福地はいう。

以前、洋夷《ようい》にかぶれているということで、よく攘夷主義者からねらわれた。しかしきょうのやつはどういう意図かわからない。考えようによっては刺客というのは時勢の生む一種の狂人だからその意図をまともな頭であれこれ考えても仕方がない、とも福地はいう。

「しかし、いやなものだ」

といった福地の顔は、さっきまでは血の色がなかったが、すこし赤味がのぼりはじめている。

「私は剣術なんざろくすっぽ習わなかったが、しかし身の危険となるとわかりますな。うしろの足音にきづいたとき、耳よりもさきに肌《はだ》がぞくっときた。あれが剣術屋のいう殺気というものだな」

継之助は徳利を傾けて、福地の湯のみに注ごうとした。

「いや、もういい」

福地源一郎はいった。かれは二十前後のころにずいぶん飲み、その詩も、酒と妓楼《ぎろう》に関するものがほとんどだったが、ちかごろどういうわけか、にわか下戸《げこ》になった。

「よくわからないが、大坂で鳥羽伏見の敗戦をきいたとき、あのときからそうですな」

「ふむ？」

継之助は、ちょっと首をひねった。福地源一郎といえば軽薄才子の代表みたいなものだとおもっていたが、やはり時勢の衝撃がそれほど大きかったのだろうか。

「妓楼のほうはどうです」

「いや、酒だけです。妓楼のほうはやめようともおもわないが、とにかくやまらない」

「費用《かかり》が大変でしょうな」

と、継之助はいった。福地は下谷二長町の邸でイギリス語とフランス語の塾《じゅく》をひらいている。その塾生がもってくる束脩《そくしゅう》（授業料）はみな吉原がよいにつかってしまう。そのことを継之助はいったのである。

が、福地はべつな返答をした。

「倦《あ》きましたよ」

「ほう、吉原通いが」

「とんでもない」

福地は、手をふった。

「人を教えるほうがです。とても福沢君のような、ああいう小まめさはない」

「塾は、閉じましたか」

「いいや、引っ越しでさ」

と、福地は意外なことをいった。下谷二長町の屋敷をつい先日、ひきはらって別なところに借家をもとめた。このひっこしとともに塾は自然閉鎖になった。あたらしい住いはおなじ下谷だが、池《いけ》ノ端《はた》の茅町《かやちょう》である。

「なぜ、ひっこしされた。下谷二長町のお屋敷は、公儀から拝領したものでしょう」

「左様、私は旗本ですから」

福地は、するめを噛《か》んでいる。唇が唾液《だえき》でぬれていた。

「そう、あなたはお旗本だが」

旗本ならその拝領屋敷を勝手にひきはらって浪人かなんぞのように借家ずまいをするなどはできないはずであった。

「なあに、公儀の規範もゆるんでしまった。この福地源一郎程度の木《こ》っ端《ぱ》旗本がなにをしようともう勝手でさ」

「…………」

継之助は、じっときいている。この福地において旗本の気分の一端を知ることができるであろう。

福地のいうところでは、おっつけ官軍がやってきて江戸を攻める。むろん、占領する。当然ながら旗本屋敷などは公収されてしまうだろう。そのときになってから借家をさがしてもとてもあるものではない。いまなら選《よ》りどりである、という。

「思いきったものだ」

と、継之助はくびをふった。福地は徳川家の前途などより、とにかくも自分の前途を考えることにいそがしいらしい。

福地は、話題を変えた。

「お聞きおよびですか」

という。彰義隊《しょうぎ》というものがちかくできるということである。

「彰義隊」

継之助は、目を光らせた。

「左様、義ヲ彰《あらわ》ス。幕臣およびその子弟の有志があつまって結社をつくろうというものです」

「なんの結社ですか」

「表むきは市中取りしまりということになっているが、内実はそうじゃない。薩長が江戸を占領しにきたとき大いに奮戦して徳川武士の刀の斬《き》れ味をみせてやろうというものです」

「つまり、軍事結社ですな」

「まあ、それに幾《ちか》し」

「むだなことをする」

と、継之助は言おうとしたが、しかし相手が幕臣でもあり、そういう批判はさしひかえた。徳川武士だなんだといっても、槍《やり》や刀で薩長軍を切りふせげるものではなかった。

回状がまわったらしい。それでこの十二日、雑司《ぞうし》ヶ谷《や》の料亭の茗荷屋《みようがや》にあつまった。十七人であった。あつまった者は、幕臣は幕臣でもおもに徳川慶喜の直接の家来ともいうべき一橋家の者である。渋沢《しぶさわ》成一郎などがその中心であった。

「渋沢とは?」

「これも、われわれ同様、にわか幕臣です。根が武州大里郡《ぶしゆうおおさと》の豪農の出で、かつて攘《じよう》夷《い》運動に奔走しているうちに一橋家に召しかかえられ、幕臣になった。その従弟《いとこ》も同様のいきさつで幕臣になり、これはなかなか気鋭の男でいまパリにいます」

従弟とは、渋沢栄一のことである。いまパリでひらかれている万国博覧会の日本代表の随行団の一人として渡仏《とふつ》している。

「第二回目の会合は」

と、福地はいった。先日、四谷《よつや》鮫《さめ》ヶ橋《はし》の円応寺でひらかれた。ずいぶんあつまるだろうとおもわれていたが、六十七人だったという。

「まだ周知されていませんからな」

と、福地はいった。その六十七人が創立同志といったことで手わけして駈《か》けまわり、同志をつのっているという。いずれ五百人、千人にふくれあがって一騒動も二騒動もおこるだろう、と福地はいった。

「あなたも、参加されたのですか」

と、継之助はきいた。

福地は、一時、景気のいい決戦論を吹きまわっていたために、人がやってきてぜひ参加しろとすすめた。

すすめられて福地はどうやらふるえあがったらしい。とにかく、逃げを打った。

「私は口舌の徒で、剣術どころか棒をふることもできやしない。諸君らの足手まといになるばかりだ」

といって、とにかくことわった。

彰義隊は、あくまでも有志団体である。これにはいまひとつの名称がある。

「尊王恭順有志会」

という名称であった。

この二つの名称を継之助がきいたとき、ここにもいまの政情のむずかしさがあらわれているとおもった。

「隊、というのですな」

継之助はそのことにまず興味をもった。隊というのは戦士の組織のことである。隊と名乗るかぎりは軍事団体であった。しかし継之助の興味はそのことではなかった。戦士の組織のことを幕藩体制では、

「組」

といった。幕府の旗本組織のひとつである大番組などはその一例である。幕府は文久三年京都で遊撃団体をつくり、新選組とした。これも組であり、隊とはいわない。隊ということばを日本語にくわえたのは幕末の長州人である。戦士の組織のことをあらわすのにふるい日本語である「組」という語をつかわず、未使用の漢語のなかから隊という語をさがしだしてきた。奇兵隊、力士隊、報国隊、なんとか隊というようなものを数多く作った。

「長州には、タイというものがあるそうな」

というのは、当時の評判であった。継之助なども例の第二次長州征伐のころにこの

長州名物のタイということばをきき、

「文字はどう書く」

とひとにきいたほどであった。

長州藩でも、伝統的な藩体制では「組」ということばをずっと使ってきている。ところが四カ国艦隊と戦ったり、幕府の長州征伐軍と戦ったりする前後、従来の藩士組織だけではとても勝ち目がなかった。

そこで、

「町人、百姓、僧侶《そうりょ》、神職、力士などのあいだから義勇の者をつのる」

ということで、特殊な戦士団ができた。鎌倉以来の武士階級というものがくずれたのはこのときであろう。

献策者は、高杉晋作《しんさく》であった。高杉は上士出身で、いわば藩貴族であり、そういう意識もつよかった人物だから、四民平等思想からこれは出たものではない。藩を敵からまもるには領民を武装させ、藩士の補助にしてゆく以外にない、というせっぱつまった必要からこのことを着想した。そこで奇兵隊をつくった。藩士を「正兵」とし、これを「奇兵」とする。ところがこの奇兵隊ほか諸隊が、実戦では藩士をはるかにしのぐ強さを示した。「長州にはタイというものがある」という評判は、そのつよさから出てきた。自然、隊といえば強そうな語感を世人は持った。

しかし幕府は長州のまねをせず、あくまでも組ということばをつかった。ところがこの彰義隊にいたってはじめて「隊」ということばが出現したのである。

「見識のないことだ」

と、継之助はつぶやいた。徳川の臣みずからが長州の風を学ぼうとしているのである。

それに、

「尊王恭順有志会」

という。同一団体でふたつの名をもっている。彰義隊は武の団体であり、尊王恭順有志会は思想団体であるということであろう。

「尊王」

という。ことさらにこのことばをつかっている。あくまでも彰義隊は尊王団体であるということを、京から攻めてくる官軍に対して明示しようというものであった。

「その結成の趣意は？」

と、継之助はきくと、福地源一郎はそれをすらすらとのべた。相変らず、なみはずれた記憶力である。

この団体には、同盟哀訴申合書《もうしあわせがき》という趣意書がある。そのいうところは、まず、「上様は従来京都を尊び、尊皇の志があつかった。ところが君側《くんそく》の奸《かん》があらわれ」という。君側の奸とは、幼帝を擁している薩摩人や親薩公卿《くぎょう》のことであろう。趣意書の文章はつづく、「その君側の奸を上様は掃《はら》いのけんとされた（鳥羽伏見の戦いのことであろう）ところ、意外にも天朝のお怒りにふれ、以後江戸にもどり、御恭順いちずにすごされ、ひとことの御弁解もなさらず、ひとえに天朝の裁断のくだるのを待っておられる。そこでわれら臣子としては」と、趣意書はいう。以下が、その同志が「天地神明」に誓う行動目的である。天朝に哀訴して「上様のむじつの罪を申しひらく」というものであり、その誓いとしては同志一同決死たるべきこと、というようになっている。

「時勢だな」

と、継之助はいった。

尊王ということが、である。尊王という概念はいまは薩長が独占したが、これは朱子学や陽明学がずっと奉じてきた思想なのである。そこでは尊王賤覇《せんぱ》という、王を尊び、覇を賤《いや》しむ。覇とは覇者のことであり、武力で天下をとった者のことであり、この概念を日本にあてはめれば幕府になる。王とは京の天朝ということになるであろう。朱子学は、幕府の官学であった。江戸時代を通じて士人はこの学問をしてきた。その意味では尊王というのは、教養人にとってはふつうのありふれた概念にすぎない。

もっとも、幕府は朱子学を奨励しながら、この尊王思想をとやかく論ずることはよろこばず、幕府のさかんなころはそれを当然ながら弾圧した。幕府の御用学者たちは「これはあくまでもシナの政治情勢から出てきた思想であり、日本にはあてはまらない」とし、極端な一部学者は「王とは将軍のことである」という解釈をとった。

しかしいままでは王とは京の朝廷のことであり、尊王は流行語になり、ついには薩長があらわれて尊王思想を一歩すすめ、これを政治化し、王に日本の政権をあたえてしまった。

そのために幕府は否定された。否定された幕臣がいま有志団体をつくるについてこの流行語をつかわざるをえないところが時勢だ、と継之助はいうのである。

継之助にとって彰義隊の結成という事態はひとごとでしかない。

――幕臣は幕臣。

ということであり、幕臣のさわぎにまでかかずらっているわけにはいかない。しかしその騒ぎの本質を知ることは、この日本が今後どうなるかという見通しをするためには一材料になる。

「結成早々」

と、福地源一郎はいった。

「意見が割れているのだ」

そうらしい。彰義隊の結成の発案者であった渋沢成一郎という男は、

――日光東照宮で籠城《ろうじょう》しよう。

という意見であった。渋沢にいわせれば、江戸はまわりがひろびろとしているうえに町民の数が多く、こういう地に拠《よ》ってはとうてい決戦はできない。日光ならば前面に関東平野をひかえ、背面に山岳を背負っている。うってつけの籠城の場所である、という。

ところが、江戸をすてて山で戦うなどは大多数の感情を代表することができない。

――江戸をまもればこそ、彰義隊ではないか。

と、ほとんどがそうおもう。かれら幕臣の子弟にとっては徳川家への忠誠心、武士としての意地といったようなもののほかに、江戸という父祖三百年の故郷をまもるという愛郷心が濃厚に入りまじっている。江戸っ子がなにを好んで日光くんだりの大田

舎で籠城することがあろう。

「渋沢はにわか幕臣で、もとをただせば武州の百姓の子だ。あいつが田舎へひきこもるというのはわかるが、おれたちにとっちゃそうはいかない」

という声が圧倒的であった。

ここで天野八郎という男があらわれた。見るからに英雄風の男である。

背はひくいが肩の盛りあがったいかにも壮健そうな男で、議論がするどく、なみはずれた気魄《きはく》が眉目《びもく》の間に満ち、たれがみても首領たるべき人物である。

——天野氏を副頭取に推戴《すいたい》しよう。

という声が、二度目の会合のときに出、みなそれに賛同した。

ところが天野は旗本ではなかった。身分は百姓であった。上州甘楽《かんら》郡《ごおり》磐戸《いわど》村で苗字《みょうじ》帯刀をゆるされた大百姓の子で、少年のころから百姓をきらい、読書と撃剣に専念し、その後攘夷の志をいだいて諸方にあそんだが、べつに名はあらわれなかった。天野八郎が世間に名を知られるにいたるのは、彰義隊結成の席に出たときからである。

天野は、江戸死守論の論者であった。これが仲間の共感をよび、頭取の渋沢成一郎の勢力をいまでは圧倒しているという。

「結局は、天野が彰義隊を牛耳《ぎゅうじ》るにいたるだろう」

と、福地源一郎はいった。渋沢にせよ天野にせよ、どちらも徳川家の譜代の臣でないというところが共通している。

「こういう動きを、どうおもう」

と、福地源一郎はいった。

「どうもおもわない」

継之助はいった。幕臣がなにをしようとこちらの知ったことではない、という。

「いや、他人としてだ」

と、福地はいった。

「さあ、それよりあなた自身幕臣としてどうおもっているのです」

と、継之助がきくと、福地は自分とすれば大いに賛成であり、意義は大きい、という。

「なぜならばだ、このまま恭順々々で官軍をうけ入れてしまえば、江戸に武士がいたのかということになるではないか、たとえ非力《ひりき》なりとも官軍の横暴に対し、ひと泡《あわ》もふた泡も吹かせてやる必要がある」

「さすれば、あなたは堂々加盟すべきではないか」

「そうはいきませんよ、私はなにがきらいといっても」

と、福地は斬りあいの手つきをして、

「こいつが大きらいなのさ。みずから称して風流才子というくらいですからね。なにも彰義隊のほうでも、英語読みの福地源一郎をひきずり出さねばならぬほど人間が欠乏しているわけでもあるまい。世間には喧嘩《けんか》ずきのやつがいくらでもいますからね」

「そりゃ、いましょうな」

継之助は、腰ぬけを自認している福地の様子がおかしかった。

「先刻、私は彰義隊は非力だといいましたがこの点でも、さきはどうなるかわかりませんぜ。存外、旗本たちもいざとなれば死物狂いになって一万なり二万なり、どっと応募してくるかもしれない。そうなれば薩長もちょっと江戸には手を出せない」

「海軍はどうなっています」

と、継之助はきいた。彰義隊などよりもこの方面の動きのほうが重大であった。なにしろ幕府海軍の実力は東洋一であるといわれ、士官たちの軍事技術はようやく磨《みが》きがかかりはじめた時期であり、艦船の保有量ということからみても薩長とはくらべものにならない。

「不穏ですな」

と、福地はいった。不穏とは、慶喜の恭順主義から離れて独自の軍事行動を海軍はとるのではないかということであった。たれが考えてもそうであろう。

徳川艦隊はその一部をもって薩摩の鹿児島城下を攻めて薩軍の中央活動を牽制《けんせい》し、一部をもって大坂湾に侵入して京都をおびやかし、さらに一部をもって駿河《するが》湾に入り、東海道を江戸へむかってやってくる官軍を艦砲射撃して寸断してしまう。そういう作戦はたれの頭脳にもうかぶことであった。

しかし継之助は、

「まあ、だめだろう」

といった。継之助にいわせれば幕府は薩長に対し、政治で敗れた。政治でやぶれ、政治的窮地に追いこまれている側が軍事的に勝つなどということが古来あったためしがない、という。

江戸での継之助の日常は多忙をきわめた。

横浜で買いつけた銃砲をどんどん国もとに送りつけた。国もとへは毎日二度飛脚便を出し、さまざまの指示を申し送ったが、そのなかで、

「藩士のうち希望者には新式ミニエー銃を実費ではらいさげること」

というのがあった。

ふつう、どの藩でも洋式銃は宝物のようにして藩庫におさめ、必要のときとり出して調練させる、継之助の長岡藩でもはじめはそうであった。しかし継之助は考えた。

(それでは、操作に馴《な》れまい)

ということであった。一家に一、二挺《ちょう》あれば藩士は日常それをさわり、弾込めや照準のまねなどをして自然に習熟し、射撃操作も早くなるであろうとおもった。

いまひとつ、大きな収穫も期待できる。藩士の意識を変えることができるだろうということであった。

「上士たる者が、鉄砲などをもてるか」

と、上士のほとんどがそう揚言している。日本の武士意識にあっては鉄砲をもつのは足軽であり、上士は馬に乗り槍《やり》をかかえて出陣する。槍は身分の象徴であり、家柄《いえがら》のほこりであるというのに、それをすてて鉄砲をもつというのは足軽同然に成り下げられたということなのである。

(物によって馴れさせることだ)

と、継之助はおもった。日常銃器になれさせてしまえば意識も自然かわるのではあるまいか。

が、反響が心配だった。払い下げを希望する者が出なければこの通達も一片の紙きれにならざるをえなくなる。

ところが、意外であった。一挺が三十両という高直《こうじき》なものであるのに、上士のことごとくが払い下げを希望したという。

この報《しら》せが国もとからきたとき、

「へえ」

と、この口の重い男が、顔をおもいきりおどけさせてみじかい嘆声をもらした。なるほど人情かもしれないとおもった。

新式銃が、めずらしいのである。

それに、他家が買って自分の家が買わぬとなると肩身がせまいという狭い社会のそういう意識が、われもわれもとあらそってかれらを希望させたのかもしれない。

この報を得た日の継之助は、終日上機嫌《じょうきげん》であった。

「日本に藩は二百数十。どの藩のどの藩士の家にも刀槍《とうそう》はあるだろう。しかし長岡藩のごとくどの家にもミニエー銃があるというのは一藩もあるまい」

継之助はさらに、藩地における洋式調練の励行もやかましく督促した。

藩地だけではなく、いま江戸に駐《とど》まっている藩士団に対しても毎日調練させた。

「調練きちがい」

というあだ名までひそかにささやかれていた。

継之助はかつて長岡にいたとき、

「洋式調練というのは、奇妙なものだな」

と、小山の良運さんに語ったことがある。

「あれほど夷人《いじん》の考えというものが露骨に出ているものはない」

というのである。

日本人の軍学は、戦国時代の合戦を土台にしたもので、調練という考え方は薄い。戦国後期になって足軽部隊の密集戦法があらわれ、槍組足軽は槍の穂をそろえて密集で駈《か》け、弓組足軽は弓をいっせいにひきしぼって一時に矢をあびせ、鉄砲組足軽は一時にひきがねをひいて百雷のとどろくような音をたてるが、かといってその訓練をのべつにやっているわけではない。

士分の武士は騎馬によって戦場を駈け、槍をふるって敵陣へ突き入ってゆくが、これはあくまでも個人的行動であり、ここには密集戦法の要素はない。騎馬武者はおのれの武勇を個人としてみがくが、集団の調練はうけないし、その必要もない。

継之助にいわせれば、そこが日本人のおもしろさであろう。こういう日本式戦法にあっては、合戦はあくまでも個人々々の勇怯《ゆうきよう》にたよっている。個人々々が勇敢ならば勝ち、個人々々が臆病《おくびよう》ならば負ける。

ところが洋式にあっては、あたまから戦士というものは臆病なものだときめつけているらしい。なぜならば調練をする。

調練とは、集団のなかで動くすべをさとらせる訓練である。それも頭でさとらせず、体でさとらせる。くりかえしおなじ動作を訓練させることによってどのように惨烈な戦況下でも体のほうが反射的に前へゆくようにしてしまう。ある号令をきけばとっさに散開し、ある号令をきけばとっさに伏せ、ある号令をきけば敵にむかって突撃する。恐怖が足を食いとめるゆとりをなくするのである。すべての戦士を反射運動の生きものにしてしまう。

「おそろしいばかりの思想《かんがえかた》だ」

と、継之助は良運さんにいうのである。人間は自然の状態では悪であり、馬鹿《ばか》であり、臆病であり、恐怖の前にはどうすることもできないいきものだと最初からきめつけてかかり、そういう上に組みあげて行ったのが洋式軍隊というものだと継之助はいう。

「まったく、妙だ」

と、継之助はそういう。日本の武士は源平時代の華麗な武者のすがたが原型になっている。人間のいさぎよさ、美しさを信じた上で成立しているのが、日本の軍法である。

「逆だな」

と、継之助はいうのである。この洋式軍法が普及すれば武士は変質するだろう、おそらくは武士も武士道もこの調練によって消滅するだろう、と継之助はいう。しかしそれもやむをえないというのが継之助の考えであった。洋式のほうがはるかに強い軍隊ができあがる以上、過去の典雅さへの感傷はすてざるをえないのである。

洋式調練というものほど封建武士の意識に抵抗の多かったものはないであろう。

「河井さんは、長岡藩士をこけにしやる」

と、家中では悪評が高かった。とくに家柄のいい士にとっては調練は堪えがたかった。調練場では家老も奉行も番頭《ばんがしら》も、平士《ひらし》といっしょに一兵となってマワレ右をしたり、歩調をとって歩いたりしなければならないのである。

——世が世ならば。

と、かれらはなげいた。日本の体制ならば家老職の家の者はうまれながらにして侍大将であり、合戦のときは一藩の兵をひきいてゆく。奉行や番頭は軍監になったり鉄砲大将になったりして戦場に出る。ところが洋式訓練は、それらの階級をひとつの運動形式のなかに溶かしこんでしまうではないか。

それに、隊長役にえらばれた者も、ひと前で大声を発して号令をかけるなどというばかばかしさになかなかなじめなかった。そのうえ、号令はフランス語である。まだこれらは日本語に翻訳されていなかった。

――あんな符牒《ふちよう》がおぼえられるか。

と、それだけでも不平のたねだった。あるとき継之助は藩の家柄の者に調練の小隊長役を命じた。その者は前夜、号令を懸命におぼえたが、おぼえきれず、ついに扇面に書きこむことにした。

当日、調練場に出て一段高いところにのぼり、

――前へ進め。

と、大声で疾呼《しつこ》した。さいわい隊列の兵士たちはそれを理解し、どんどん行進しはじめたがつぎの号令がくだらない。

しかし壇上では小隊長役の者が閉口しきっていた。扇面にびっしり書いた号令のど

れをどなればつぎの動作にうつれるのかわからない。ついに小声で、なにごとかを呪《じゅ》文《もん》のようにながながとつぶやいた。

兵隊たちはどんどん行進したが、つぎの号令がないため不平を言いだし、催促したところ、小隊長役の者は恐縮しつつ、

「先刻、みんな申しあげました」

といった。扇面の号令集をぜんぶ読みあげてしまっていたのである。

江戸でのこうした時期、早朝から大きな演習をするという日があった。

藩士たちはみな呉服橋の藩邸に早朝から集合した。藩の演習場は渋谷にある。そこまで出かけてゆく。

それぞれ弁当が用意されていた。小者がそれを一同にくばると、

「冗談じゃない」

と、一同がさわぎだした。武士たる者が駈けだしの大工のように弁当を腰にぶらさげて街をあるけるか、ということであった。

――弁当持ちの供を連れてゆこう。

ということになり、身分のいい者は自分の中間をよびにやったりしてとにかく大さわぎになり、兵学師範の手では収拾がつかなくなった。

継之助は、藩邸の奥にいた。そのうち庭のほうの弁当さわぎを知り、にがい顔でき、せるをたたいた。

「いつまで」

と、継之助はどなった。横の者は、首をすくめ、つぎのことばを待った。が、継之助はつぎのことばを奥歯でかみころしてしまっている。

（いつまで侍のつもりで居やがるんだ）

ということを言いたかったのだが、これは誤解されるだけであろう。武士というものについての継之助の思想、心事は複雑であった。かれはかれ自身、人間の精粋は武士というものであると信じている。かれ自身、渾身《こんしん》、武士であろうとし、生死の大事から日常の小さな動作にいたるまで武士である自分をつらぬこうとしていた。

が、一面、

（武士の世はほろびる）

と、かれの理性はそう観測していた。天下ことごとく町人という世がくるとみていたし、藩の体制も、封建経済から一藩ぐるみの商工業主義に転換させようとしている。

藩務や藩吏についてもいままでの封建官僚のやりかたでは藩がほろびるとおもっていた。藩吏は、あたかも越後屋三井の番頭であるかのような頭でもって一藩を運営すべしとかれはつねづねいっていた。

かといって、それを精神として強調することはできない。武士をして武士の気分をうしなわしめることは武士の自滅であった。武士の性根をすてよとはいえなかった。ここがむずかしいところであり、うかつにいえばひとの誤解をまねくだけである。

（ゆくか）

と、継之助は立ちあがった。ながい廊下を通って玄関へ出たときは、ちょうど洋式に隊伍《たいご》を組んだ藩士たちが門から出てゆこうとするところであった。

どの藩士も、弁当を持っていない。

「待ちやれ」

と、継之助は、玄関の式台の上から大声でよばわった。

みな、とまった。

継之助は草履をはき、みなの前に近づくと、この世でこれほどこわい顔がないとおもわれるほどの形相で、

「おみしゃんたちゃあ、弁当が持って歩かんねえかやあ」

と、長岡弁でどなった。

みな小さくなったが、しかしすぐ侍の誇りが頭をもたげ、どの顔もふくれっ面《つら》になり、弁当をとりにゆくべく台所のほうへひきかえして行った。

やがてかれらは出てきた。

こんどは継之助へのあてつけらしく、すさまじい恰好《かっこう》をしていた。みな荒縄《あらなわ》で弁当をくくって腰にぶらさげ、肩へは蓑《みの》や合羽《かっぱ》をおなじく縄でからげてくくりつけ、ハカマのすそを尻《しり》のみえるまでたくしあげ、洋式太鼓を狂ったように鳴らして出て行った。

とにかくひどい姿《なり》の隊列である、この寒中に股《もも》をまるだしの姿で蓑をかつぎ弁当をぶらさげ、山賊のひっこしのようなかっこうで渋谷の調練場をめざしてすすんでゆく。

道をゆく江戸の者が、

「こりゃ、どうだ」

と、目をまるくして見送った。まるで乞食《こじき》の調練だ、と言う者があり、「何さまのご家中だ」と驚きあった。「あれは呉服橋の牧野さまだ」とわけ知りの者がいったりした。

「いかにも強そうだ」

と言う者もあった。官軍がすでに京を出発しているらしいということは市中にひろまっており、江戸っ子たちは在府中の諸大名がそれに対してどう反応するかをかれらなりのするどい目で見守っていた。そういう時期でもあり、この山賊ふうの隊列をみて、

「牧野さまは、なにか仕出かすにちがいあるまいよ」

と言ったりした。

しかし、寒い。風に霧のような雨がまじっており、渋谷についたころにはそれが雪になった。

調練の総大将は、山本帯刀《たてわき》である。稲垣家や牧野家とならんで譜代家老の家の当主であり、このときまだ若く二十四歳であった。

継之助は、この譜代家老家の若当主をかぎりなく愛しており、

「いざいくさというときは、帯刀さんは一隊の長《おさ》になり申す。よく術を磨《みが》いて兵隊をむだに殺しなさんや。いくさは勝たねばならず、勝つにはよほどおのれを磨かねばなり申さず、こんなつらい職はこの世にもあの世にもござり申さんぞ」

といっていた。帯刀も、継之助を慕い、名家の子でありながらその態度は鄭重《ていちょう》で、継之助のことばをことごとく記憶し、自分の日常の軌範にしていた。

が、なにぶんにも若い。それに総大将とはいえ、かれもまた洋式調練の知識は一同と同程度だから、一同がときに言うことをきかない。それに一同はこういう非武士的な調練に対する不満が鬱屈《うつくつ》しているから、ささいなことでも反抗する。

調練がはじまるにあたって、

「山本さん、この寒さで指がかじかんで鉄砲を操れぬ」

と言いだした。まず大焚火《おおたきび》でも焚きあげて煖《だん》をとってからだ、とおおぜいが言い、指揮者が許しもせぬのにそのあたりの木ぎれをあつめてきて燃しはじめた。

みながむらがって焚火をかこんでいると、むこうから人がくる。

継之助である。かれは帯刀がみなに軽んぜられていることを心配し、念のためにやってきたのだが、案の定このざまであった。大声でいった。

「おみしゃんたちは、寒いかや」

と、継之助は顔を思いきってにがりきらせたが、しかし武士はたがいに互いの身分を尊重せねばならぬ手前、継之助といえどもこの程度の言葉で叱責《しっせき》するしかなかった。

かれらは不承々々焚火を消した。

継之助は、呉服橋藩邸にいる。

そうしたある日、江戸の会津藩邸から使いの者がきて、

——あす、大槌屋《おおつちや》にて会合をひらきたい。ぜひ貴藩代表のご参加をのぞむ。

との旨《むね》の回状がもたらされてきた。継之助がひらくと、文章のはげしさは類がない。

——薩長は奸賊《かんぞく》である。

ときめつけている。薩長両賊は京の天子がまだ幼帝であるのにつけこみ、詐謀《さぼう》をたくましゅうし、徳川家を詐謀にかけ、前将軍を追いおとし、であるばかりかいつわって官軍と称し、東征の軍をおこそうとしている。これを座視することは三百年の恩顧の手前忍びがたく、士道正義の手前ゆるしがたい。これにつき諸藩の意見を腹蔵なくかわし、大いに正義のあるところをあきらかにしたい。

というもので、参集予定の藩は、京都以来徳川家のために主導的なはたらきをしてきた会津藩、桑名藩、それに老中小笠原壱岐守《いきのかみ》の藩である唐津《からつ》藩、および東北・北越の諸藩ということになっている。

「たれか、ゆかさねばなりませぬな」

と、継之助が可愛《かわい》がっている能吏の三間市之進がいった。

「わしがゆこうか」

棚野嘉兵衛がいった。ゆくとすれば、家老である継之助より下の者がゆくほうがい

い。そういう重要すぎる会議には逆に責任のかるい、決定権をもたぬ者がゆく。そのほうがあとあと藩が責任をのがれる意味で便利であり、それが封建諸藩の慣習というものであった。

が、継之助はうなずかなかった。この男は回状を折りたたんで膝《ひざ》のうえに置くと、

「わしがゆく」

と、鉈《なた》で薪《まき》ざっぽうでも割るような口調でいった。

「大夫《たいふ》おみずからが？」

と、みな眉《まゆ》をよせた。三間市之進などは冗談じゃありませんよ、と叫ぶようにいった。

「ご家老がそういう他藩との公式の座に出られるようなことは、あったためしがない」

「それが、どうした」

継之助はおどろいた顔をした。というのは三間市之進のような若い有能な吏僚のあたまのなかにもそういう前例主義や慣例主義というものが頑《がん》として根を張っていることに意外を感じたのである。

「三百年」

と、継之助はいった。

「諸藩は事なかれできた。幕府に対し、わずかの過失をもおそれ、ひたすらにくびをすくめ、過ちなからんとし、おのれの本心をくらまし、責任をとらねばならぬことはいっさい避けてきた。もはやその幕府も無い。これからは諸藩はおのれの考えと力で生きてゆかねばならぬ。そのときにあたって三百年の弊風をいまだにまもるとはなにごとであろう。その会合にはわしがゆく」

継之助は翌朝、呉服橋の藩邸を出た。会合の場所である大槌屋へゆくためである。供は、松蔵であった。

この、河井家の隠居の代からつかえている若党は、封建美徳のすべてを煮つめて手足をつけたような男で、河井家と継之助だけをいのちのたよりに生きていた。

(おれも、松蔵の忠義にはかなわない)

とおもうことがある。

継之助がまだ若いころ、城下のはずれの茶店で大福餅《だいふくもち》を食わせた。松蔵は酒がすきで、大福餅がなによりもきらいであり、ひと口でものどを通らなかった。

継之助はそれを知っていたが、しかし血気のころでもあり、おもしろ半分に、

「食え」

と命じた。三つとも平らげろ、と命じた。松蔵は最初に水を二合ばかり飲み、にこにこ笑いながら食い、三つともたいらげ、食いおわってからもそのことについてなにも言わなかった。ほんの座興であったが、座興でさえ松蔵はこういう男であった。継之助はこういうことがあってから、この松蔵がこわくなった。

(うっかりしたことは言えない)

とおもい、松蔵に対することばや態度をつとめてやさしくするようになった。

松蔵は、数日前に江戸へ出てきた。継之助が京大坂から江戸へもどったということをきき、隠居のゆるしを得、その身のまわりの面倒をみるべくやってきたのである。

「松蔵」

継之助は、背後へ話しかけた。松蔵は五、六歩あとをついてくる。

「公方《くぼう》さまと徳川《とくせん》のお家は大変なことになっている。知っているか」

「へい。私のような者でも」

「きょうは譜代の大名から人があつまって、それをどうするかという寄合いだ」

「へえ」

「おまえなら、どうする」

継之助は、ふりかえった。松蔵は半かけ草履を泥《どろ》でよごしながら、ついてくる。だまっている。

「おまえの身に置きかえてみろ」

継之助は、いった。継之助は、徳川家の譜代大名である牧野家の家来である。これを松蔵の身にふりかえてみれば、徳川家は牧野家にあたることになるであろう。

「むずかしゅうございますな」

と、松蔵は悲鳴をあげるようにしていう。たしかにむずかしかった。これが直接の主家（松蔵にとって）である河井家の危難というのなら松蔵はそのために死ぬ。しかし間接の主家なのである。間接の主家のばあいの忠誠心はどういうことなのかということは、古来いかなる実例も思想も、それに回答してはいない。

「松蔵でもこまるか」

継之助は好意に満ちた微笑を松蔵に送ってやり、それきりこの話題をうち切った。

大槌屋の戸をあけると、そこがひろい土間になっている。土間にははきものがびっしりぬがれていた。ひとめで六、七十足、いやそれ以上の数かもしれぬ、と継之助はおもった。

（いったい、どれほどの藩があつまっているのだ）

と小首をかしげたが、あるいはひとつの藩で何人もがきているのかもしれない。とにかく、たいそうな会合らしい。会場は二階だという。継之助ははきものをぬぎ、かまちにあがったところで顔見知りに遇《あ》った。

顔見知りというよりもはや友人知己といっていいであろう。

やあやあ、とその男は大声をあげ、継之助に近づいてきた。

会津藩きっての名士とされている秋月悌二郎《ていじろう》である。色白でひげの剃《そ》りあとのあおい、みるからに偉丈夫であった。

秋月は、号は韋軒《いけん》。明治後の学界ではむしろその号のほうで親しまれている。早くから江戸に遊学し、昌平黌《しょうへいこう》に学び、大いに名声をあげた。帰国後、藩は大きな変動のなかにまきこまれた。幕命によって京都守護職になり、京都に武装駐屯《ちゅうとん》せよという。文久二年のことであり、京の勢力は日ましにあがっている時期であったから、具眼の藩士のほとんどはこれに反対し、

——いま京にゆくのは幕府の弾除《たまよ》けになるようなものであり、会津藩はおそらく歴史に奸名をのこして滅亡する。

と説き、秋月がその急先鋒《きゅうせんぽう》であった。しかし幕命黙《もだ》しがたく藩主松平容保《かたもり》はついに

それを承《う》け、藩兵千人をひきいて京に駐屯した。幕末史に大きな存在となった京都守護職がそれである。

秋月悌二郎も京にのぼり、藩主を輔佐《ほさ》し、その参謀になり、また藩の公用方として諸藩の士とつきあい、口下手の会津藩士のなかでは藩外交の達者として知られた。性闊達《かったつ》で、学者というより武人というにちかい。

かれは京都駐在中、

——幕府は早晩ほろびる。

と観測した。幕府滅亡後藩はどうすればいいかについてひそかに思い、ついに北海《えぞ》道《ち》を拓《ひら》くことを思い至った。秋月にすれば藩をいいかげんな時期において風雲のなかから救い出し、北海道鎮護と開拓という名目で北転すればどうであろうということであった。このため志願して北海道代官に転じた。ところがかれが北海道にあるうちに京の情勢は大きく変転し、鳥羽伏見の戦いがおこり、秋月のもっとも憂《うれ》えていた事態がおこった。藩は上方《かみがた》で敗退し、江戸へひきあげた。秋月もいそぎ北海道をひきはらい、江戸にもどった。

継之助と秋月とは、備中《びっちゅう》松山の山田方谷塾《じゅく》で何日かをすごした仲であり、そのときからたがいに認め合っている。

「やあ、韋軒先生か」

継之助は、階段の下でいった。

「一昨夜、お堀端《ほりばた》で」

と、秋月悌二郎はいった。

秋月のいうのには一昨日《おととい》の夜ははなはだ月あかるく風しずかであった。秋月は会合の帰路、微醺《びくん》をおびてお堀端をあるいていると、つい興がおこり、謡曲「敦盛《あつもり》」の一曲を高吟した。

ところが一節謡《うた》いおわると、背後からくる人影がそのあとを謡い継ぎはじめた。その背後の人が謡いやめると、秋月が継ぐ。やがて人家が近づき、背後の人影も消え、秋月も市中に入ったが、

「あとで考えるに、あの声はどうしても越後長岡の河井継之助だったようにおもわれてならぬのだが、どうであろう」

と、継之助にきいた。

継之助はめずらしくもないといった貌《かお》で秋月の笑顔をじっとながめていたが、やがて、

「そうだよ」

　といった。

　秋月は笑いながら太い眉をひそめ、どうもあなたは、といった。

「無愛想すぎる」

　という。そうであろう。前をゆく吟声が秋月のものとわかっておればなぜ声をかけてくれなかったか。一別以来、長くもない歳月ながら時勢がこうも急転し、あまりにも多くのことがありすぎた。たがいに百年を隔てたような想《おも》いもあり、たがいに語ることも多い。私を懐《なつ》かしく思ってくれぬのか、と秋月はいうのである。

「いや、懐かしかった」

　継之助は、めずらしく感情をこめてそのことばを言い、すぐ照れたのか、そっぽをむいた。

「ではなぜ声を」

　秋月は、うらみがましくいった。

「いや、掛けた」

　と、継之助はいう。たしかに掛けはした。名こそ呼ばなかったが、謡を謡い継いだのはその気持である、と継之助はいうのである。

　秋月は、笑いだした。

（相変らず蒼竜窟《そうりようくつ》はかわっている）

と、そのことがむしろおもしろくなった。蒼竜窟というのは継之助の号であった。

「会合は、階上《うえ》だ」

と、秋月は階段まで歩みつつ継之助をさそった。ともに登った。

　階上には、五つ部屋がある。その五つの部屋のふすまがことごとく取りはらわれ、そこにすでに七十人ばかりの人が着座し、雑談をしていた。

「もうはじまるのか」

「いや、まだ未着のひとがいる。白河藩、三春《みはる》藩、八戸《はちのへ》藩、黒石藩、上山《かみのやま》藩、天童《てんどう》藩、それに大看板の南部藩などがまだだ」

「ははあ」

　継之助は、人数をみて感心した。なるほど大人数のはずで、陸奥《むつ》出羽《でわ》という東北地方だけで三十一藩ある。これに関東と越後を入れるとぼう大な数になるだろう。小藩が多いとはいえ、これがもし同盟すれば大勢力であるにちがいない。

　やがて、ほぼ顔ぶれがそろった。会津藩と桑名藩がきもいりらしく、かれらは下座のほうにかたまっている。

番茶いっぱいも出ない。

継之助は、廊下に沿った柱にもたれてすわっている。

回状がまわってきた。

「すでに時刻も相過ぎ申し候《そうろう》につき」

と、そういう文章で開会のことばが書かれている。文章は、

「京師《けいし》にあって奸賊はびこり、天意をくらまし、ために天下騒擾《そうじょう》し、徳川氏は不義のむじつを着せられ、拭《ぬぐ》うにすべなし」

要するに薩長の横暴を正義によってこらしめ、前将軍をむじつの罪から救いだし、朝廷に対しては尊王の誠をささげ、その君側の奸をはらい、王道を正しき姿にもどす、というもので、

「このことにつき、諸藩のご意向を問う」

というものであった。

会場は、騒然としている。おのおの私語し洟《はな》をかみ、たばこを喫《の》み、前後左右の者と語らい、統一がとれない。

日本人は、この種の会合をもつことに不馴《ふな》れであった。これまでの習慣として小人

数があつまって話しあう程度の会議はあったが、しかしおおぜいが参集して議事を進めるというようなやりかたは、普通おこなわれたことがない。

この集会の場合、会津藩が世話役ならばとにかくも会津藩の代表者が立ちあがり、開会を宣言し、議題について大声で説明すべきであろう。

しかしそういう習慣もない。一人の人間がおおぜいの人間にものをいうなどということは日本人の習慣のなかでは想像もつかぬことであった。

福沢諭吉などはこの時代、

「外国にはそういうことがある。それが政治を動かしている」

と気づき、そういう動作や光景を日本人にどう説明すべきかに悩んだ。ついに福沢は真宗の僧侶《そうりょ》のことを思いだした。

「真宗の僧侶はむかしから説教というものをする。あれである」

と説明した。あれということを、福沢は演説ということばで翻訳した。

いま、会津藩代表は演説すべきであろう。しかしその習慣をもたぬために回状をもって必要なことを衆に知らしめようとした。ところがそのため一座のあちこちに私語が騒鳴し、会場が最初からみだれてしまっている。

ふたたび回状がきた。

「どなたか、ご意見のあるかたはご遠慮なく申し陳《の》べられたい」

というものであったが、世話人でさえ大声を出せぬのに一座の者が、これだけの大人数にむかってものをいうようなことができるはずがない。こんどは一同、沈黙してしまった。

ちょうど機《しお》だ、と継之助はおもい、居ずまいをただした。

「申しあげたい」

と、よく透《とお》る声でいった。一座がみな継之助のほうに顔をむけた。

「越後長岡藩河井継之助」

まず継之助は自分の名を告《の》り、すぐ本論に入った。

「薩長の不義と横暴は、すでに明白であり、ここで論議をつくさねばならぬことではない。われらがなにをなすべきかということはただひとつである」

一座は、いよいよ静かになった。継之助は一段と声をあげ、

「箱根の嶮《けん》で官軍をふせぐことだ」

といった。

「関東、東北、信越の諸藩がそれぞれ藩をあげて箱根に集結し、徳川家海軍をもって

駿河の入海に進入せしめ、東海道をひしめき進んでくる官軍を海陸両面から攻撃すればかならず勝利は得られるであろう。勝ちに乗じてこれを追い、旗を京にすすめ、奸臣を攘《はら》い、王政を正しきに復する。いまわれわれが立ちあがるとすればこれ以外にない」

継之助は、そう信じている。

立ちあがらぬならばよし、立ちあがるとすればこの行動以外にないであろう。それ以外の姑息《こそく》な方法をとり、行動を散発させるだけならばいたずらに薩長に乗ぜられ、各個につぶされてしまうにちがいない。

継之助はさらに言う。

「相手は、時勢に乗じている。しかも王師を称している。ともあれ、勢いに乗ってやってくる」

政治において薩長は勝っているのだ、と継之助はいう。それを相手に当方は軍事だけで戦わねばならない。

「ここが困難である」

と、継之助はいう。継之助のみるところでは関東、東北、信越の諸藩に加えるに旧幕府直属軍を加算すると、人数においては薩長土三藩を主力とするいわゆる官軍よりもはるかに多いであろう。

しかし、多いということがかならずしも恃《たの》みにならぬことは、たとえば関ヶ原ノ役においてもあきらかである。

「関ヶ原ノ役のとき神君（家康）の」

と、継之助はいった。家康方の人数のほうが西軍よりややすくなかった。しかしながら家康はたくみに時勢を掌握し、時運に乗じていたがために西軍に対する工作がしやすく、西軍に内通者、内応者が続出し、西軍の統制はみだれ、結局はあの結果になった。

「それをみてもあきらかであるように、これを勝利にみちびくには諸藩の一致結束しかない。一藩でも敵の工作に動揺するようでは他藩は疑心暗鬼を生じ、結局は関ヶ原のごとく、鳥羽伏見のごとく、大軍を擁しながらくずれてしまう」

されば、と継之助はいう。

「ここでたがいに問答しあわねばならぬのはわれらが一致結束できるかということだ」

——要は、諸藩の一致結束にある。

と、継之助はいう。

藩名こそ出さなかったが、鳥羽伏見における彦根藩、藤堂藩のような内応と裏切りがあればいかに壮大な戦略と精緻《せいち》な戦術をもって箱根の嶮をまもろうとも、とうてい勝利はのぞめない、という。

だからといって継之助は、

――裏切るな。

とはいっていない。むしろ裏切る藩が出るのは当然だとも一方ではおもっている。それが時勢の魔術なのである。

世は、一転した。

――時勢の中心はもはや京にある。

と、日本中のたれもがおもいはじめており、薩長はその時勢という駻馬《かんば》に乗り、鞭《むち》を虚空《こくう》に鳴らし、千万の士民を叱咤《しった》している。そういうときにあたって時運と逆のほうのために命をすてるというのはよほどの奇男子であり、それをすべての藩、すべての士にもとめるのはむりであり、表面は義理やゆきがかりで箱根に出兵するとしてもやがては敵の友好工作のために一藩ずつ崩れ去ってゆくであろうことが、継之助の目にはありありとみえるのである。

さればこそ、

——それでも諸子は立つか。立って結束し時勢にむかって矢を射、ひとりのこらず死ぬか。その死も栄光ある死ではなく賊名を負って死ぬのである。その覚悟があるか。

と、継之助は問うている。

「その覚悟があってこそ」

継之助はいう。

「士というものなのだ。ご一統が士の道のために殉ずると申されるならばわが越後長岡藩はよろこんで火中にとびこみ、藩主以下軽格軽士にいたるまでことごとく箱根の坂、谷で屍《かばね》を曝《さら》そう」

といった。

この議論には、会津、桑名の両代表は躍りあがらんばかりにしてよろこんだ。継之助の意見は抗戦論としてはこれ以上に完璧《かんぺき》なものはないであろう。

しかしながらその論旨はするどすぎる。

——諸子にそれほどの覚悟があるか、覚悟もないのにここで議論などをするな。

とひらきなおって凄味《すごみ》をきかせてしまっているところがあり、気概気骨の者がこれをきけば怒るであろう。現に一座のなかで目をすえて怒りに堪えている者もある。が、多くの者は顔をあげることを憚《はばか》っていた。顔をあげて一座から注目されてしまえば藩をとんでもない危険の淵《ふち》にひきずってゆくことになりかねない。

継之助は、沈黙した。

議場の紛糾は継之助が沈黙したときからはじまった。なまぬるい質問があちこちから出た。

——仙台はどうなさる。

——南部、津軽、米沢のご意向はいかが。

など、もっぱら大藩の去就を気にする質問が多い。

時刻が、移った。

会議はまとまりがなく、だらだらとつづいている。

継之助はもう、議事の進行に興味をうしない、柱にもたれ、煙管《きせる》のやにをとったり、ふかしたりしている。

そのうち会津藩の秋月悌二郎がやってきて、

「どうもあれだな、これはまとまらない」

と、小声でこぼした。

継之助はぷっと一服吹き、

「まとまらないんじゃないんだ。どの藩もはじめから意見などをもっていないのだ」

といった。

たしかに内実はそうらしい。しかし会津藩としてはどうしても抗戦へまとめてゆきたいという願望がある。

「そのように言われちゃ、実も蓋《ふた》もない。かれらはこのように集まってきている。集まってきているということ自体、大いなる情熱のある証拠だとみたい」

(情熱だろうか)

継之助は、くびをひねり、すぐ、

「韋軒先生」

と、秋月を雅号でよんだ。

「水をかけるようでわるいが、それは甘い。かれらはたがいに他藩の顔色を見るためにきているのだ。他藩はどうするか、それによって自藩のゆき方を考えようとしている。要するにこれは顔色を見合うための会合だ」

「そうだろうか」

秋月は白皙《はくせき》の顔に、苦渋をうかべた。それではこまる。官軍はこの会議のあいだも、刻々江戸にせまろうとしているのである。

「とにかく意見がこうもまとまらないと」

と、秋月がなにか言おうとしたが、継之助はその言葉を奪い、

「意見じゃないんだ、覚悟だよ、これは。官軍に抗して起つか起《た》たぬか。起って箱根で死ぬ。箱根とはかぎらぬ、節義のために欣然《きんぜん》屍を戦野に曝すかどうか、そういう覚悟の問題であり、それがきまってから政略、戦略が出てくる。政略や戦略は枝葉のことだ。覚悟だぜ」

「そう、覚悟だ」

「それが、どの藩のどの面《つら》をみてもきまっていない。これじゃ百日会議をやってもきまらない」

「どうすればよい」

「覚悟というのはつねに孤《ひと》りぼっちなもので、本来、他の人間に強制できないものだ。まして一つの藩が他の藩に強制することはできない」

「強制じゃない」

「ことばはどうでもいい。要するにてめえの覚悟を他の者ももつとおもって、そういう勘定で事をなすととんでもないことになる」

「そうだろうか」

「史書をみればわかる。韋軒先生ほどのひとがそれがわからないというのは、一個の希望が働いているからだ。事をなすときには、希望を含んだ考えをもってはいけない」

継之助は、煙管に莨《たばこ》を詰めた。

「すべて、おっしゃるとおりなんだが」

と、韋軒秋月悌二郎はいった。しかし会津藩としてはいかにしてもこの東日本の諸藩をまとめて抗戦にもってゆきたい。

「頼み入る」

といった。

この四分五裂してしまっている議場を長岡藩の発議でまとめてくれ、というのである。

(いやさ)

継之助はおもった。

(韋軒ほどの男でも、まだわかっていない)

そうおもう。会議は四分五裂していないのだ。四分五裂するほどならまだましというべきであり、ありようは割れるほどの意見すらない。みなからっぽの肚《はら》でここにすわっている。

「そういうこった」

と、継之助はそのことをいった。秋月はすかさず、

「だから、長岡藩が強い態度で押しつけていって、列藩をひっぱってもらいたい。それを会津藩がやってもいいのだが」

「こまるのだろう」

そのところは、継之助もわかっている。会津藩は文久以来京都守護職として京に武装駐屯《ちゅうとん》し、長州派の過激分子とさんざんに抗争し鳥羽伏見にあっては先鋒《せんぽう》として奮戦し、ほとんど一手で砲火をあびた。いわば徳川家の名誉をまもるという点では、もっとも激越な忠誠藩の位置に立っている。その忠誠という点でのあまりな過激さは前将軍慶喜でさえこれをきらいはじめ、

——会津藩が江戸にいてはこまる。

と言いはじめている。そこが政治というものの奇怪さであろう。会津藩は幕府からたのまれ、いやいやながらも幕府の京における楯《たて》になり、文久以来あれほどにはたら

き、京や伏見でさんざんに流血の犠牲をはらってきたというのに、いまでは徳川家からも捨てられようとしている。絶対恭順主義をとっている徳川慶喜としては、ともに上方から逃げかえってきた会津藩がいつまでも江戸にいるということほど不都合なことはない。

官軍は、会津藩を目のかたきにしている。その会津藩が江戸にいるかぎり世間では慶喜も会津藩とぐるであるという印象をうけ、恭順主義の慶喜にとってははなはだしく不利になるであろう。

ともあれ、会津藩の過激は世間でもふだつきなのである。その会津藩がこの会議で主導役になればただささえ時勢に臆病《おくびょう》な列藩は噴火口に突きおとされるようなおもいがして尻《しり》ごみするであろう。

「だから長岡藩が」

と、秋月はいう。長岡藩ならばいわば白紙の印象を世間にあたえている。

「頼み入る」

というのは、そのことであった。

この時期、会議に加わった藩のなかでも、最初からなにごとをなす気持もない藩が

多かったが、極端なのは、

「由来、大名の家というのは鳴かず飛ばずというのが最良の保全策なのだ」

と、藩内で申しあわせてやってきている藩代表もいる。

鳴かず飛ばずが最良というのは、ながい封建政治がうんだ意外にふかい智恵《ちえ》であるかもしれない。

かれらは、言う。

「天下動揺などといってもおどろくにあたらない。むかし徳川氏が天下をとったとき諸侯はあらそってその戦勝を祝賀し、その家の封地《ほうち》を保全された。こんど薩摩の島津氏が天下をとるだけのことであり、われらはただそれに従えばよい」

というものであり、かれらは正気で島津少将が将軍になるものとおもっており、この程度の時勢認識の藩が多かった。

「人の後《しり》えについて歩け。うかうか先ばしりするな。先へゆけば怪我《けが》をする」

と、かれらは考えている。

「韋軒先生」

と、継之助は秋月悌二郎にいった。

「歴々の顔を見渡してみなさい。この連中とひと仕事できるかどうか」

「しかし、頼む」

と、秋月はなおもいう。かれらをひきずってもらいたいということである。継之助はきっぱりことわった。

しかし、立ちあがった。立ったままでものをいうのは礼にかなわないが、継之助としてはもうこのままで退座するつもりでいる。あたかも捨てぜりふのように、

「ご一統に申しあげる」

といった。

起つ起たぬという覚悟もお示しなき様子を見ては、これ以上、同座をつづけることは意味もない、と言い、

「最後にうけたまわりたい。官軍に対して抗するのかどうか」

満座に、声がなかった。

継之助はうなずき、

「さればわが藩はひきあげる。このうえはわが藩は独りその封境《ほうきよう》をまもるのみだ」

と言い、そのまま廊下に出、階段を降り、表に出てしまった。

のちに秋月悌二郎がこの間《かん》のことを漢文をもって認《したた》めている。

「河井君ノ江戸ニ還《かへ》ルヤ、余、桑名唐津《からつ》オヨビ東北諸藩士ト大槌屋ニテ会議ス。君曰《いは》

ク、事ココニイタル、王師ヲ箱根ニ拒《こば》ムニ若《し》カズト。意気ハナハダ激昂《げきかう》セリ。衆議決セズ。君曰ク、シカラバ則《すなは》チワガ藩独リ封疆《ほうきやう》ヲ守ルノミ、ト。乃《すなは》チ辞去ス」

継之助は、道をいそぎはじめた。

(ばかげている)

とおもった。時間つぶしだったと思った。腰のない連中とうかうか行動を共にすれば藩もなにもつぶしてしまうだろう、と思い、きょうの措置はわれながら賢明だったとおもった。

日が暮れてから、風が強くなった。継之助は松蔵の提灯《ちょうちん》に足もとを照らされながらゆるゆると歩いてゆく。

「旦那《だんな》さま」

途中で、松蔵が声をかけた。その声によると、さっきまで前にいた松蔵が、いまはうしろにいるらしい。いつのまにか提灯の灯《ひ》が消えていた。消えたことにも気づかず継之助は歩きつづけていたものらしい。

「提灯の灯が消えたのでございます。ただいまつけまするで」

松蔵が、泣きだしそうな声でいった。風がつよいため、容易につかぬようであった。

(越後に帰るかな)

継之助は、風のなかで立ちながら、先刻からおもっていたことを思いつづけた。

(はて、江戸でこれ以上は)

残っていても無駄《むだ》であろう。上方から江戸へ帰ったとき、江戸でなにごとかおこるであろうと思っていた。前将軍徳川慶喜を擁して徳川家の家臣が立ちあがるか、それとも譜代大名が結束して京都に抗議するか、あるいは東日本の諸藩が団結して薩長にあたるか、そのいずれかの事態がおこるだろうと予想していた。

(もし起った場合は、参加せざるをえまい)

ともおもっていた。

一藩独立主義の継之助にすれば、たとえば会津藩がそうであるようにかれの長岡藩じたいが列藩のあいだを説いてまわってそういう抵抗同盟を発起しようとまではおもわない。しかし他の藩がみな結束して薩長に抵抗するというならばよろこんで参加し、戦陣にあってはもっとも勇敢に戦おうとはおもっていた。

藩としては決して得策ではないが、藩主牧野氏が三河以来の徳川家の譜代である以上、その家老である継之助としては藩主に忠誠の道を進ませてさしあげねばならない。

(しかしそうではなかった)

ということが、一藩の運営者としての継之助を、なかば吻《ほっ》とさせた。きょうのあの諸藩代表の顔ぶれや議場のふんいきをみていると、他藩はとうてい頼みにはならず、結束などは空中楼閣であり、それを頼みにして自藩の方向をきめればとんでもないことになるであろう。

（もう、江戸には用はない）

とおもった。このまま江戸にぐずぐずしていては一部の跳ねっかえりの抗戦論的ふんいきにひきずりこまれぬともかぎらない。

（越後へ帰ることだ）

とおもった。

しかし継之助自身は、江戸と横浜に始末をつけねばならぬ用事が多く残っている。とりあえず藩主に帰国してもらうことであろう。

意を決すると、継之助の足は早くなった。松蔵は、提灯の灯をたもとでかばいつつあとを追った。

継之助は呉服橋の藩邸にもどると、夜中ながら藩主牧野忠訓《ただのり》に拝謁《はいえつ》しようとし、

「殿さんは、如何《いかん》」

と、藩主側近の者にきいた。長岡藩にあっては領民は殿さまと言い、藩士は先祖が三河のころにつかった方言を踏襲し、殿さんといった。如何、とは、まだ起きていらっしゃるかどうかということであった。

「すでに御寝《ぎよし》あそばしてござる」

と、側近は答えた。継之助は廊下に立ったまま考えていたが、やがて、

「起きていただかねばなるまい」

と、小声でいう。ただし、広間までお出ましというのはおそれあり。下拙《げせつ》が寝所にうかがいたい、左様お取次ぎなしくりゃえ、といった。

「されば」

と、側近が走り、藩主の寝所の次室から、

——申しあげまする、申しあげまする。

と、声をあげた。ちなみにこの藩邸にはすでに婦人はおらず、いわゆる「奥」とよばれる藩主の家庭に侍が出入りするようになっている。

忠訓は虚弱なせいか夜もねむりが浅く、このためすぐ目をさました。

「なにごと」

と返事をすると、側近は、継之助が拝謁をねがい出ている旨《むね》申しあげた。

それがゆるされ、やがて継之助はながい廊下を渡って寝所に入り、次室にかしこまった。藩主に着がえを強《し》いることは気の毒であり、この配慮から継之助はふすまごしにものをいうつもりであった。

しかし、この忠訓という牧野家当主は痛々しいほどに律義《りちぎ》な性格であり、寝巻をぬぎ、側近に手伝わせて平服に着かえた。やがて、

——ふすまを、あけよ。

と命じた。継之助は両手をふすまの金具にかけ、そっとひらき、やがてするするとひらき、そのあとひきさがって平伏した。

「かまわぬ。申せ」

と、忠訓は、継之助がものをいうことをゆるした。継之助はやや体をおこし、視線をしきいに落し、大槌屋での会合のあらましと自分の感想や意見をのべた。むろん藩主というものは政治むきのほとんどを家老にまかせているから、この種のことはいちいち報告する必要はない。継之助の言いたいのはつぎのことであった。

「さればこれからの江戸はいよいよ荒れましょう。幕臣なども彰義隊とやら申す隊を組み、市中で荒れ、意気のおもむくところ当お屋敷にも物事を強要しに参るかもしれませぬ」

というのは、彰義隊あたりが長岡藩もともに起て、ということを強要しにくる。その場合、藩主が江戸にいては言いのがれがむずかしくなり、おもわぬ騒ぎにまきこまれぬともかぎらない。そこで、早々に江戸をおひきはらいになってご帰国あそばされるがよく、できれば明日御出立《ごしゅったつ》ということでいかがでありましょうか、と継之助はいう。忠訓は承知をした。

翌朝、藩主忠訓は藩邸を出発し、帰国の途についた。継之助はそれを浦和まで送り、休みもなく江戸へひきかえした。

そのあと横浜へゆき、スネルやファブルブランドと商談を遂げると、また江戸へあわただしく帰っている。

「ご家老は多忙すぎる」

と義兄の梛野嘉兵衛などはいうのだが、継之助にいわせれば、

――家老こそ多忙なものだ。

ということであった。事実、下僚まかせで日が送れるような時代ではなく、なにもかも継之助が立案し、裁断し、ときに足を運んでそれを処理せねばならなかった。

たとえば、長岡藩がことごとく江戸をひきはらってしまったあとの藩邸の管理のこ

となどもそうであった。

「どう致しましょう」

と、吏僚たちに思案がなかった。継之助にすればふたたび長岡藩が江戸にもどれる日があろうとは思えなかった。当然、立ち腐れを覚悟で置きすててしまえばよい。ところがそれでは江戸の市民が迷惑するであろう。これらの巨大な建物が盗賊や浮浪者の巣になり、やがては火の不始末からどういう事故をおこし、江戸市民の迷惑にならぬともかぎらない。

「かといって」

と、吏僚たちはいう。足軽のひとりでも置き残すことにすれば、やがてくる官軍ということを考えあわせると、敵中に置きざりにするようなもので、とうてい人情として忍びない。かれらも残りたがらないであろう。

「どう致しましょう」

と、吏僚はとまどうばかりであった。継之助は即座に裁断した。

「相撲の両国に留守居させよう」

ということであった。

どの大名でも、捨て扶持《ぶち》をあたえていわばお抱えにしている力士というものがいる。

長岡藩の場合、越後出身の両国がそうであった。さいわいいまは引退して親方になっており、弟子も多い。そういう弟子をひきいて番をさせればこの場合いうことがなかった。

「ああ、なるほど」

と吏僚たちは感心するが、そのあと両国をよんでそれを言いわたすのは結局は家老の継之助でなければならず、こういう種類のしごとが山のように継之助にあり、それをいちいちさばいて片づけてゆかねばならない。

そのうち、二月もあと数日を残すだけということになり、江戸のほとんどの大名屋敷は国もとへひきあげてしまった。

さらに意外なことは、東海道や中山道《なかせんどう》を東下してくる官軍が予想以上に早く、三月なかばには江戸に到着するのではないかという情報がつぎつぎに入りはじめた。

「お早くなさらないと、帰る道がなくなりますが」

と、三間市之進などは心配をした。

たしかに、官軍の進軍速度というのは、江戸の人士が想像していたよりも早かった。

この間、江戸方は、あらゆる手段をつかって関東征伐の中止、もしくはしばらくの猶予《ゆうよ》を京の朝廷にむかって嘆願しつづけている。

が、京はきかなかった。とくに薩の西郷吉之助、大久保一蔵はきかず、

——慶喜の首を見ねば大事は成らず。

という態度を堅持した。

これが革命であるであろう。前時代の権力を倒して世間にあたらしい時代がきたということを知らしめるには、理屈でも啓蒙《けいもう》活動でもなく前時代の象徴である者の鮮血が必要であった。

この時期、西郷も大久保も京にいる。西郷の宿所は御所の北の相国寺《しょうこくじ》のそばであり、大久保の宿所は石薬師《いしやくし》寺町《てらまち》東であったから徒歩で往来してもさほどの距離ではなかったが、この時代のひとびとの癖として意見交換の多くは手紙ではたした。

慶喜が、隠居をしたい旨、江戸から懇請してきている。さらに江戸城にいる静寛院《せいかんいん》宮《のみや》からも慶喜が無罪たらんことを嘆願してきている。これにつき西郷は大久保に手紙をかき、

「慶喜（呼びすてである）が退隠したいといってきているようであるが、はなはだもってふとどき千万である。ぜひとも切腹まで参らせねば事は相済まず。この江戸よりの嘆願の件についてはかならず土佐藩や越前《えちぜん》藩が心をうごかされ、宮廷にはたらきか

けるにちがいない」

土佐藩、越前藩は新政府の有力構成分子ではあったが、その両藩のあたま株（山内容堂、松平春嶽《しゅんがく》）は徳川家に対しきわめて同情的であった。西郷はそのことをいう。

さらに西郷は、

「静寛院宮と申しても、この件に関しては賊の一味と同然」

という。宮とは、世上でいう皇女和宮《かずのみや》のことである。先帝孝明天皇の妹君であり、かつて幕府は朝幕の融和政策のためにこの皇女を将軍家茂《いえもち》の夫人たらしめることを懇願し、勅許があり、文久元年、宮は江戸へくだった。数年後にその夫をうしない、その後もひきつづき江戸城の大奥に住み、静寛院宮と称せられている。

「断乎《だんこ》追討あるべく、もしここまで押し詰めてきたにもかかわらず、ここにいたって寛《ゆる》やかに流れてしまえばあとで臍《ほぞ》をかむともうおそい」

と、書いている。

これが西郷の革命観であるであろう。かれは、後年語ったことだが、

「日本中を焦土にする覚悟でかからねばならない。天下は灰になり、民は苦しむ。しかしその灰と苦しみのなかからでなければあたらしい国家をつくりあげる力は湧《わ》いてこない」

という思想をもっていた。ところがそれほどの惨禍もなく維新が成立したため、西郷はあとあとまで、「戦さが、したらぬ。これでは日本はどうにもならない」と語り、それがかれの晩年の運命をつくる一因にもなった。

官軍は、そのうちの少数が鳥羽伏見の戦いの直後に美濃《みの》の大垣《おおがき》まで進出し、そこで駐屯《ちゅうとん》している。

大垣のそばに関ヶ原がある。この関ヶ原から街道が四方に出ており、東西南北のいずれに出るにも都合がよく、そのため一時も早く大垣城をおさえようとしたのであろう。

しかし主力軍の出発は二月に入ってからであった。主力軍のうちもっとも早く京を出発したのは、土佐軍である。

この部隊は、高知城下からきた。土佐藩軍事総裁板垣退助が鳥羽伏見の報をきくと同時に独断でひきいてきたもので、京に入るや、板垣は河原町藩邸で藩の老公の山内容堂に拝謁した。

容堂は、幕末、主張が単純でなかった。藩の過激勤王派を弾圧する一方、朝廷にも奉仕し、幕府にも良かれという行動をとり、このため天下の政情が混乱することもし

ばしばであった。容堂は大政奉還後も徳川氏の立場をすくおうとし、御所で薩摩藩主を罵倒《ばとう》したこともあり、薩の西郷らは、

――単純な佐幕主義者のほうが、はるかに始末がいい。

といって憎悪《ぞうお》の対象にした人物であった。

板垣は、早くから過激派である。容堂の寵臣《ちょうしん》のひとりではあったが、その過激のゆえに頭ごなしに叱《しか》られたこともあり、一時はしりぞけられていたこともあった。その板垣が容堂に拝謁し、着京の報告をし、おわって皮肉をいった。

「殿はいままで」

と、板垣はいう。

「われわれを過激、過激とおおせられておりましたが、その過激の世になったではありませぬか」

この言葉に満座が息をひそめた。容堂が例によってどなるかとおもったところ、片《かた》頰《ほお》に苦笑をうかべ、唇《くちびる》をひきむすんだまま、

「うむ」

と、うなずいたのみであった。容堂ですら一変した。たとえば土佐藩に対し東山道《とうさんどう》(中山道)先鋒《せんぽう》の命がくだったとき、藩の老職が軍費がないため断われという者があっ

た。容堂は一喝《いっかつ》し、

「古来、兵糧《ひょうろう》がなくていくさができぬということをきいたことがあるが、金がなくていくさができぬということはきいたことがない。金はあとからどうにでもなる。とにかく軍を発せよ」

といった。容堂にすればもはや政治の時代はすぎた、政治の段階であったればこそ徳川家への一片の感傷のためにずいぶんと薩長をおさえてきたが、いまからは軍事の時代であり、軍ともなればあらゆる感傷をすてて英雄的になるのが男子である、という考えだったのであろう。容堂は出征する藩兵を藩邸にあつめ、

「天なお寒し。自愛せよ」

という、のちにまで伝承された簡潔な激励の辞をあたえ、藩兵たちを勇奮せしめている。

官軍の総司令官のことを、

「東征大総督」

という。この職には有栖川宮熾仁親王《ありすがわのみやたるひと》がえらばれた。齢《よわい》三十四である。

この当時の宮たちのあいだでは学問に堪能《たんのう》ということで知られ、気概もあり、幕末

の一時は長州過激派の志士に擁せられたこともあり、元治元年以後長州勢力が京で没落すると同時に蟄居《ちっきょ》を命ぜられ、長州ぎらいの孝明帝の死とともにゆるされた。べつに事蹟《じせき》はない。

が、容貌《ようぼう》が華やかで、眉《まゆ》あがり、目鼻だちが大きく、体軀《たいく》も堂々としていたため、

——大将は、かの宮に。

という声が早くからあった。このひとが馬上征野をゆけば沿道の士民はみなその威にうたれ、戦わずして服するであろうという期待がたれしもの印象のなかにある。

この宮が先発部隊よりやや遅れて京を出発したのは、江戸の河井継之助がしきりに江戸・横浜のあいだを往来して兵器を買い入れていたころであった。二月十五日である。

この日、宮はいとまごいのために御所に参内《さんだい》した。ただちに八景ノ絵ノ間に入った。つづいて御学問所に入り、そこで明治帝に対面された。

そこで勅語があった。文章である。議定《ぎじょう》の公卿《くぎょう》がよみあげる。

「今般、東征軍務委任のあいだ、すみやかに掃攘《そうじょう》の功を奏すべきこと」

というだけのことばであった。読みあげている議定は中山前大納言で、少年帝の外祖父であり、養育官であった。この中山前大納言が、帝《みかど》にかわって節刀および錦旗《きんき》二

旒《りゅう》を手わたした。

宮はひきさがってもとの八景ノ絵ノ間にもどり、そこで祝酒をたまわった。すぐ立ち、御所を出た。堺町《さかいまち》御門の前の道路には宮がひきいてゆくべき官軍が屯《たむ》ろしている。宮が馬上のひとになるや、いっせいに動きだした。

軍は堺町通を三条蹴上《けあげ》にむかい、近江《おうみ》に入り、その日は大津に一泊した。

道中は、時に曇り、ときに晴れた。宮にとっては目に入るもののすべてがめずらしく、五日後に伊勢の桑名についたとき、

「あれが海というものか」

と、馬をとどめ、あくことなくながめ入られた。徳川幕府の規則により、豊臣家の没落後は親王、公卿は京から離れられぬということがたてまえになっている。宮は、海がどういうものかを幼いころから想像していたが、これほど広いものとはおもわなかった。

途中、風邪をひいた。そのため三河吉田（豊橋）で病臥《びょうが》し、このため官軍は予定より一日おくれた。出発後もおもわしくなく、馬をやめて塗りの乗物にされたため、沿道の者にせっかく宮の雄渾《ゆうこん》な容貌をおがませようとした参謀たちのおもわくははずれた。

二十九日は、風雨である。天竜川は大いに増水していたが、全軍勇をふるって渡河した。渡河後見付《みつけ》で休息すると、本陣の庭前に山桜がすでに五分咲きであった。そのころ江戸での継之助はまだ花のひらくのをみていない。

官軍といっても装備のゆきとどいているのは薩長土藩のみであり、これにくわえてやや遅れて参加した肥前鍋島《なべしま》藩が火器装備においてもっともすぐれていた。因州鳥取藩（池田中将家）、備前岡山藩（池田少将家）、近江彦根藩（井伊家）などは大量に兵をさしだしていたが、装備が劣弱で、小銃も九分九厘《くぶくりん》までが戦国時代の火縄銃《ひなわじゅう》であり、その服装も日本式で小具足の上に陣羽織を羽織り、槍《やり》が主力兵器であった。ただ彦根藩だけはオランダ式に訓練した兵を一大隊もっていた。

薩長土三藩の兵は、ひそかにこれらを、

「雑藩」

とよんだ。「雑藩」は戦意すらとぼしく、なんのために戦わねばならぬのかという政治意識が土分、足軽にまったくといっていいほど滲透《しんとう》していない。侍大将級の者でさえ、

「時代なのだ、だから天朝についた」

という程度の意識であり、ひとりずつの戦意がひくいだけでなく、さらにかれらはこの戦いに疑問をすら感じていた。勝ったところで薩長に名をなさしめるだけではないか、ということであった。場合によっては、島津将軍や毛利将軍ができるかもしれない。

官軍の大総督府は東海道を東下してゆく。先頭には二旒の錦旗がひるがえっており、その持ち手は御所の下級官人たちであった。十二人の官人が交代で持って行進したが、なにぶん旗は重く、それが風にひるがえると京ずまいの官人の力では持ちきれなくなり、風がふくたびに旗持たちは大さわぎをした。結局、竿《さお》が長すぎるのだろうということになり、新井の関所についたとき、親王のゆるしを得て竿を一尺八寸ほど切ってすてた。

それが、大総督の東下である。

これとはべつに実戦部隊として「東海道先鋒総督」がくだってゆく。総督は橋本実《さね》梁《やね》少将であった。この公卿が総督にえらばれた理由は軍事的能力ではなく、江戸城にいる静寛院宮の母方の実家の当主であるということであり、江戸についた場合、静寛院宮とのはなしあいがうまくゆくにちがいないとおもわれたためであった。官軍としては静寛院宮を戦火からすくいあげねばならず、また慶喜を弁護しすぎるかの宮を、肉親の叔父の手で説得して政戦のそとに脱《ぬ》け出させてしまわねばならないということであった。
他の諸道をすすむ官軍は、
東山道　岩倉具定《ともさだ》
北陸道　高倉永祜《ながさち》
奥　羽　九条道孝《みちたか》
であり、それぞれ公卿を総督および副総督にいただいていた。
その行軍速度は、継之助らが江戸の風説でそう感じたほどには速くはなかった。一日五里の平均であった。六里歩くと、兵の疲れがめだった。
継之助は、江戸にいる。
（ことしは、花がおそいかもしれない）
毎朝おきるたびになんとなくそう思う。この呉服橋藩邸には四十本ばかり桜の樹《き》があり、とりわけ門から玄関までの道筋に植えられているものがみごとで、樹齢は百五十年をこえているという。
継之助は、毎日、官軍東下の様子をきいている。わざわざかれの手もとから偵察者《ていさつしゃ》を出すこともあるが、多くは飛脚宿の主人が、毎日使いをよこしてきて継之助におしえる。上方くだりの飛脚たちの街道での見聞だから不正確なことも多いが、それでも聞かぬよりはましだった。

飛脚宿にあつまってくる話というのは、どうしても東海道のことが多い。中山道がこれにつぐ。北陸道の様子ときたら、かいもくわからないといっていい。

「かんじんの、北陸道がわからぬというのは、こりゃ不便だえ」

継之助は、毎日こぼした。この朝も、藩邸の門がひらくとすぐ飛脚宿から人がきた。芳蔵という、宿の主人の子である。十七歳の生意気ざかりで、よく舌がまわった。

芳蔵はいつも藩邸の勝手門から入って台所の土間で継之助を待つ。すぐ継之助があらわれる。継之助はかまちにすわり、

「それで、芳蔵」

というのが、いつもきまりきった第一声であった。芳蔵こんにちは、というあいさつのつもりかもしれず、あるいは「それで芳蔵、こんにちはどうなっておる」という言葉の省略かもしれなかった。

「それで、芳蔵」

というと、芳蔵は白洲《しらす》の罪人のように土間にへいつくばって頭をさげる。やがて頭

をあげ、背をのばし、腰をそろそろあげてかまちのふちに両掌《りょうて》を置き、犬がちんちんするような姿勢をとる。

「旦那《だんな》さま、もう大変でございますよ。遠州浜松から江戸まで三日できた早飛脚が昨夜宿にとびこみ、飛びこむなり申しまするに」

と、浜松での官軍の様子を伝える。浜松といえば井上河内守《かわちのかみ》六万石の城下で、人家も三千戸ばかりあり、旅籠《はたご》なども多いが、その浜松城は官軍の人馬でごったがえし、宿所も旅籠や寺だけでは足らず、城下城外で七間以上の座敷をもつ家はことごとく宿になっております、というのである。三日前の浜松がそうだから、きょうあたりは掛川以東にすすんでいることはまちがいない。

「そうかえ」

継之助にとってさほどの情報でもなかったのか、煙管《きせる》を一つたたくと、この芳蔵に別な用をたのんだ。

「使いを頼まれてくれろ」

といって懐中から封書を三通とりだした。

ゆくさきは、芝宇田川町、飯倉片町《いいくらかたまち》、日比谷《ひびや》御門内の三カ所である。それぞれ、牧野家の分家であった。

継之助は、長岡藩の支藩の代表をまねこうとしている。それを藩邸に招き、訣別《けつべつ》しようとした。そのために使いをやった。

長岡藩の支藩（牧野家の分家）は四藩をかぞえる。

信濃《しなの》小諸《こもろ》藩牧野家一万五千石
越後三根山《みねやま》藩牧野家一万一千石
常陸《ひたち》笠間藩牧野家八万石
丹後田辺《たなべ》藩牧野家三万五千石

このうち丹後田辺の牧野家はすでに江戸屋敷をひきはらって一人の藩士もとどまっていないため、継之助は他の三藩につかいを出した。

「かれらは昼ごろ来るだろう」

と、継之助は三間市之進に言い、宴席の支度をするように命じた。

場所は、書院ということにした。馳走《ちそう》は町の仕出しをつかうことにした。

「短時間ながら、ととのえられるだけの馳走をととのえよ」

と、付近の料亭に命じた。

花を活《い》けねばならなかった。すでに藩邸には御坊主衆《おぼうずしゅう》がひとりもおらず、その活け

手がなかったため、継之助の義兄の梛野嘉兵衛が、

「わしが活けよう」

と、みずからその役を買って出た。梛野には武士にはめずらしくその心得があった。なぜならばかれは継之助の父代右衛門から茶を学び、そのつどに花もならっていた。

が、花器がない。

「継サ、花器がない」

と、梛野はこまりはてたような顔でやってきた。継之助は苦笑した。

「みな、売ってしまった」

いまごろは、ファブルブランドやスネルの手で横浜から船荷になって外国にむかおうとしているだろう。

「ないものは仕方がない。義兄《あに》サ、飼葉《かいば》桶《おけ》でもあらってお使いあれ」

御《お》厩舎《うまや》に、それがころがっている。梛野はしかたなくそれをひろいにゆき、井戸端でたんねんにあらった。

花については、梛野はもくろみがあった。この藩邸の北隣りが伝奏《てんそう》屋敷になっている。伝奏とは京の公卿の役職で、幕府との接触を主要任務とする。それらが関東にくだってきたばあいの宿所がこの伝奏屋敷であったが、もはや幕府も瓦《が》解《かい》した以上、こ

の屋敷は不用であった。その伝奏屋敷の庭の桜だけがはやばやと花をひらいていることを棚野は気づいていた。

その大枝をもらいにゆく。

棚野がゆくと、小役人が小門をひらいてくれた。小役人というのは勘定奉行の支配による空屋敷の番人で、家康のころ伊賀からきた忍びの子孫たちだという。

「桜をいく枝《し》か、頂戴《ちょうだい》しとうござるが」

というと、番人は無言で庭へつれて行ってくれ、みずから樹にのぼって腕ほどの大枝をいくつか伐《き》ってくれた。「もうお勅使をむかえることはないのだから」と、番人は樹上で涙声を出した。

客を待つあいだ、継之助はすべての不要書類を台所にはこばせ、かまどに入れて焼却させた。

継之助は、かまちにすわってさしずをしている。藩士たちは身分にかかわらずこのことを手伝った。

「ほう」

と、声をあげた者があった。

——河井代右衛門

と署名された藩邸の小物の出入帳（雑用品帳簿）が、書類の山のなかから発見されたのである。

「これは、河井さんの厳父だろうか」

と、その者が他の者にいった。しかし年号がずいぶん古く、宝暦二年とある。百年以上前である。

「ご先祖だな」

と、ひとりがいった。

そこへ椰野嘉兵衛がやってきて、その古帳簿を手にとり、ぱらぱらとめくって、これはずいぶん古い書体だな、といった。

物知りの椰野の解釈では、これは河井家の初代であろうというのである。

河井家では、代々、代右衛門というのが世襲の名である。それに、代々「継之助」というのが世襲の幼名であった。継之助にいたってこの幼名を元服後もそのまま通称として使い、代右衛門を称さなくなっている。

初代代右衛門とすれば、代右衛門信堅であろう。信堅は江州膳所《ごうしゆうぜぜ》藩主本多家の家臣であったが、本多家から牧野家へ姫君が輿入《こしい》れしたときついてきて牧野家の世臣になった。以後継之助にいたるまで五代になる。

棚野はこの古帳簿に興をおぼえたらしく、それを継之助のもとにもってきた。

――見ろ。

というのであろう。できればとっておいて長岡へもって帰れということでもあるらしかった。

継之助は、このさわぎに先刻から気づいている。が、そっぽをむきつづけていた。棚野から帳簿をさしだされたときも、見ようともせず、

「義兄サ、燃してくりゃえ」

と、にべもなくいった。めずらしくもない、とまではいわなかったが、相手が義兄の嘉兵衛でなければどなりつけていたことであろう。

よけいな感傷である。

継之助にいわせれば、藩士のことごとくが先祖代々この藩邸にかかわりがある。かれらは父祖代々牧野家につかえ、ことに江戸定府の者ならこの藩邸の柱一本にも遠祖以来の思い出がこもっているであろうし、国許《くにもと》詰めの者も、参覲《さんきん》交代のお供などでその血脈のたれかれがこの藩邸に出たり入ったりしたであろう。

（きりのないことだ）

それをおもえば、である。継之助はともすれば身のうちから湧《わ》きあがってくるそういう感傷をおさえ、できれば蹴殺《けころ》してひややかにこの江戸藩邸の始末を遂げてしまいたいとおもっている。

やがて昼になった。

まっさきにやってきたのは、信州小諸の牧野家の者たちであった。

継之助は、それを玄関でむかえ、みながあつまるまでのあいだ、控えの間で待ってもらうことにし、玄関わきの小部屋に案内した。

小諸藩代表は、江戸家老牧野隼之進《はやのしん》とほか二人である。

部屋に入るや、隼之進ははるか下座にくだり、あたかも師父に対するようないんぎんさをもって継之助にあいさつした。

「なんの、こうるさきごあいさつ」

と、継之助はまゆをひそめ、隼之進の手をとって対等の座にあらためさせた。

「いや、こういう座では落ちつきませぬ」

と、隼之進はいう。

隼之進はすでに四十のなかばを越え、継之助よりも年上であった。その身分においても、本藩、支藩の関係があるとはいえ、ことさらに上下を考えなくてもよかった。しかし、礼を厚くしたのは、継之助に対して恩義があるからであった。

先年、小諸騒動というのがあった。

お家騒動である。お家騒動の多くのばあいがそうであるように、この場合も世嗣《よつぎ》についてのものであった。家老の一部が、現藩主の康民《やすたみ》を廃してその弟の信之助を立てようとし、徒党を組み、それに対して反対派が立ちあがり、たがいに争い、藩政は大いに混乱した。

ついに、一部の者が本家の長岡藩に訴え出たりしてこのまま放置すれば流血のさわぎがおこるか、でなければ幕府が乗りだして家取りつぶし（というほどの威権はもはや幕府にはなかったが）のおそれさえ出てきた。

継之助がまだ奉行格のころである。藩命によってその調停をせねばならなくなり、草履取り一人をつれて小諸へ出張した。

宿は、城内の宝寿院という寺である。

「あれが、本藩の河井か」

とみなが目ひき袖《そで》ひきしてうわさしたほどに継之助の服装は粗末であった。いつもの綿服に小倉袴《こくらばかま》というものであり、貧書生のようなすがたといっていい。

しかも、はじめは藩のたれにも会わず、毎日城外の農村をぶらぶらし、ふつうの遊覧客のようであった。

やがて一人ずつ関係者をよび、たんねんにきき、ついに裁断した。いっさい善悪による裁定をせず、この騒動で罷免《ひめん》されていた者も復職させ、この騒動のうらみが将来に残らぬことを方針とした。最後に一同をよび、

「泰平の世ならば、このなかで切腹を命じねばならぬ者もある。しかし天下多端であり、いまはそれどころではない」

と言い、そのあと藩の政堂に出、藩政改革についての提案をし、提案しただけでなくその実行を強要した。

以後、騒動の両派とも継之助に心服し、この隼之進のごときは「わが生涯《しょうがい》の師である」として継之助に対し、過大なほどの敬意をはらうようになっている。

小諸騒動のころ、継之助はその公式の宿所である城内の寺院で、夜になればひとり酒を飲んでいた。

小坊主が、ときどきやってきては、燗《かん》のぐあいをみたり、酒を注ぎ足したりしてゆく。

継之助は、無言である。手酌《てじゃく》で飲み、小坊主がふすまのかげできいていると、ときどき高声をはりあげ、唄《うた》をうたったりした。唄は、毎晩二つきりしかなかった。

九尺二間にすぎたるものは
紅のついたる火吹竹

四海波《しかいなみ》でも
切れる時ゃ切れる
三味線枕《まくら》で　チョイト
コリャコリャ　二世三世《にせさんぜ》

という、例の唄だけであった。

騒動についての判決をくだす直前、継之助はいったん江戸にもどり、牧野家本家の当主である自分の藩主忠恭《ただゆき》に報告した。忠恭はすぐ小諸藩主康民をよんだ。叱《しか》るわけである。が、実際に叱るのは忠恭というよりも、忠恭のおそばにすわっている継之助であった。

継之助は、康民が寵愛《ちょうあい》している城代家老牧野十郎兵衛以下数人こそ奸臣《かんしん》であるとみている。これらの非曲をいちいち指摘し、糾弾し、

「かれらを君子であるとおぼしめさるや」

と、康民にせまった。康民がいいかげんに返答すると、継之助は声をはげまし、

「お目がくらんでいらっしゃる。これほどにかれらの非曲があきらかであるのにまだお迷いが醒《さ》めませぬか」

と、刺すようにいった。

康民はそのあと自邸にもどってから側近に、

「うまれてこのかた、あれほどの侮辱をうけたことはない。何度、立ちあがって斬《き》り殺してやろうかと思ったかわからない」

といった。

このあと継之助が判決をくだすべく小諸へゆき、関係者一同をあつめ、委細を申しわたしたとき、ひとりとして顔をあげる者がなかったという。

「どうにも顔をあげてあの男の目を見ることができなんだ」

と、あとで騒動の敵味方ともささやきあった。

継之助はこの騒動をおさめる方針として藩を割らぬことに重点を置き、結局、ひと

りの罪人も出さなかったが、そのなかで大いに救われたのは家老牧野隼之進であった。隼之進はこの騒動中、敵の党から家老職をめしあげられて隠居させられていたのである。

事件後、継之助は隼之進家で一泊し、

「小諸藩のひとびとにずいぶん会った。きょうは酔ったついでにかれらの将来を占おう」

と言い、いちいち人名をあげて語った。たとえば「高崎郁母《いくも》はいまは権勢家だが、非業《ひごう》に斃《たお》れるだろう。西岡信義、長沼半之丞《はんのじょう》は今後大いに用いられるだろう」ということであったが、維新後ことごとくそれがあたり、牧野隼之進も、晩年にいたるまで、

――河井さんは、神のごとき人である。

と言い暮した。

やがて昼をすこしすぎたころ、支藩の代表たちが、つぎつぎにこの呉服橋藩邸にやってきた。

「おまねき、かたじけのうござる」

と、それぞれがあいさつをして玄関から入ってゆく。本家の者がそれらを鄭重《ていちょう》に迎

え、書院へ案内してゆく。

常州笠間八万石の牧野家からは、用人の谷源之進と田村市兵衛がやってきている。越後三根山一万一千石の牧野家からは、家老の多賀谷貢ら三人、それに先刻から待っている小諸の牧野隼之進などくわわりそれぞれ席についた。

招待した側である本藩の者は、みな下座につき、その中央に継之助がいる。

継之助は、あいさつをした。

「大公儀が京にあって瓦解し」

と、継之助はいう。「将軍は東帰、ひたすらご恭順これあり、しかしながら薩長はみずから王師ととなえ、徳川家をよぶに賊をもってし、暴慢の師をおこし、三道から兵をすすめていま江戸にむかっている。おそらくあすにも箱根ノ関にいたるであろう」

という意味のことを言いつづけた。

これに対し、徳川慶喜は専心恭順し、旗本の士をおさえて暴発せしめまいとし、ときに暴発をくわだてようとするむきに対しては、

「それはあたかも私の首に刀をあたえて首をおとそうとするようなものであり、不忠のきわみというほかない」という理屈をもっていちいちさとしている。このため江戸

はかろうじて鎮静をたもっている。

諸藩は、ゆくべき道にまよっている。

「大政奉還後は」

と、継之助はいった。三百諸侯は徳川家との関係がなくなった、と継之助はいう。

継之助の解釈である。

徳川家は、盟主であった。諸大名は徳川家に対し臣従の盟《ちかい》をむすび、その統御に服するかたちをとってきたのが封建制度というものであり、それが徳川家の政権というものであった。つまり、「大政」とは「大名統御権」というものであろう。それを慶喜は朝廷に返上した。このため徳川家はその直参だけが家来になった。

諸大名は、野にほうり出された。

「道理でいえば」

と、継之助はいう。慶喜が勝手に大名をほうりだしたわけであり、大名としてはあとはたれに仕えようと、自由意思にまかされてしまっている。すぐ西へ奔《はし》って朝廷の大名にならねばならぬという道理はない。自立してもいい。

「そのほかの道はない」

という。朝廷に仕えるか、自立するか、ふたつしかない、という。徳川氏みずからが主人（盟主）たることをやめてしまった以上、徳川氏の傘下《さんか》には入れないのである。

「いずれにせよ、天下はどうなるか」

みだれるであろう。たがいの藩、たがいの身がどうなるかわからぬ昨今、いま江戸を去るにあたって別離の宴《うたげ》を設ける次第である、と継之助はいった。

酒になった。

宴なかばで継之助は順次、酒を注いでまわった。

「いや、これは恐縮」

と、笠間の谷源之進は行儀のいい男で、まるで古式の献酬のような手つきでそれを受け、大杯でもあるかのように三口で飲んだ。継之助はつぎつぎとまわってゆく。

小諸の牧野隼之進はよほど酒が弱いらしく目の玉を真っ赤にさせてすわっている。

継之助は猪口《ちよく》をさしだした。

「いやもう、拙者は」

と手をあげようとしたが、継之助が黙然として聞えぬ面《つら》つきでさし出しているため、結局は飲んだ。隼之進は平素、一滴もたしなまぬという。

三根山の多賀谷貢は、おなじ越後であるだけに酒量はたしかである。

飲みほしたあと、

「たいへんでございますな」

と、いった。

江戸にいる長岡藩の藩士のことをいっているのである。招《よ》ばれているこの三藩の場合は、江戸にいる藩士といえばそれぞれ数人の残務整理者が残っている程度で、それもここ一両日で国もとへひきあげてしまう。会津藩や桑名藩ですら、すでに江戸を去ってしまっており、この江戸で百人内外という多人数の藩士が居すわっているというのは、継之助の長岡藩だけなのである。官軍が関東の山野に満ちはじめたときに、帰る道をうしなうのではないか。

——いったい、どうする気だろう。

という疑問が招ばれた側のたれの胸のうちにもあったが、たれもが継之助に遠慮をしてきかない。継之助も、そのことについてはだまっていた。

継之助は一巡したあと、一座の中央にすわり、膝《ひざ》をただした。

「本日、申しあげたかったのは」

と、痰《たん》を切りつついった。

「今後のことでござる」

自分には、諸子への希望がある。一個の希望であり、お容《い》れくださろうとくださるまいともとより勝手であるが、いかがであろう、聞くだけはきいてくださるか、といった。

一同、緊張した。それぞれ内心、

（この男、徳川家へ殉じよというのではあるまいか）

と思い、そのことばを怖《おそ》れた。この三藩も時勢がこうなった以上、大勢に順応して自家を保とうという内々の方針をたてており、いま本家が、本家意識をもってその考え方を押しつけてくるとすれば、それはこまるとおもっていた。

が、継之助はいきなりいった。

「おのおの、今後、官軍にご所属あったほうがおよろしかろうと存ずる」

というのである。

冗談でも皮肉でもないことは、継之助の顔をみればわかる。

――薩長に従え。

という。この継之助の言葉は、ものごとの道理にうるさい継之助の歯のあいだから出たことばだけに三藩の代表にとって意外であり、いっせいに不審の表情をした。

「それはいったい」

と、小諸の牧野隼之進がすかさず膝をのりだし、

「それはいったい、どういうことでありましょう。われらに一片の節義もないとおおせあるのか」

といった。節義とは徳川家へのそれであった。牧野家は三河以来の譜代藩であるだけに、他の外様《とざま》藩のようにすらすらと大勢に順応できぬことはわかっているのである。なんとかといって、官軍に抵抗するといった気持も実力もなく、できれば道義的問題から何とか巧みに身をそらせて大勢順応というほうに藩をもってゆくというのが、内々の本心なのではあったが。

「いやいやわかっている」

継之助はいった。

「徳川家への節義は節義。それはそれぞれのお気持のなかでもっておればよろしく、藩のうごきとは別にされよ」

「とは？」

「藩士にとっては藩をぶじに保つことが絶対の正義である。いまからはじまるであろう動乱の時代にどのように藩を生かしめてゆくか、おのおのはそれをのみ考えてゆか

れるがよろしかろう」

「河井どの、ご本心か」

「本心である」

継之助はうなずいた。微々たる小藩が、わずかな兵力と貧弱な旧式武装で官軍に手むかっても、そのあたりの草賊ほどの力も発揮できない、踏みつぶされるがおちであり、踏みつぶされても世間の同情はあるまい、と継之助はいう。

「時代はかわる。今夕太陽が沈み、明朝また昇るがごとくそれはあきらかなことだ。三藩はすみやかに王臣になられよ」

「すると、長岡藩は？」

「左様さ」

継之助は、腕を組んだ。

「そのことについては、もうここ一年も考えつづけている。いまもってわからない」

「河井どのほどのお人が」

「たれにも、これだけはわかりませぬさ。胸中、なにごとか決するものだけは蔵しているが、とにかく長岡藩としては出たとこ勝負でゆく。それでゆく」

「そしてわれわれに対しては官軍随順でゆけとおおせあるか」

「左様。それが安全の道だ。そのうえ」

と、継之助は息を詰め、やがて、

「牧野家を残す道でもある」

それが、本心であるようであった。本藩、支藩の別はとわず、とにかく三河発祥のこの名家を一氏でも残してゆきたい。「それがたがいの藩主のご先祖に酬《むく》いる道でもある。一氏でも残れば他の牧野氏代々のご供養《くよう》の香華《こうげ》は絶えない」と、継之助はいうのである。

あと、一座のたれもが無言になった。永久につづくかとおもわれるほどの重い静けさのあと、小諸の牧野隼之進がたまりかねたように顔を動かした。

一同そのほうをみると、隼之進は顔を掌でおおっている。泣いているのである。

「お静かに」

と、継之助は隼之進からそっぽをむき、そんなことをいった。この男にとってなによりもきらいなのは涙であった。涙という、どちらかといえば自己の感情に甘ったれたもので難事が解決できたことは古来ない、というのが継之助の考えかたであった。

継之助は、にがりきっていた。

――一同、それぞれの藩の宰相、もしくはそれに準ずる者ではないか。とおもうのである。一藩を宰領してゆくのは涙ではない、乾ききった理性であるべきだと継之助はおもっていた。

やがて牧野隼之進は泣きやんだ。

「恐れ入りました」

と、一同にわびをし、低く頭を垂れ、自分がいま泣いたのは河井どのの優しさに対してである、という。

――官軍につけ。

ということであった。大勢に順応し、藩を保て、ということであった。せめて一藩でも牧野氏の血流をのこしたいということなのである。隼之進は、それをいった。

「まったくもって」

といったのは、笠間の谷源之進であった。谷は、隼之進とちがってどことなく横着なところがあり、受けとりかたがちがっていた。

「ありがたい」

と、谷源之進はいう。

谷は勤王家ではなかったが、幕府が瓦解《がかい》し天下がこうなってしまった以上、無理のない方針をとりたいとおもっていた。そういう気持のなかから、継之助に対し、かるい感謝の意を表したのである。

「ところで」

と、谷源之進はいった。

「長岡藩にあっては、どうなさる」

「私のほうですか」

継之助は、何度も同じことをいわねばならない。

「私のほうは、行きあたりばったりです。その場その場で絵をかいてゆく」

と、心にもないことを、そんな表現でいった。谷源之進程度の男に、自分の胸中の深刻な屈折を話してもどう受けとられるかわからず、おそらく誤って解釈されるのがおちであろう。

「佐幕でござるか」

谷源之進は、なおもしつこくきいた。継之助は、かすかに笑って、

「佐幕とは、幕府ヲ佐《たす》ケル。その佐けるべき幕府がなくなった以上、どう仕様もござるまい」

と、低い声でいった。

ふと、牧野隼之進が、

「越後へお帰りあるのに、いったいどの道をおとりになるおつもりです」

といった。

諸道にはすでに官軍が充満しているとみなくてはなるまい。であるのに江戸から百人内外の武装兵をひきいてはるばる越後まで帰れるはずがなく、魔法でもつかわぬかぎりどうにもならぬではないか。

「いやさ」

継之助は、顔を上からゆっくりとなでおろし、表情も変えずにいった。

天ニ翔《かけ》リテ帰ルベキカ、
地ヲ潜《くぐ》リテ還《かえ》ルベキカ、
帰路ノゴトキ、
アエテ憂《うれ》ウルニ足ラズ。

そのようにいった、と牧野隼之進は終生この場の光景を記憶し、ひとに語りつづけている。

——どういう方法があるのか。

と、ひとびとは不審におもったが、継之助はついに語らず、宴はおわった。諸藩の士はそれぞれひきとって行った。

継之助は三間市之進をよび、

「かねて打ちあわせた手筈《てはず》のとおりせよ」

と命じた。

手筈の第一は、かれら分家の侍衆がひきとると同時に屋敷を総がかりで清掃することであった。しかるのちにひきはらってしまう。ひきはらいは夜になるであろう。

「心得てござる」

三間は、若い能吏らしく身動きもきびきびしていた。すぐ書院にもどり、おおぜいを指揮し、まず畳をあげふすまをひきはずした。

そのころには継之助は扇子一本を持って表へ出ている。辻駕籠《つじかご》をひろった。

「どちらまで」

と、後の棒がきいた。

「吉原《なか》」

と命じ、あとは駕籠の垂れをおろさせた。

駕籠のなかで、江戸退去後の手筈についてあれこれ考えた。しかし先刻の昼酒がぬけずしばらくうとうととした。

吉原の大門に入った。

「旦那《だんな》」

と、前の棒がきいた。吉原のどこへゆくのだというのであろう。引手《ひきて》茶屋《ちゃや》に入るべきであったが、どういう拍子かその屋号を忘れてしまった。

やむなく、そこで駕籠を捨て、郭内《かくない》の辻まで歩き、そこに立った。

(酔ったかな)

疲れている。これほど遊んだ男が引手茶屋の屋号をわすれるなどありえない。継之助はともかくも辻で立っている。辻で立っていれば継之助を見覚えてくれている男衆か女中かが通りかかるであろう。声をかけてくれるにちがいないとおもった。効果は意外に早かった。

「旦那、おひさしぶりでございます」

と、声がかかった。

継之助は、茶屋にあがった。

座敷の造作がかわっている。

「火事でもあったのか」

ときくと、女将《おかみ》はそれほどお久しかったのでございますか、と笑った。火事はあったがよほどの旧聞である。

「ずっとお国でございましたか」

「いや」

国にも久しい。大坂、京など、行旅転々としてきた。この吉原に入ってひさしぶりに江戸に帰った気持を味わおうとしたが、かんじんの茶屋の屋号さえわすれてしまっていた、というと、

「とんだ浦島でございますね」

と、女将は陳腐な冗談をいった。

「吉原の景気はどうだ」

継之助にとっては、相変らずそういうことが興味があるらしい。とてもとても、と女将は手を振った。

「火が消えたようでございます」

「ほう」

「もっとも前の月（二月）のなかばごろまでは大変な賑《にぎ》わいで」

という。中間折助《ちゆうげんおりすけ》のたぐいがどっと吉原に押しかけたという。どの大名、旗本屋敷もそういう連中にそれぞれ金をあたえて整理したため、かれらは懐《ふとこ》ろのあたたかいうちに吉原へおしかけたのであろう。

「歩兵さんも」

と、女将はいった。鳥羽伏見で敗《ま》けて帰った幕府歩兵のことである。かれらの多くは江戸と大坂で徴募した庶民あがりの連中であり、火消や博徒《ばくと》なども多い。江戸へ逃げ帰ってから給金でもってばくちを打ち、勝った者は酒に食らい酔っては吉原にきたという。

「一時はどうなるかと思いました」

と、女将はいう。

かつての吉原の上客はなんといっても富商の旦那衆が中心であり、次いで諸藩の江戸留守居役ということになっていたし、かれらがいわばこの郭の富と文化のようなものをつくりあげてきたといってもいい。安い店には職人がゆく。職人のゆく店はそういう店なりに好もしいふんいきがあったというのだが、将軍さまが上方から逃げもどってからというものは、商人も諸藩留守居も職人も、いたちの道が絶えたように来なくなった。

「そりゃ、当然だ」

と、継之助はいった。諸藩留守居役というような役名そのものも消滅してしまっているし、第一どの藩も江戸詰めの藩士がことごとく国にかえってしまった。江戸が盛んであったころ、諸藩の定府や勤番侍をふくめて侍や武家奉公人というものは三、四十万も居たであろう。それがごっそり江戸の人口から抜けた。

商人や職人なども、かれら江戸在留の大名の消費経済のおかげで衣食してきた以上、これからの暮しのめどが立たず、吉原どころでないのであろう。

「来るのは、中間折助と歩兵ばかりか」

継之助は、次第に興ざめてきた。

「いったい、江戸は」

と、女将はえりをかきあわせ、眉《まゆ》のあたりをにわかに険しくした。「江戸は」というのは、江戸の運命を継之助にたずねてみようとしているらしいのだが、しかしその表情は詰問《きつもん》しているかのようであった。「どうなるのでござんしょうね、このままだと、継之助は、女将が詰めてくれた莨《たばこ》を火に近づけ、一服喫《す》った。おれの知ったことか、と話をはぐらかしてしまうには、継之助は田舎者でありすぎた。

「そいつは女将」

「うかうかすると、焼け野原だな」

「でしょうか」

「しかし十五代さま（徳川慶喜）はお利口なようだから、下手に騒いでいくさらさわぎをおこすなんてことは、なさるまい。きれいにお城と町を官軍に渡されるかもしれないよ。そう祈っていたほうがよかろう」

「やっぱり」

「なにがやっぱりだ」

「やっぱり今のお公方《くぼう》さまは」

と、女将は声をひそめた。水戸のお方だから、お家にもお城にもご執心がおありにならないのかもしれませんね、大きな声じゃ申せませんけど、といった。べつにこの女将だけの臆測《おくそく》でなく、旗本をはじめ江戸の町民にいたるまでのそれが慶喜観であるらしい。

「するとあれか、お城を枕《まくら》に公方さまに討死してもらいたいのか」

そうなると、江戸は戦火で総嘗《そうな》めになってしまう。妙なものであった。感情ではそういう壮烈さを望みながら、打算ではそれではこまるというのが江戸っ子のおおかたの気持であった。

「まあ、そんなことにはなるまい」

と、継之助はいった。しかし政都が京になってしまえば江戸はもう、三百年前の草野原になってしまわざるをえまい、と継之助はいうのである。

「本当でしょうか」

「しかし」

継之助はいった。そのときが、官軍というか、新政府の重大な試金石になるだろうとおもうのである。江戸の町民人口は百万にちかいであろう。その百万という人間が生活の資を断たれたとき、世間は騒然としてきて新政府にとってはいまの徳川軍よりも手ごわい相手になるだろうと継之助は観測していた。

「ところで、妓《おんな》だ」

と、継之助はいった。女将は狼狽《ろうばい》し、うっかり稼業《かぎょう》をわすれていたことを詫《わ》び、どこの誰に致しましょうと大いそぎでいった。

「稲本楼の小稲だが」

と、継之助がいうと、女将は手を振り、あの太夫《たゆう》は一年も前から病気で、といった。でございますからほかにたれか、と女将はいったが、継之助はもう立ちあがっていた。茶代を置き、ほかに、「これは小稲への見舞のつもりだ」と言って多額の金子《きんす》を置き、土間へ降りた。「またお早いうちに」と女将はいったが、継之助はもう来ることはあるまいとおもった。

（下巻に続く）

「司馬遼太郎記念館」への招待

司馬遼太郎記念館は自宅と隣接地に建てられた安藤忠雄氏設計の建物で構成されている。広さは、約2300平方メートル。2001年11月に開館した。

数々の作品が生まれた自宅の書斎、四季の変化を見せる雑木林風の自宅の庭、高さ11メートル、地下1階から地上2階までの三層吹き抜けの壁面に、資料本や自著本など2万余冊が収納されている大書架、……などから一人の作家の精神を感じ取っていただく構成になっている。展示中心の見る記念館というより、感じる記念館ということを意図した。この空間で、わずかでもいい、ゆとりの時間をもっていただき、来館者ご自身が思い思いにしばし考える時間をもっていただきたい、という願いを込めている。　（館長　上村洋行）

利用案内

所在地　大阪府東大阪市下小阪3丁目11番18号　〒577-0803
TEL　06-6726-3860，06-6726-3859（友の会）
HP　http://www.shibazaidan.or.jp
開館時間　10:00～17:00（入館受付は16:30まで）
休館日　毎週月曜日（祝日・振替休日の場合は翌日が休館）
特別資料整理期間（9/1～10）、年末・年始（12/28～1/4）
※その他臨時に休館することがあります。

入館料

	一般	団体
大人	500円	400円
高・中学生	300円	240円
小学生	200円	160円

※団体は20名以上
※障害者手帳を持参の方は無料

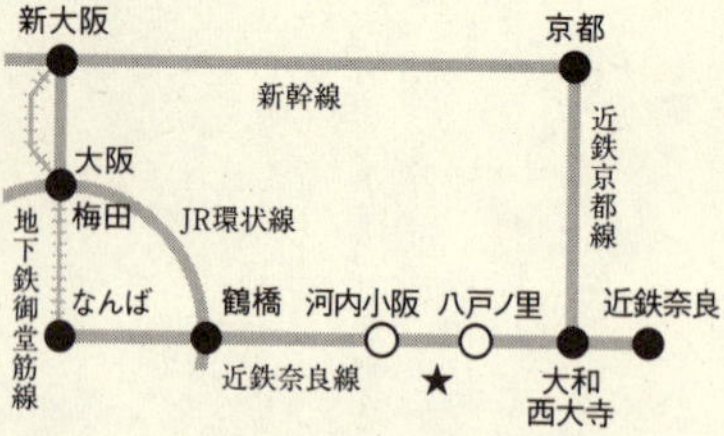

アクセス　近鉄奈良線「河内小阪駅」下車、徒歩12分。「八戸ノ里駅」下車、徒歩8分。
Ⓟ5台　大型バスは近くに無料一時駐車場あり。但し事前にご連絡ください。

記念館友の会　ご案内

友の会は司馬作品を愛し、記念館を支えてくださる会員の皆さんとのコミュニケーションの場です。会員になると、会誌「遼」（年4回発行）をお届けします。また、講演会、交流会、ツアーなど、館の行事に会員価格で参加できるなどの特典があります。

年会費　一般会員3000円　サポート会員1万円　企業サポート会員5万円
お申し込み、お問い合わせは友の会事務局まで
TEL 06-6726-3859　FAX 06-6726-3856

新潮文庫最新刊

唯川恵著
100万回の言い訳
恋愛すると結婚したくなり、結婚すると恋愛したくなる——。離れて、恋をして、再び問う夫婦の意味。愛に悩むあなたのための小説。

小池真理子・小説
ハナブサ・リュウ・写真
イノセント
あなたと私、二人きりで全てをわかちあった秘密の時間——。言葉が誘い、写真が応える。甘美にして妖艶、めくるめく官能の物語世界。

米村圭伍著
紀文大尽舞
蜜柑船の立志伝など嘘っぱち。戯作者の卵・お夢が、豪商・紀伊国屋文左衛門の陰謀を暴く。将軍継承を巡る大江戸歴史ミステリー。

岩井志麻子著
痴情小説
甘やかな快感に溶けてゆく肌。その裏側から溢れだす、生温かく仄暗い記憶。痺れる甘さと蕩ける毒に満ちた、エロティック作品集。

中村文則著
銃
拾った拳銃に魅せられていくうちに非日常の闇へと嵌まり込んだ青年。その心中の変化と結末を描く。若き芥川賞作家のデビュー作。

森見登美彦著
太陽の塔
日本ファンタジーノベル大賞受賞
巨大な妄想力以外、何も持たぬフラレ大学生が京都の街を無闇に駆け巡る。失恋に枕を濡らした全ての男たちに捧ぐ、爆笑青春巨篇！

新潮文庫最新刊

新潮社編
空を飛ぶ恋
―ケータイがつなぐ28の物語―

伝えたい想い、いえなかった言葉、ときめく心が空を駆けめぐる。ケータイがつなぐ心と心。人気作家28人によるオリジナル短編集。

白洲次郎著
プリンシプルのない日本

あの「風の男」の肉声がここに！　日本人の本質をズバリと突く痛快な叱責の数々。その人物像をストレートに伝える、唯一の直言集。

森繁久彌・語り
久世光彦・文
大遺言書

「思い出すっていうのは、不思議なものですねえ」稀代の名優が語る波瀾万丈の人生を久世光彦が軽妙洒脱な筆で綴る聞き書きエッセイ。

群ようこ著
ぢぞうはみんな知っている

母には金を吸い取られ、弟は無責任。天涯孤独と思ってみるが、何故か腹立つことばかり。身辺を綴った抱腹絶倒、怒髪天衝きエッセイ。

太田和彦著
居酒屋道楽

古き良き居酒屋には、人を酔わせる歴史があり、歌があり、物語がある――。上級者だからこそ愉しめる、贅沢で奥深い居酒屋道。

絵門ゆう子著
がんと一緒にゆっくりと
―あらゆる療法をさまよって―

「がん＝死」なんてあり得ない。苦しみを乗り越え、がんと生きるからこそ経験できた深い喜びの数々を綴る感動の闘病記。

新潮文庫最新刊

小和田哲男著
集中講義 織田信長
日本一弱いと言われながら、それでも勝ち続けた織田軍の秘密から革命児信長の本質まで、戦国史学界の第一人者が分かり易く検証する。

秋庭俊著
帝都東京・隠された地下網の秘密［2］
―地下の誕生から「1―8計画」まで―
帝都の地下は、いかにして設計されたのか？江戸城の遺跡、満州の都市計画など、多分野の調査から隠蔽されたそのルーツに迫る。

西村淳著
面白南極料理人
笑う食卓
息をするのも一苦労、気温マイナス80度の抱腹絶倒南極日記第2弾。日本一笑えるレシピ付。寒くておいしい日々が、また始まります。

北尾トロ著
危ないお仕事！
超能力開発セミナー講師、スレスレ主婦モデル、アジアの日本人カモリ屋。知られざる、闇のプロの実態がはじめて明かされる！

産経新聞「新・赤ちゃん学」取材班著
ここまできた新常識
赤ちゃん学を知っていますか？
英語は何歳から？テレビ画面は危険！アトピー・SIDSの原因は？最新の研究成果から解き明かす出産・育児の画期的入門書。

夏目房之介著
漱石の孫
百年前、祖父が暮らしたロンドンの下宿。そこを訪れた僕を襲った感動とは？孫がはじめて真正面から描いた、文豪・夏目漱石。

峠《とうげ》（中）

新潮文庫　し-9-41

平成十五年十月二十五日　発行
平成十八年五月二十五日　九　刷

著者　司《し》馬《ば》遼《りょう》太《た》郎《ろう》

発行者　佐藤隆信

発行所　株式会社　新潮社

郵便番号　一六二―八七一一
東京都新宿区矢来町七一
電話　編集部(〇三)三二六六―五四四〇
読者係(〇三)三二六六―五一一一
http://www.shinchosha.co.jp

価格はカバーに表示してあります。

乱丁・落丁本は、ご面倒ですが小社読者係宛ご送付ください。送料小社負担にてお取替えいたします。

印刷・二光印刷株式会社　製本・加藤製本株式会社

© Midori Fukuda 1968　Printed in Japan

ISBN4-10-115241-1 C0193